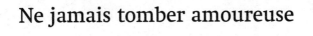

Ne jamais tomber amoureuse

Melissa Marr

Ne jamais tomber amoureuse

Traduit de l'anglais (américain)
par Blandine Longre

Melissa Marr a grandi en croyant aux fées et aux fantômes. Après avoir enseigné la littérature à l'université pendant dix ans, elle s'est mise à écrire sur sa fascination pour les légendes ; *Ne jamais tomber amoureuse* est son premier roman. Melissa vit actuellement à Washington, consacre tout son temps à ses livres, et croit toujours aux fées.

Ne jamais tomber amoureuse est le premier volet d'une tétralogie, best-seller aux États-Unis.

Titre original :
WICKED LOVELY
(Première publication : HarperTeen,
an imprint of HarperCollins Publishers Inc., New York, 2007)
© Melissa Marr, 2007
Tous droits réservés, y compris droits de reproduction totale ou partielle, sous toutes ses formes.

Pour la traduction française :
© Éditions Albin Michel, 2010

Pour Loch, Dylan et Asia, qui ont cru en moi
quand je n'y croyais plus.

Et à la mémoire de John Marr senior et de Marjorie Marr,
dont la présence ne m'a pas quittée,
et qui me donnent de la force lorsque je trébuche.

Prologue

Le Roi de l'Été s'agenouilla devant elle.

– Fais-tu ce choix de ton plein gré, quitte à t'exposer au froid de l'hiver ?

Elle le dévisagea. Lui, le garçon dont elle était tombée amoureuse au cours des semaines passées. À aucun moment elle n'avait imaginé qu'il pût être autre chose qu'un être humain. Mais à présent, sa peau chatoyait, comme si des flammes tremblantes y affleuraient ; et c'était à la fois si beau et si étrange qu'elle ne parvenait pas à détourner le regard.

– Oui. Tel est mon désir.

– Tu sais que si tu n'es pas l'Élue, il te faudra porter en toi le froid de la Reine de l'Hiver et attendre qu'une autre mortelle accepte d'affronter la même épreuve ? Tu sais aussi que tu devras l'avertir, la convaincre de ne pas me faire confiance ?

Il s'interrompit et posa sur elle un regard attristé.

Elle acquiesça.

– Si cette mortelle ne veut pas de moi, reprit-il en s'approchant d'elle, il te faudra prévenir la suivante. Puis la suivante.

Et ainsi de suite. Tu ne seras libérée du froid que lorsque l'une d'elles acceptera.

– J'ai parfaitement compris.

Elle lui fit un sourire qu'elle voulut rassurant, puis s'avança jusqu'au buisson d'aubépine. Elle se pencha et glissa la main sous les feuilles, qui lui frôlèrent le bras. Ses doigts se refermèrent sur le bâton de la Reine de l'Hiver. Un objet en bois, tout simple, usé, comme si d'innombrables mains l'avaient déjà serré. Pourtant, elle ne voulait pas penser à ces mains, à ces autres filles qui s'étaient trouvées à l'endroit exact où elle se tenait.

Immobile. Pleine d'espoir. Et apeurée.

Il s'approcha d'elle. Le bruissement des arbres se fit presque assourdissant. L'éclat lumineux de sa peau, de ses cheveux, s'intensifia. Elle vit son ombre à elle qui se projetait sur le sol.

– Pourvu que ce soit l'Élue... chuchota-t-il.

Elle se contenta de serrer dans sa main le bâton de la Reine de l'Hiver – et d'espérer. Un instant, elle faillit même y croire. Quand soudain la glace la transperça et le froid pénétra en elle, si vivement qu'elle crut que des éclats de verre s'enfonçaient dans ses veines.

Elle hurla son nom.

– Keenan !

Elle s'avança vers lui, vacillante, mais il s'éloignait déjà. Son halo avait disparu. Il ne la regardait plus. Elle se retrouvait seule, un loup pour unique compagnon. Il lui fallait maintenant attendre la prochaine candidate, à laquelle elle dirait qu'il était pure folie d'aimer ce garçon et de lui faire confiance.

1

« Les VOYANTS, dont on dit aussi qu'ils possèdent un DON DE DOUBLE VUE [...] ont fait des rencontres extrêmement terrifiantes avec les FÉS, qu'ils appellent Braves Gens ou Petit Peuple. »
(*La République mystérieuse : Des elfes, faunes, fées et autres semblables* de Robert Kirk et Andrew Lang, 1893)

– Bille numéro quatre, poche de côté.

D'un mouvement sec et rapide, Aislinn dirigea sa queue de billard vers la bille blanche. Celle qu'elle visait tomba dans la poche avec un petit *clac !* satisfaisant.

Denny, son adversaire, lui fit signe qu'un coup plus difficile l'attendait – une bande avant[1].

La jeune fille leva les yeux au ciel.

– Qu'est-ce qui t'arrive ? Tu es pressé de me voir perdre ?

Il ne dit rien.

– D'accord, j'y vais.

Concentration. Self-control. Rien de plus simple, se dit-elle.

---

1. La bille doit ricocher contre une bande de la table avant d'atteindre son but. (Toutes les notes sont de la traductrice.)

Elle coula les deux billes.

Denny hocha brièvement la tête, ce qui, venant de lui, frisait l'éloge.

Aislinn fit le tour de la table, s'immobilisa et enduisit sa queue de craie. Tout ce qui l'entourait l'aidait à rester dans la réalité : les billes qui s'entrechoquaient, les rires étouffés des joueurs et même le flot ininterrompu de musique country et de blues qui s'écoulait du juke-box. Le monde des humains. Un monde sûr, sans danger. Car il en existait un autre, redoutable celui-là. Mais du moins, le monde réel dissimulait de temps en temps cet autre univers – qu'elle avait en horreur.

– Bille numéro trois, poche d'angle, annonça-t-elle.

Elle positionna sa queue. C'était un coup sans difficulté.

Concentration. Self-control.

Soudain, elle sentit... un souffle tiède dans ses cheveux.

Un fé lui reniflait la nuque. Son haleine était chaude – trop chaude. Son menton pointu collé tout contre sa peau. Toute la concentration du monde n'aurait pu suffire à rendre tolérable l'attention que Menton-Pointu avait décidé de lui porter.

Aislinn déclara forfait. Seule la bille blanche tomba dans la poche.

Denny récupéra la bille.

– C'était quoi, ce coup ?

– Un coup nul ?

Elle se força à sourire, à garder les yeux sur Denny, sur la table, sur n'importe quoi, mais surtout pas sur la horde qui investissait peu à peu la salle. Elle avait beau détourner le regard, elle les entendait. Leurs rires, leurs cris aigus, leurs grincements de dents, leurs battements d'ailes. Une cacophonie à laquelle elle ne pouvait échapper. Ils sortaient en foule, certainement plus libres quand le soir tombait. Ils envahissaient son espace et compromettaient la paix à laquelle elle aspirait.

Denny ne la regarda pas avec étonnement, ne lui posa aucune question indiscrète. Il lui fit seulement signe de s'écarter de la table.

– Grace ! Passe un morceau pour Ash[1] ! lança-t-il.

Près du juke-box, Grace choisit une chanson parmi les rares qui ne soient ni blues ni country : *Break Stuff* de Limp Bizkit[2].

Tandis que les paroles bizarrement réconfortantes, chantées d'une voix rauque, prenaient de l'ampleur pour atteindre une tonalité rageuse qui ne manquait jamais de lui nouer l'estomac, Aislinn sourit.

Si seulement je pouvais me défouler comme ça... Que l'agressivité contenue depuis des années puisse se déverser sur ces créatures...

Les yeux posés sur Menton-Pointu, qui tournoyait à côté de Grace, elle fit glisser sa main sur le bois poli de sa queue.

C'est par lui que je commencerais. Ici. Maintenant.

Elle se mordit la lèvre. Bien entendu, tout le monde la prendrait pour une folle furieuse si elle se mettait à frapper des corps invisibles – tout le monde, sauf les fés.

La chanson n'était pas achevée que Denny avait déjà vidé la table de toutes les boules restantes.

– Pas mal, commenta Aislinn.

Elle se dirigea vers le râtelier mural et rangea sa queue de billard dans un emplacement libre. Derrière elle, Menton-Pointu eut un petit rire, aigu, perçant, et lui arracha quelques cheveux.

---

1. Ash est le diminutif d'Aislinn. Ash signifie « cendres ».
2. Groupe américain, mi-métal, mi-hip-hop.

– On remet ça ? demanda Denny, sur un ton laissant malgré tout entendre qu'il connaissait la réponse à l'avance.

À l'instinct, il arrivait toujours à percevoir les accès de lassitude d'Aislinn.

Menton-Pointu fit glisser les cheveux arrachés le long de son visage.

– Ce sera pour une autre fois, d'accord ?

– Pas de problème, répondit Denny.

Les habitués du lieu ne commentaient jamais les étranges sautes d'humeur d'Aislinn, même s'ils les trouvaient incompréhensibles.

Elle s'éloigna de la table, murmura des au revoir à ceux qu'elle croisait et ignora délibérément les fées et les fés. Ces derniers s'amusaient à faire dévier les billes de leur trajectoire, à se cogner aux gens – tout était prétexte pour semer le trouble. Pourtant, ce soir, *ils* n'étaient pas venus se mettre en travers du chemin d'Aislinn. *Pas encore.*

Elle marqua une pause devant la table la plus proche de la sortie.

– Je m'en vais.

Un des joueurs, qui venait de réussir un joli coup, se redressa. Il caressa son bouc grisonnant.

– Tu t'en vas déjà, Cendrillon ?

– Tu sais ce que c'est... il faut que je sois rentrée avant de perdre ma pantoufle.

Elle leva vers lui un de ses pieds, chaussés de tennis qui avaient vu des jours meilleurs.

– Franchement, tu me vois séduire un prince ? ajouta-t-elle.

Le joueur laissa échapper un petit rire puis se tourna de nouveau vers la table.

Une fée aux yeux de biche traversa tranquillement la salle. À la fois vulgaire et superbe, elle n'avait que la peau sur les os et ses articulations étaient visibles. Ses yeux, démesurés, lui mangeaient le visage. Ils lui donnaient un air vulnérable, innocent. Ce qu'elle n'était absolument pas.

Aucun d'eux ne l'est.

Près d'Aislinn, une femme qui jouait à la table tapota sa cigarette contre un cendrier déjà plein.

– On te voit le week-end prochain ?

Aislinn acquiesça, trop tendue pour pouvoir parler.

D'un mouvement si vif qu'elle ne fit que l'entrevoir, Œil-de-Biche darda une langue bleue, très fine, sur un elfe aux pieds fourchus. Celui-ci recula d'un pas, mais un mince filet de sang coulait déjà le long de ses joues creuses. Œil-de-Biche laissa échapper un ricanement.

Aislinn se mordit violemment les lèvres, leva la main et l'agita brièvement en direction de Denny.

Concentration.

Prenant sur elle, la jeune fille s'avança vers la porte d'un pas calme – tout le contraire de ce qu'elle éprouvait.

Une fois dans la rue, elle garda les lèvres scellées pour s'empêcher de prononcer les mots qui l'auraient mise en danger. Pourtant, elle aurait voulu s'adresser à ces créatures, leur dire de quitter cet endroit pour qu'elle puisse y rester. Impossible. Elle devait se taire. *À jamais.* Si elle avait un jour le malheur de leur parler, ils découvriraient son secret : ils comprendraient qu'elle pouvait les voir.

Pour survivre, un seul moyen : vivre avec ce secret. Sa grand-mère lui avait enseigné cette règle avant même qu'elle ait appris à écrire son prénom. *Baisse la tête et tais-toi.* Vivre cachée lui semblait être une erreur. Mais si Aislinn avait glissé ne serait-ce qu'une allusion à ce sujet, sa grand-mère aurait vu là un acte de rébellion et l'aurait aussitôt assignée à résidence. Finie, la liberté : cours par correspondance, interdiction d'aller jouer au billard, de sortir le soir, de voir Seth. Elle avait suffisamment connu ce genre de situation quand elle était au collège.

Plus jamais.

Aislinn se contenta donc de réprimer sa colère et prit la direction du centre-ville, vers un lieu où barreaux de fer et portes d'acier lui offraient une relative protection. Qu'il soit brut ou sous forme d'alliage, comme l'acier, le fer était toxique pour les fés et lui procurait, par conséquent, un immense réconfort. Malgré les créatures qui arpentaient les rues de Huntsdale, Aislinn se sentait ici chez elle. Elle avait visité Pittsburgh, exploré Atlanta, s'était promenée à Washington. Des villes agréables, mais trop prospères, trop vivantes, et qui comptaient une multitude de parcs et d'arbres. En revanche, cela faisait bien des années que Huntsdale n'était plus très riche. De sorte que les fées et leurs équivalents masculins n'y prospéraient pas non plus.

Les festivités allaient bon train dans la plupart des recoins et des ruelles qui se trouvaient sur la route d'Aislinn ; toutefois, rien de comparable avec les foules grouillantes, étouffantes, qu'elle avait vues gambader sur le Mall de Washington[1] ou dans les Jardins botaniques de Pittsburgh. Elle se répétait cela tout en marchant, histoire de se consoler. Il y avait moins de fés ici – et moins d'habitants aussi.

---

1. Jardin public sur lequel donnent les principaux musées de la ville.

Moins il y en a, mieux c'est.

Pourtant, les rues n'étaient pas vides : les gens vaquaient à leurs occupations, faisaient leurs courses, se promenaient, riaient. Pour eux, tout était plus simple : ils ne voyaient pas le fé à la peau bleue qui avait acculé quelques fées ailées derrière une vitrine sale. Ils ne pouvaient pas voir non plus les fées aux crinières de lion qui traversaient à toute allure les lignes à haute tension en tombant les unes sur les autres, avant d'atterrir sur les passants.

Si seulement j'étais comme eux, aveugle... un désir qu'Aislinn nourrissait depuis toujours.

Mais désirer ne changeait *rien* à l'ordre des choses. Et puis, à quoi bon ? Même si, un jour, elle parvenait à ne plus les voir, à supposer que ce soit possible, jamais elle ne pourrait oublier leur présence invisible.

Les mains enfoncées dans les poches, Aislinn poursuivit son chemin, dépassa une mère de famille accompagnée de ses enfants visiblement épuisés, longea des boutiques dont les vitrines étaient peu à peu envahies par le givre, remonta des rues au sol couvert d'une boue grise et gelée. Elle frissonna. L'hiver, qui lui semblait déjà interminable, s'était bel et bien installé.

Elle venait de passer l'angle de la rue Harper et de la Troisième Avenue – *j'y suis presque...* – quand *ils* débouchèrent d'une ruelle. Le fé et sa compagne. Ces deux-là suivaient Aislinn presque chaque jour depuis deux semaines. La fée avait de longs cheveux blancs qui flottaient dans son dos, pareils à des volutes de fumée. Ses lèvres étaient d'un bleu cadavérique – un bleu qui ne devait rien aux cosmétiques. Elle portait une jupe en cuir d'un marron délavé, aux coutures

17

grossières. Près d'elle, se tenait un énorme loup blanc qui ne la quittait jamais et sur lequel elle montait parfois ou s'appuyait. Quand le fé qui l'accompagnait la touchait, de la vapeur s'échappait de sa peau. Elle avait beau montrer les dents, le repousser ou le gifler, il ne réagissait pas, se contentant de sourire.

Il était alors irrésistible. Sa peau semblait chatoyer légèrement, comme si des charbons ardents brûlaient en lui. Ses cheveux d'un brun roux, qui lui arrivaient dans le cou, scintillaient, semblables à des fils de cuivre ; des fils qui auraient taillé la peau d'Aislinn si elle y avait glissé les doigts – non qu'elle en ait l'intention... Même s'il avait été humain, ce garçon n'était pas son genre : pas assez brun, et si beau qu'elle n'aurait osé le toucher ; sa démarche arrogante montrait qu'il savait parfaitement quelle attirance il exerçait. Il se déplaçait avec assurance, l'air de dominer toute chose : comme si ceux qui l'entouraient étaient sous sa responsabilité. Il n'était pourtant pas si grand ; plus petit que les filles-squelettes installées près de la rivière ou que les hommes-écorce qui rôdaient en ville. De taille moyenne, il dépassait Aislinn seulement d'une tête.

Chaque fois qu'il s'approchait d'elle, la jeune fille humait un parfum de fleurs sauvages et percevait le bruissement de branches de saules ; elle avait alors la sensation d'être assise au bord d'un étang un jour ensoleillé – des moments qui se faisaient rares – comme si la présence de ce fé réveillait un goût d'été au beau milieu de l'automne glacial. À ces moments, Aislinn éprouvait l'envie subite de déguster cette saveur, de s'en délecter et de s'y vautrer, jusqu'à ce que sa peau s'imprègne de cette chaleur. Ce désir impérieux, quasi irrésistible, de se rapprocher de lui – ou, plus généralement, des fés – la terrifiait.

Il la terrifiait.

Aislinn pressa un peu le pas. Sans courir. Elle se contenta de marcher un peu plus vite. *Surtout, ne pas courir.* Sinon, ils se lanceraient à sa poursuite. Les fés et les elfes prenaient *toujours* leurs proies en chasse.

Elle se glissa discrètement dans le *Comix Connexion*, une librairie spécialisée en bande dessinée où elle se sentait plus en sécurité, au milieu des rangées de bacs en bois. *Mon espace.*

Soir après soir, elle leur avait faussé compagnie en se cachant dans cette boutique, attendant pour en ressortir qu'ils passent devant la vitrine puis qu'ils s'éloignent. Parfois, plusieurs tentatives étaient nécessaires pour échapper aux fés – mais jusqu'ici, sa tactique avait fonctionné.

Elle patienta. L'avaient-ils vue entrer ?

À cet instant, *il* passa le seuil de la boutique, vêtu d'un charme qui dissimulait le chatoiement dont il était d'ordinaire enveloppé ; un sortilège grâce auquel il devenait visible et pouvait passer pour un être humain.

C'est nouveau, ça.

Et quand il s'agissait des fés, mieux valait se méfier de la nouveauté. Ils côtoyaient chaque jour les humains, qui ne pouvaient ni les voir ni les entendre. Les plus puissants, qui osaient s'aventurer loin dans la ville, savaient s'entourer d'un charme. Ceux-là effrayaient Aislinn plus que les autres.

Ce fé était pire encore : il avait revêtu son charme sans s'arrêter de marcher, en l'espace d'une seconde. Subitement, il était devenu visible ; apparemment, révéler sa vraie nature ne lui posait aucun problème.

Il s'arrêta près de la caisse et s'adressa à Eddy. Il se pencha pour se faire entendre par-dessus la musique qui braillait aux quatre coins du magasin.

Eddy jeta un coup d'œil à Aislinn, puis regarda de nouveau le fé. Bien qu'elle ne puisse l'entendre, elle vit Eddy qui prononçait son nom.

Non.

Un sourire aux lèvres, le fé se dirigea vers elle. Il ressemblait à s'y méprendre à n'importe lequel des fils à papa qui allaient en classe avec elle.

Elle se retourna aussitôt et s'empara d'un vieux tome de *Cauchemars et contes de fées*[1]. Elle serra fort la bande dessinée, en espérant que ses mains ne tremblaient pas.

– Aislinn, c'est ça ?

Il se tenait près d'elle, son bras contre le sien – vraiment trop près. Il jeta un coup d'œil à l'ouvrage et sourit d'un air ironique.

– C'est bien, au moins ?

Elle recula d'un pas et l'examina longuement. S'il avait l'intention de passer pour un humain dont elle aurait eu envie de faire la connaissance, il avait tout faux. De l'ourlet de son jean délavé à son épais manteau de laine, tout en lui donnait l'impression qu'il sortait des beaux quartiers. Il avait atténué l'éclat cuivré de ses cheveux, à présent blond roux, et dissimulé l'insolite bruissement estival qui l'accompagnait partout ; mais malgré le sortilège qui lui donnait une apparence humaine, il était trop beau pour être vrai.

– On se connaît pas, finit-elle par lancer.

---

1. *Nightmares and Fairy Tales*, série de Serena Valentino.

Elle rangea la bande dessinée et se dirigea vers l'allée suivante, en essayant de réprimer sa frayeur. En vain.

Il lui emboîta le pas avec assurance.

Elle était presque certaine qu'il ne lui ferait aucun mal. Pas ici, en tout cas. Pas dans un lieu public. En dépit de tous leurs défauts, ces créatures paraissaient mieux se comporter dès qu'elles revêtaient un charme. Peut-être craignaient-elles les barreaux d'acier des prisons humaines... À vrai dire, peu importaient les raisons qui les incitaient à changer d'attitude. Seul comptait le fait qu'ils suivaient apparemment cette règle.

Mais quand Aislinn posait les yeux sur lui, elle n'avait qu'une envie : fuir. Il ressemblait à l'un de ces grands fauves qu'elle avait vus au zoo, observant de loin les proies qu'ils traquaient.

Toujours invisible, la fée au teint cadavérique attendait vers l'entrée de la boutique, assise sur le dos de son loup. Elle semblait perdue dans ses pensées, les yeux luisants, aussi noirs qu'une nappe de pétrole, et toutefois parsemés de petits éclats colorés.

Règle n° 3 : ne jamais dévisager les fés invisibles.

Aislinn détourna le regard, le posa sur la poubelle qui était à ses pieds, faisant mine d'avoir seulement parcouru l'endroit des yeux.

– J'ai rendez-vous avec des amis, on va prendre un café. Tu veux venir ?

Il se rapprocha d'elle.

– Non.

Elle fit un pas de côté afin d'être hors de sa portée. Elle déglutit, mais sa bouche resta sèche, et cela n'apaisa ni sa terreur ni la tentation qui la tenaillait.

Il s'avança de nouveau.

– Dans ce cas, un autre soir.

Ce n'était pas une question. Pas vraiment. Aislinn secoua la tête.

– C'est non.

– Serait-elle déjà insensible à tes charmes, Keenan ? lui lança soudain la fée d'une voix mélodieuse, qui dissimulait un timbre plus cassant. Elle est futée.

Aislinn ne pouvait pas répondre.

Règle n° 2 : on ne parle pas aux fés invisibles.

Le fé resta muet, lui aussi. Ne lui jeta pas même un regard.

– Je peux te contacter par SMS ? Par e-mail ? Ou autrement ? demanda-t-il à Aislinn.

– Non, répliqua-t-elle d'un ton coupant.

Elle n'arrivait toujours pas à déglutir. Sa langue resta collée à son palais et claqua légèrement quand elle ajouta :

– On se connaît pas. Je ne suis pas intéressée.

Pourtant, elle l'était.

Elle s'en voulait de l'être. Mais plus il était proche d'elle, plus elle mourait d'envie de lui dire *oui, oui, s'il te plaît, oui*, à tout ce qu'il pourrait lui demander. Non, il fallait refuser. Elle ne pouvait rien accepter de lui.

Il tira de sa poche un bout de papier, sur lequel il griffonna quelque chose.

– Voici mon numéro. Quand tu auras changé d'avis...

– Ça risque pas d'arriver, répliqua-t-elle en prenant le papier.

Elle tâcha de ne pas frôler la peau du garçon, de peur qu'un simple contact ne l'incite à céder.

Résistance passive. Ce que sa grand-mère lui aurait conseillé. *Accepte ce qu'il te donne et va-t'en.*

Eddy la dévisageait. La fée-cadavre aussi.

Le fé se pencha vers Aislinn.

– J'aimerais vraiment te connaître... murmura-t-il.

Il la huma, à la manière d'un animal.

– Vraiment... répéta-t-il.

Ç'aurait dû être le moment d'appliquer la règle n° 1 : *n'attire jamais l'attention des fés sur toi.*

Il fallait le fuir. Et réprimer cette envie irrésistible, inexplicable, de s'abandonner. En s'éloignant, elle faillit tomber. Sur le seuil de la boutique, elle trébucha en entendant la fée chuchoter :

– Fuis, pendant qu'il en est encore temps...

Keenan regarda Aislinn quitter le magasin. Elle ne courait pas vraiment, même si elle en avait envie. Il avait senti sa peur, pareille au cœur battant d'un animal effrayé. D'habitude, les mortels ne le fuyaient pas ainsi, surtout les jeunes filles. Une seule l'avait fait depuis qu'il jouait à ce jeu. Un jeu qui durait depuis des années.

En revanche, celle-ci avait peur. Son visage déjà pâle, encadré de cheveux raides d'un brun bleuté, avait blêmi quand il s'était approché d'elle, si bien qu'elle avait eu l'air d'un spectre. *Si fragile.* Ainsi, elle avait semblé plus vulnérable, plus facile à aborder. Ou bien était-ce seulement parce qu'elle était si menue ? Elle lui arrivait au menton. *La taille idéale.* Il s'imagina en train de la prendre dans ses bras et de l'envelopper dans les plis de son manteau. Elle allait avoir besoin d'être conseillée d'un point de vue vestimentaire – qu'elle s'habille moins sobrement, qu'elle ajoute quelques bijoux – mais vu l'époque, c'était inévitable. Elle avait de longs cheveux, c'était déjà ça.

Et puis, elle l'avait, malgré elle, mis au défi. Bizarrement, elle avait su contrôler ses émotions. Ce qui était stimulant. La plupart des filles séduites s'étaient montrées si fougueuses, si instables. À une époque, il avait cru que c'était un indice fiable. Une Reine de l'Été se devait d'être passionnée. Cela lui avait paru logique.

Donia interrompit le cours de ses pensées.

– Je ne crois pas qu'elle t'apprécie.

– Et alors ?

Quand il la regardait de près, il voyait bien qu'elle avait changé. Ses cheveux blonds étaient devenus aussi blancs qu'une bourrasque de neige et son teint pâle faisait ressortir ses lèvres, si bleues. Mais elle était toujours aussi belle que le jour où elle s'était transformée en Fille de l'Hiver. *Oui, vraiment belle. Mais elle n'est pas à moi. Alors qu'Aislinn le sera.*

– Keenan, elle ne t'aime pas, rétorqua Donia d'une voix cinglante, alors qu'une bouffée d'air glacial accompagnait chacune de ses paroles.

– Cela viendra.

Il sortit de la boutique et redevint invisible. Puis il prononça les mots qui avaient scellé le sort de tant d'autres mortelles avant elle :

– J'ai rêvé d'elle. Elle est l'Élue.

Au même instant, la nature humaine d'Aislinn se mit à perdre en intensité. À moins qu'elle ne devienne la prochaine Fille de l'Hiver, elle appartenait désormais à Keenan.

Pour le pire ou le meilleur.

2

« Parmi toutes les choses terrestres, rien ne terrifie davantage les Braves Gens ou Petit Peuple que le Fer froid. »
(*La République mystérieuse : Des elfes, faunes, fées et autres semblables* de Robert Kirk et Andrew Lang, 1893)

Malgré sa terreur, Aislinn ne pouvait pas rentrer chez elle. Si tout semblait calme, sa grand-mère lui laissait une relative liberté. Mais dès qu'elle sentait que sa petite-fille avait des ennuis, elle ne manifestait plus autant d'indulgence. La jeune fille, ne voulant pas prendre ce risque, préféra attendre que sa peur s'apaise.

Car elle était en proie à une panique qu'elle n'avait plus éprouvée depuis des années. Si terrifiée qu'en quittant la boutique, elle avait couru sur plusieurs dizaines de mètres, attirant ainsi l'attention d'un bon nombre de fés. Certains l'avaient d'abord prise en chasse, jusqu'à ce qu'une fée-louve menace les autres de ses crocs. Tous avaient abandonné la poursuite, excepté cette femelle, qui se déplaçait à quatre pattes. Elle bondissait à la même hauteur qu'Aislinn, qui remontait la Troisième Avenue en courant. La fourrure cristalline de la fée-louve tintait étrangement, mélodie envoûtante qui aurait pu endormir la méfiance de celui qui l'écoutait.

Espérant la décourager, Aislinn ralentit le pas. Elle ne voulait plus entendre cet air carillonnant. En pure perte.

La jeune fille se concentra alors sur le bruit de ses pas sur le trottoir, sur les voitures qui la dépassaient, sur les basses d'un auto-radio... sur tout ce qui l'aidait à oublier cette mélodie lancinante. Quand elle tourna dans la rue Crofter, l'enseigne lumineuse du *Crow's Nest*, une boîte de nuit qui passait de la musique grunge, se réfléchit sur la fourrure de la fée et éclaira ses yeux rouge vif. Comme ailleurs dans le centre-ville de Huntsdale, l'état du bâtiment qui abritait la boîte montrait à quel point la ville dépérissait. Les façades délabrées, autrefois belles, portaient la trace du passage du temps. De mauvaises herbes rabougries poussaient sur les trottoirs fissurés et sur les nombreux terrains vagues. À l'extérieur de la boîte de nuit, près de la voie de chemin de fer abandonnée, les gens qu'Aislinn croisa étaient probablement en quête de drogues à acheter − prêts à avaler n'importe quoi, pourvu que leur esprit s'engourdisse. Elle ne pouvait pas se livrer à ce genre de pratique ; elle ne leur enviait d'ailleurs pas ce refuge chimique.

Elle reconnut quelques filles, qui lui firent signe de la main, sans pour autant lui proposer de s'arrêter. Aislinn se contenta de les saluer de loin, tout en ralentissant le pas.

J'y suis presque.

Soudain, Glenn, un des amis de Seth, lui coupa la route. Son visage comptait tant de piercings qu'il aurait fallu les toucher un par un pour les dénombrer tous.

Derrière elle, la fée-louve se rapprocha si près que l'odeur âcre de sa fourrure se fit entêtante, presque étouffante.

– Tu peux dire à Seth que j'ai reçu ses haut-parleurs ? lui dit Glenn.

La fée, toujours à quatre pattes, donna un petit coup de tête dans les jambes d'Aislinn. Celle-ci trébucha et se rattrapa au bras de Glenn. Elle recula aussitôt, mais le garçon la retint.

– Ça va ?

– J'ai dû courir trop vite, répondit-elle en s'obligeant à sourire. Ça tient chaud.

– Oui, tu as raison, acquiesça-t-il avec un regard peu convaincu.

Elle s'apprêtait à repartir, en direction du raccourci qui menait jusque chez Seth, quand la porte du *Crow's Nest* s'ouvrit. Il s'en échappa une musique discordante. Le martèlement de la batterie était plus rapide encore que son cœur qui battait à tout rompre.

Glenn s'éclaircit la voix.

– Seth n'aime pas trop que tu passes par là, dit-il en indiquant la ruelle sombre qui longeait la boîte. Il serait contrarié s'il t'arrivait quelque chose.

Elle ne pouvait pas lui dire la vérité : que les types qui traînaient dans la ruelle n'avaient rien d'effrayant, contrairement à la fée-louve qui grondait à ses pieds.

– Il est encore tôt, tu sais.

Glenn croisa les bras sur sa poitrine et secoua la tête d'un air réprobateur.

– D'accord, concéda-t-elle.

Elle se détourna de la ruelle et s'éloigna du raccourci qui menait aux murs d'acier de Seth, qui lui garantissaient une vraie sécurité.

Glenn garda les yeux braqués sur elle jusqu'à ce qu'elle atteigne la rue.

La fée-louve se mit à claquer des mâchoires tout près de ses chevilles, si bien que la jeune fille céda à la peur et préféra faire le reste du chemin en courant.

Non loin des voies de garage des trains, là où vivait Seth, Aislinn s'arrêta pour retrouver son calme. Seth était un garçon plutôt posé, mais il lui arrivait de s'inquiéter quand elle n'allait pas bien.

La fée-louve poussa un hurlement quand Aislinn traversa les quelques mètres qui la séparaient du train.

Le train de Seth était beau, à tous points de vue.

Comment pourrais-je me sentir mal ici ?

L'extérieur était couvert de peintures murales qui passaient par toute la gamme des styles, de l'abstraction au dessin d'animation. Ils se fondaient les uns aux autres, pareils à un collage exigeant de celui qui le contemplait de trouver un sens et un ordre à ces images, au-delà du foisonnement des couleurs. Un mois d'été – et ils se faisaient rares – Aislinn avait passé du temps près de Seth, dans son jardin étrange, à le regarder en pleine création ; elle avait compris alors que la vraie beauté n'avait rien à voir avec la symétrie, mais résidait plutôt dans une imprévisible harmonie.

Comme quand je suis avec Seth.

Le jardin n'était pas seulement décoré de peintures. Tout autour de son terrain, Seth avait installé une série de sculptures métalliques semblables à des arbres artificiels, qu'il avait réalisées au cours des deux dernières années. Des plantes et des buissons étaient disposés entre les sculptures, ou enroulés autour des éléments de métal. Malgré le ravage causé par les mois d'hiver qui n'en finissaient plus, ces végétaux restaient vigoureux car Seth en prenait grand soin.

Les battements de son cœur s'étant apaisés, Aislinn s'apprêta à frapper à la porte du train.

Elle n'en eut pas le temps. La porte s'ouvrit. Seth apparut, un large sourire aux lèvres. La lumière des lampadaires lui donnait un air un peu intimidant et faisait luire ses piercings – un anneau dans la lèvre inférieure et des pointes dans les sourcils. Des mèches de cheveux d'un noir bleuté retombaient sur son visage quand il était en mouvement, telles de petites flèches pointées sur ses pommettes saillantes.

– Je commençais à me dire que tu allais me faire faux bond.

– Je savais pas que tu m'attendais, répondit Aislinn d'un ton qu'elle voulait désinvolte.

Il est plus sexy de jour en jour...

– Je me contentais d'espoir. J'espère toujours que tu viendras.

Il se frotta les bras, à peine couverts par les manches d'un tee-shirt noir. Il n'était pas démesurément costaud, mais ses bras, comme le reste de son corps, étaient musclés. Il leva un sourcil.

– Tu as l'intention de rester dehors ?

– Tu as du monde, ce soir ?

– Non, je suis seul avec Boomer.

Sa bouilloire se mit à siffler et il rentra.

– J'ai acheté un sandwich. T'en veux la moitié ?

– Non, un thé suffira.

Aislinn se sentait déjà mieux. Près de lui, elle était plus confiante. Il n'y avait pas plus calme que Seth. Quand ses

29

parents étaient partis en mission on ne savait où et qu'ils lui avaient légué tout ce qu'ils possédaient, il n'avait pas fait la bringue jour et nuit. Il avait acheté les wagons du vieux train et les avait transformés en mobile home, tout en continuant de mener une vie assez normale – traîner avec ses amis, parfois faire la fête. Il envisageait de s'inscrire à la fac ou dans une école d'art, mais il n'était pas pressé.

Elle contourna les piles de livres qui s'entassaient sur le sol. Chaucer et Nietzsche côtoyaient l'*Edda* ; le *Kama-sutra* était appuyé contre une *Histoire mondiale de l'architecture* et un roman de Clare Dunkle. Seth lisait de tout.

– Déplace Boomer. Il est flemmard ce soir, dit-il en indiquant le boa qui faisait la sieste dans l'un des fauteuils ergonomiques du salon, à l'avant du train.

Les sièges orange vif étaient inclinés vers l'arrière et formaient un C. Ils n'avaient pas d'accoudoirs et on pouvait donc s'y asseoir en gardant les jambes en l'air si on en avait envie. Près de chaque fauteuil, deux tables en bois accueillaient des livres et des papiers entassés.

Elle souleva prudemment le boa qui était lové sur lui-même et alla le déposer sur le canapé à l'autre bout de la pièce étroite.

Seth revint avec deux tasses de porcelaine décorées de fleurs bleues et leurs soucoupes assorties.

– Du thé oolong des hautes montagnes. Livré ce matin à la boutique.

Elle prit une tasse, renversa quelques gouttes au passage et goûta son thé.

– Il est bon.

Il s'assit face à elle, sa tasse dans une main, la soucoupe

dans l'autre, sans paraître ridicule – malgré son vernis à ongles noir.

– Y'avait du monde devant le *Crow's Nest* ?

– J'ai croisé Glenn. Tes haut-parleurs sont arrivés.

– Tu as bien fait de ne pas y entrer. Il y a eu une descente de police la nuit dernière. Glenn t'en a pas parlé ? demanda-t-il en fronçant les sourcils.

– Non, mais il savait que je ne faisais que passer dans le coin, répondit-elle en glissant ses pieds sous elle, heureuse de voir les traits de Seth se détendre de nouveau. Ils ont arrêté du monde ?

Tout en sirotant son thé, elle l'écouta lui raconter les dernières rumeurs. La moitié du temps, elle pouvait se contenter de se lover dans un de ses fauteuils et de l'écouter parler avec les gens qui envahissaient son train presque chaque soir. Durant ces brefs instants, elle pouvait faire semblant, imaginer que le monde qui l'entourait n'était plus celui qu'elle connaissait. Seth lui offrait un espace protégé où elle pouvait croire en une illusoire normalité.

C'était toutefois pour une autre raison qu'elle s'était mise à lui rendre régulièrement visite deux ans auparavant, période à laquelle ils avaient fait connaissance : elle avait appris qu'il vivait entouré de murs d'acier. Malgré tout, depuis peu, elle entretenait à son égard des envies totalement idiotes ; pourquoi ne pas s'abandonner quand il lui faisait du charme ? Mais Seth ne cherchait pas de petite amie officielle. Il avait la réputation d'être un excellent amant et d'avoir de nombreuses aventures sans lendemain, et cela n'intéressait pas Aislinn. Ou plutôt... si. Cependant, elle ne voulait perdre ni son amitié ni le refuge qu'il lui offrait.

– Ça n'a pas l'air d'aller ?

Elle se rendit compte qu'elle l'avait fixé sans l'écouter. Ce n'était pas la première fois.

– Si, ça va. Je dois être un peu fatiguée, c'est tout.

– Tu as envie d'en parler ?

– Parler de quoi ?

Elle but une gorgée de thé en espérant qu'il abandonnerait le sujet – tout en souhaitant qu'il n'en fasse rien. *Est-ce que je me sentirais mieux si je me confiais à quelqu'un ? Si je me décidais à en parler ?* Sa grand-mère n'abordait jamais la question du Petit Peuple, à moins qu'elle n'y fût obligée. Elle vieillissait, plus lasse de jour en jour, trop lasse pour demander à Aislinn ce qu'elle faisait quand elle sortait et où elle allait une fois la nuit tombée. La jeune fille risqua un autre sourire serein. *Je pourrais lui en parler. Non, impossible.* Hors de question d'enfreindre la règle n° 1, la plus importante aux yeux de sa grand-mère.

Et puis, est-ce qu'il me croirait ?

Depuis les profondeurs du wagon suivant, leur parvenait de la musique ; encore une des compils éclectiques de Seth, de Godsmack aux Dresden Dolls, de Sugarcult à Rachmaninov, et des tas d'autres morceaux qu'elle ne connaissait pas.

Tout était paisible. Jusqu'au moment où Seth s'arrêta au beau milieu d'une histoire et reposa sa tasse.

– Dis-moi ce qui ne va pas, s'il te plaît...

La main d'Aislinn trembla si fort qu'elle renversa du thé sur le sol. D'habitude, il n'insistait jamais. Ça n'était pas son genre.

– Comment ça ? Il n'y a rien...

– Arrête, Ash. Tu as l'air inquiète depuis quelque temps. Tu viens ici plus souvent qu'avant... C'est à propos de nous ? lui demanda-t-il soudain, le visage impassible. C'est ça ?

– Tout va bien entre nous, répondit-elle en évitant de croiser son regard.

Elle alla chercher un chiffon dans la cuisine.

– Dans ce cas, qu'est-ce qui te tracasse ? Tu as des soucis ?

Il tenta de lui attraper la main alors qu'elle repassait devant lui.

– Je vais bien, répliqua-t-elle en esquivant le bras tendu de Seth.

Elle épongea le thé tout en gardant les yeux rivés au sol, en essayant d'ignorer son regard.

– Où sont tous les autres ?

– Je leur ai dit que j'avais besoin d'être seul quelques jours. En fait, je voulais qu'on se voie tous les deux. Pour parler de choses et d'autres.

Il poussa un soupir, se pencha vers elle et lui ôta le chiffon des mains. Il le lança en direction de la cuisine, où il atterrit avec un bruit mou.

– Dis-moi ce qui ne va pas, répéta-t-il.

Aislinn se releva mais il s'empara de sa main avant qu'elle puisse s'éloigner.

– Je suis là. Je serai toujours là, assura-t-il tout en l'attirant vers lui. Quels que soient tes soucis.

– C'est rien, vraiment rien.

Elle était debout devant lui, une main dans la sienne, l'autre sans volonté, au bout de son bras ballant.

– J'ai seulement besoin d'être dans un endroit sûr, en bonne compagnie.

– Quelqu'un t'a fait du mal ?

Sa voix était étrange, tendue.

– Non.

Elle se mordit la lèvre. Elle ne s'était pas doutée qu'il poserait autant de questions. Elle n'avait pas compté sur son aide, en fait.

– Quelqu'un en a l'intention, dans ce cas ?

Il l'attira sur ses genoux, cala sa tête sous son menton et la serra contre lui.

Elle ne résista pas. Il l'avait déjà tenue dans ses bras. Une fois par an, quand elle revenait du cimetière où se trouvait la tombe de sa mère. Une autre fois l'année précédente, quand sa grand-mère était tombée malade. Le fait qu'il agisse ainsi n'avait rien d'étonnant. Seules ses questions la surprenaient.

– J'en sais rien.

Elle se mit alors à pleurer. De grosses larmes qu'elle ne parvenait pas à retenir, même si elle se sentait bête.

– Je sais pas ce qu'ils me veulent.

Seth lui caressait les cheveux, laissant glisser sa main jusque dans son dos.

– Mais tu les connais ?

– Plus ou moins, répondit-elle en reniflant.

Je dois être vachement attirante, songea-t-elle. Elle essaya de se dégager de son étreinte.

– Voilà un bon début.

Il la serra plus fort d'un bras et se pencha pour attraper un carnet et un stylo qui traînaient par terre.

Il posa le carnet en équilibre sur le genou d'Aislinn.

– Raconte, l'encouragea-t-il avec un sourire rassurant. On verra quoi faire. On pourra interroger des gens, consulter les fichiers de la police.

– De la... police ?

– Bien sûr. Histoire d'en savoir un peu plus sur eux expliqua-t-il. Je pourrai interroger Rabbit, qui bosse à la boutique de tatouage. Il est au courant de tout ce qui se passe. Et dès qu'on saura qui ils sont, on s'occupera d'eux.

– Il n'y aura rien dans les fichiers de la police.

À l'idée que les délits des fés puissent être ainsi répertoriés, Aislinn ne put s'empêcher de sourire. Même plusieurs pages du quotidien local ne suffiraient pas à énumérer leurs crimes, surtout dans les quartiers les plus favorisés, où les maisons bourgeoises se trouvaient dans des zones arborées, loin des structures de métal ou des ponts.

– Dans ce cas, on va s'y prendre autrement.

Seth écarta les cheveux d'Aislinn afin de lui dégager le visage, tout en essuyant au passage une larme qui coulait sur sa joue.

– Sérieux, tu dois me faire confiance. Je suis le dieu de la recherche. Donne-moi un indice et je trouverai une information dont on pourra se servir. Leur faire du chantage, conclure un marché, un truc dans ce genre. Ils sont peut-être déjà recherchés par la police. Sinon, ils ont dû enfreindre une loi ou harcèlent d'autres gens. C'est bien un délit, pas vrai ? Au pire, Rabbit les connaît, j'en suis certain.

Aislinn se dégagea de ses bras et alla jusqu'au canapé. Elle s'assit près de Boomer, qui remua à peine.

Comme j'ai froid. Elle frissonna. *Il fait toujours trop froid.* Perdue dans ses pensées, elle caressait la peau du serpent. *Seth n'a jamais raconté à personne ce qu'il sait de ma mère. Il sait se montrer prudent.*

Seth s'appuya contre le dossier de son fauteuil, croisa les jambes et attendit.

Elle fixa son tee-shirt usé, que ses larmes avaient mouillé ; les lettres blanches à moitié effacées formaient un seul mot : PIXIES[1]. *C'est peut-être un signe.* Elle y avait si souvent songé, s'était si souvent vue en train de lui en parler.

Il la regardait patiemment.

Elle s'essuya les joues.

– OK, dit-elle.

Mais voyant qu'elle s'était de nouveau interrompue, il fronça un sourcil.

– Aislinn... ? l'encouragea-t-il.

– Oui, d'accord, reprit-elle avant de déglutir. Des fés. Ce sont des fés qui me suivent.

– Des fés ?

– Oui.

Elle ramena ses jambes sur le canapé et s'assit en tailleur. Boomer leva la tête pour l'observer en dardant sa langue et glissa une partie de son corps sur ses genoux. Elle n'en avait jamais parlé avant. À quiconque. C'était l'une des règles les plus strictes de sa grand-mère. *On ne sait jamais qui pourrait t'entendre. Ils pourraient être cachés tout près.*

Le cœur d'Aislinn battait à tout rompre. La nausée montait en elle. *Qu'ai-je fait ?* Pourtant, elle voulait qu'il sache. Elle voulait pouvoir en parler à quelqu'un.

Elle inspira et expira calmement avant de reprendre.

– Ils sont deux. Cela fait deux semaines qu'ils me suivent à la trace.

Prudemment, avec des gestes comme au ralenti, Seth se pencha en avant. Il était si proche qu'elle aurait presque pu le toucher.

---

1. Groupe dont le nom signifie « fées » ou « lutins ».

– Tu me fais marcher ?

– Non.

Elle se mordit la lèvre et attendit une autre réaction de sa part.

Boomer rampa plus près et posa le haut de sa tête sur sa poitrine. Elle caressa le boa d'un air absent. Seth triturait l'anneau qui ornait sa lèvre – comme pour gagner du temps, à la manière qu'ont certaines personnes de passer leur langue sur leurs lèvres quand la conversation est tendue.

– Tu veux parler de petites créatures ailées ?

– Non. À peu près de notre taille. Et ils me terrifient.

Elle tâcha de sourire mais n'y parvint pas. Elle se sentait oppressée, comme si elle avait reçu un coup dans la poitrine. Elle était en train d'enfreindre les règles qui avaient dirigé son existence jusqu'ici, celle de sa mère, celle de sa grand-mère et celle des générations passées.

– Comment sais-tu qu'il s'agit de fés ?

– Laisse tomber, répondit-elle en détournant les yeux. Oublie ce que...

– Arrête, l'interrompit-il d'une voix légèrement frustrée. Parle-moi.

– Qu'est-ce que je peux te dire ?

– Que tu me fais confiance, répliqua-t-il en la regardant dans les yeux. Que tu veux bien me confier ton secret. Pour de bon.

Que lui répondre ? Elle savait qu'elle ne lui dirait pas tout. Qu'elle avait passé sa vie à cacher ce qu'elle éprouvait. C'était ainsi.

Il soupira, enfila ses lunettes et s'apprêta à prendre des notes.

– Bon. Dis-moi à quoi ressemblent ces créatures et ce que tu sais d'elles.

– Tu ne pourras pas les voir, dit-elle avant de marquer une pause.

– Pourquoi ? finit-il par demander.

– Elles sont invisibles, répondit-elle.

Ils gardèrent le silence un instant, en s'observant tranquillement. La main d'Aislinn ne caressait plus le boa, mais l'animal ne bougeait pas lui non plus. Puis Seth écrivit quelques mots dans le carnet avant de relever la tête.

– Quoi d'autre ?

– Pourquoi ? Pourquoi est-ce que tu fais ça ?

Seth fit mine de hausser les épaules, pourtant, il lui répondit d'un ton qui n'avait rien de nonchalant :

– Parce que je veux que tu me fasses confiance ? Que tu n'aies plus l'air si tourmenté ? Parce que tu comptes pour moi... ?

– Imagine que tu ailles faire des recherches. Et... je ne sais pas... s'ils te faisaient du mal ? S'ils t'attaquaient ?

Elle savait à quel point ils pouvaient se montrer cruels, ce que Seth, lui, ignorait.

– À la bibliothèque ? s'étonna Seth.

Elle n'arrivait toujours pas à ordonner ses idées. Fallait-il le supplier de la croire ou prétendre qu'elle l'avait seulement fait marcher ? Elle repoussa Boomer et se releva.

– Tu les as déjà vus faire du mal à quelqu'un ?

– Oui, commença-t-elle, avant de s'interrompre.

Elle se dirigea vers la fenêtre. Trois fées traînaient dehors. Elles ne faisaient rien de particulier, mais elles étaient bel et bien là, cela ne faisait pas de doute. Deux d'entre elles avaient une allure presque humaine, mais ce n'était pas le cas de la troisième, qui avait un corps massif, recouvert de touffes de fourrure sombre, pareille à un ours dressé sur ses pattes arrière. Aislinn frissonna puis détourna le regard.

– Pas les deux qui me suivent, non. En général, les fés tâtent ou tripotent les gens, les font tomber exprès, les pincent... des trucs idiots. Mais parfois, c'est pire, plus cruel. Mieux vaut ne pas t'en mêler.

– Si, je veux me pencher sur le sujet... Fais-moi confiance, Aislinn, s'il te plaît. Et puis ça ne me dérange pas de me faire tripoter. Un inconvénient sans gravité, l'essentiel étant de t'aider.

Elle comprit qu'il plaisantait...

– Tu ne te rends pas compte. Ces créatures sont... Peu importe, puisque tu ne peux pas les voir.

Sans le vouloir, elle repensa à Keenan.

– La plupart d'entre elles sont carrément horribles... bredouilla-t-elle en rougissant.

– Il y a des exceptions, non ? demanda aussitôt Seth, dont le sourire s'était subitement évanoui.

Afin de ne pas croiser le regard de son ami, elle jeta un coup d'œil aux trois fées qui étaient toujours dehors.

– Oui, c'est vrai, il y en a, avoua-t-elle.

3

« Les fés savaient se rendre visibles ou invisibles à volonté. Et quand ils enlevaient quelqu'un, ils prenaient son corps mais aussi son âme. »
(*Croyances féeriques dans les territoires celtes* de W.Y. Evans-Wentz, 1911)

Les yeux fermés, Aislinn finissait de décrire les créatures qui la suivaient depuis deux semaines.

– Tout ce que je sais, c'est qu'elles appartiennent à la cour d'un roi ou d'une reine, et qu'elles ont suffisamment d'influence pour pouvoir agir à leur guise, sans craindre les conséquences de leurs actes. Ce fé et sa compagne sont trop forts, trop arrogants pour appartenir à une catégorie inférieure.

Elle repensa à leur indifférence et à leur dédain envers les autres fés qui les observaient. Ces deux-là avaient du pouvoir, ce qui les rendait plus dangereux que n'importe quelle autre créature.

– Seulement, je ne sais pas ce qu'elles me veulent, ajouta-t-elle, frissonnante. Ce monde parallèle et invisible, que je suis la seule à voir, existe. Je les regarde, c'est vrai, mais jamais ils n'ont remarqué que je pouvais les voir.

– Tu en vois d'autres ? Pas seulement ceux qui te suivent ?

La question était si simple, si évidente. Elle leva les yeux vers Seth et se mit à rire. Non qu'elle trouvait cela drôle. Au contraire, c'était atroce. Et les larmes coulaient toujours sur son visage.

Imperturbable, il se contenta d'attendre qu'elle arrête de rire.

– Je suppose que cela signifie oui.

– En effet, répondit-elle en s'essuyant les joues. Ils sont réels, Seth. Ce ne sont pas des hallucinations. Il y a des fés presque partout. Certaines de ces créatures sont abominables, d'autres très belles. D'autres encore sont les deux à la fois. Parfois, elles sont horribles entre elles, et font des choses atroces... malsaines, dit-elle en frémissant, l'esprit rempli de visions qu'elle ne voulait pas partager avec lui.

Il ne dit rien, attendit qu'elle reprenne.

– Ce Keenan, il m'a *abordée*... délibérément. Il a pris une apparence humaine et a essayé de me convaincre de le suivre.

Elle détourna le regard et s'efforça de recouvrer son calme, comme elle en avait l'habitude quand elle voyait des scènes trop bizarres à son goût. En pure perte.

– Tu m'as parlé d'une cour royale... tu ne pourrais pas rencontrer leur roi, par exemple ? s'enquit Seth, en tournant une page de son carnet.

Aislinn perçut le léger bruissement du papier, suffisamment fort pour être entendu, malgré la musique. Comment était-ce possible ? *Depuis quand est-ce que je suis capable d'entendre un bruit si faible ?*

Elle repensa à Keenan, se demanda comment expliquer la force qu'il dégageait. Il semblait immunisé contre le fer. Quelle

42

idée terrifiante... Du moins, il était assez puissant pour conserver le charme qui lui donnait une apparence humaine, en dépit des métaux qui l'entouraient. Ces derniers avaient affaibli la fée-cadavre, mais elle n'avait pas semblé plus affectée que cela.

– C'est impossible. Selon ma grand-mère, les plus cruels sont ceux qui appartiennent à la noblesse. Je ne pourrais pas les affronter, même si je leur révélais mon secret. De toute façon, il ne faut surtout pas qu'ils l'apprennent. Ma grand-mère dit que s'ils savaient, ils nous tueraient ou nous rendraient aveugles.

– Et s'ils n'étaient pas ce que tu crois ? suggéra Seth en se levant et en s'approchant d'elle. Il y a peut-être une autre façon d'expliquer ce que tu vois.

Les yeux braqués sur lui, Aislinn serra les poings. Ses ongles s'enfoncèrent légèrement dans sa paume.

– J'aimerais tant qu'il y ait une autre explication. Mais tu sais, je les vois depuis ma naissance. Ma grand-mère les voit elle aussi. Ils existent. Ils sont *réels*.

Incapable de le dévisager plus longtemps, elle baissa les yeux vers Boomer qui s'était lové sur ses genoux. Du bout du doigt, elle lui caressa gentiment le dessus du crâne.

Seth lui prit le menton et l'obligea à relever la tête.

– Il y a forcément quelque chose à faire.

– On peut pas remettre ça à demain ? J'ai besoin... J'arrive plus à en parler ce soir.

Seth se pencha, souleva le boa, toujours enroulé sur lui-même, et alla gentiment le déposer dans son terrarium équipé d'une roche bien chaude. Puis il en verrouilla le couvercle pour empêcher Boomer de s'échapper. Dès qu'on le laissait seul, le reptile trouvait le moyen de se glisser hors de son refuge et de quitter le train, alors que la plupart du temps, la température extérieure aurait pu lui être fatale.

– Allez, viens, je te raccompagne chez toi.

– C'est pas la peine, répondit Aislinn.

Il fronça les sourcils et lui tendit la main.

– Bon, d'accord, dit-elle en acceptant sa main.

Seth la guidait de rue en rue sans rien voir des fés, comme tous les gens qu'ils croisaient. Mais Aislinn sentait le bras du garçon autour de ses épaules, et cela la rassurait.

Ils marchèrent un moment en silence, puis il lui demanda :

– Tu veux t'arrêter chez Rianne ?

– Pourquoi ? demanda Aislinn, qui avançait un peu plus vite depuis que la fée-louve qui l'avait déjà suivie s'était mise à tourner autour d'elle avec un air vorace.

– Tu as oublié sa fête ? C'est *toi* qui m'en avais parlé, répliqua Seth avec un grand sourire.

Il se comportait comme si tout allait pour le mieux, comme si leur conversation sur les fés n'avait pas eu lieu.

– Bon sang, non, répliqua la jeune fille. C'est bien la dernière chose dont j'ai besoin.

Elle frissonnait rien que d'y penser. Elle avait déjà emmené Seth à quelques soirées organisées par ses camarades du lycée Bishop O'Connell ; mais très vite, elle avait compris que c'était une mauvaise idée : Seth et eux appartenaient à des mondes différents.

– Tu veux mon blouson ?

Seth la serra un peu plus contre lui ; comme d'habitude, il était attentif au moindre détail.

Elle fit non de la tête, mais s'appuya un peu plus contre le garçon, heureuse de ce prétexte qui lui permettait d'être dans ses bras.

Il ne s'y opposa pas, ses mains ne s'égaraient jamais où il ne fallait pas. Il lui arrivait de flirter un peu, mais jamais il n'avait un geste déplacé pouvant laisser entendre qu'il était autre chose qu'un ami.

– Tu m'accompagnes à *L'Encre et l'Aiguille* ? proposa-t-il.

La boutique de tatouage n'était pas loin et Aislinn n'était pas pressée de se séparer de Seth. Elle acquiesça.

– Tu as enfin trouvé un motif ?

– Pas encore, mais Glenn m'a dit que le nouveau commençait cette semaine. Je me dis que je vais d'abord voir à quoi ressemble son travail, sur quel genre de style il bosse.

– Tu as raison, il ne faudrait surtout pas te tromper de style, rétorqua-t-elle en riant.

– On pourrait trouver un motif qui nous plaise à tous les deux. Et se faire tatouer ensemble, suggéra-t-il tout en lui tirant une mèche de cheveux d'un air taquin.

– Bien sûr. Dès que tu auras fait la connaissance de ma grand-mère et que tu l'auras persuadée de signer une autorisation.

– Dans ce cas, pas de tatouage pour toi. Jamais.

– Elle est gentille, tu sais.

Ce n'était pas la première fois qu'ils en discutaient, mais Aislinn campait sur sa position et n'avait pas encore cédé.

– Non, je ne veux pas prendre ce risque, répondit-il en l'embrassant sur le front. Tant qu'elle ne saura pas à quoi je ressemble, elle ne pourra pas me dire : « Éloigne-toi de ma petite-fille. »

– Ton allure n'a rien de choquant.

Il lui sourit gentiment.

– Ah ouais ? Tu crois qu'elle serait d'accord avec toi ?

Aislinn en était certaine, mais jusqu'à présent, elle n'avait pas réussi à convaincre Seth.

Ils n'échangèrent plus un mot jusqu'à *L'Encre et l'Aiguille*. La devanture du local était vitrée sur toute sa longueur, ce qui était moins intimidant pour ceux qui n'auraient pas osé entrer. Mais contrairement aux boutiques qu'elle avait vues quand ils étaient allés à Pittsburgh, celle-ci n'avait rien de luxueux et conservait son aspect artisanal, sans chercher à attirer les branchés de Huntsdale – même si ces derniers étaient peu nombreux.

Ils y pénétrèrent au son de la cloche à vaches accrochée à la porte. Rabbit, le propriétaire, jeta un coup d'œil afin de voir qui venait d'arriver, leur fit coucou de la main, puis retourna dans la pièce où il travaillait.

Seth se dirigea vers une longue table placée contre un mur, sur laquelle étaient empilés plusieurs classeurs. Il trouva le book du nouveau tatoueur et s'assit pour le feuilleter.

– Tu veux le regarder avec moi ?

Aislinn lui fit signe que non et alla examiner le présentoir vitré rempli d'anneaux, de pointes de métal et de clous. C'était ce qu'elle voulait. Seules ses oreilles étaient percées, et chaque fois qu'elle venait là, elle avait envie d'un vrai piercing. Pas sur le visage. Du moins pas cette année. Le lycée Bishop, dont le règlement était strict, les interdisait.

– Prête à te faire percer la lèvre ? lui demanda l'un des deux perceurs, qui se tenait près de la vitrine.

– Quand j'irai à la fac, pas avant.

Il haussa les épaules et reprit le nettoyage de la surface vitrée.

La cloche sonna de nouveau. Leslie, une camarade de classe, entra, accompagnée d'un type qui portait de nombreux tatouages ; rien à voir avec le genre de garçons avec lesquels elle sortait habituellement. Il était très beau : des cheveux très courts, des traits parfaits, des yeux d'un noir bleuté.

Un fé.

À sa vue, Aislinn se figea et sentit le monde basculer sous ses pieds.

Il y a trop de fés à l'apparence humaine, ce soir.

Mais celui-ci la regarda à peine. Il se dirigea vers l'arrière-boutique, caressant au passage un meuble au cadre d'acier où étaient rangés des bijoux.

Stupéfaite, elle ne parvenait pas à détourner les yeux. Pas encore. La plupart des fés ne se promenaient pas dans le centre. Ils ne rentraient jamais en contact avec des objets en fer. Et surtout, ils ne s'amusaient pas à toucher du métal, qui pouvait les empoisonner, quand ils avaient revêtu un satané charme. Il existait des règles selon lesquelles elle avait vécu jusqu'ici. Parmi ces créatures, il y avait bien quelques exceptions, mais cela ne concernait que des créatures puissantes, qui se faisaient rares. Et jamais elle n'en avait vu autant. Dans des lieux où elle se sentait d'ordinaire en sécurité.

Rien ne va plus, songea-t-elle. *Rien.*

– Aislinn ? Est-ce que ça va ? lui demanda Leslie, qui s'était approchée d'elle.

– Oui, je vais bien, répondit-elle. C'est qui, ton ami ? demanda-t-elle en jetant un coup d'œil vers le fé.

– Appétissant, pas vrai ? répondit Leslie, en laissant échapper un petit bruit qui tenait à la fois du soupir et du gémissement. Je viens de le rencontrer devant la boutique.

Seth, qui avait reposé le classeur, vint les rejoindre.

– On y va ? lança-t-il tout en passant fermement un bras autour de la taille d'Aislinn. Je peux...

– Dans une seconde.

Elle regarda de nouveau le fé qui bavardait avec Rabbit. Elle entendait à peine leurs voix murmurantes. Elle s'efforça d'oublier sa paranoïa et se tourna vers Leslie.

– Tu ne vas quand même pas l'emmener chez Rianne ?

– Tu veux parler d'Irial ? Il y ferait un tabac, tu crois pas ?

– En effet, il ressemble pas à tes vict... euh, tes partenaires habituels, répondit Aislinn en essayant de se comporter normalement.

Leslie décocha un regard langoureux au fé.

– Malheureusement, ça n'a pas l'air de l'intéresser.

Aislinn était soulagée d'apprendre que Leslie n'allait rien tenter avec cette créature. La vie était déjà suffisamment compliquée.

– Je voulais savoir si tu venais à la soirée. Toi aussi, ajouta-t-elle en lançant à Seth un sourire plutôt malveillant.

– Non, répliqua-t-il d'un ton sec.

Il tolérait la présence de Leslie, mais pas davantage. Il n'avait pas beaucoup de sympathie pour la majorité des gens qui fréquentaient le lycée Bishop.

– D'autres projets plus palpitants ? demanda Leslie d'une voix de conspiratrice.

– Toujours. Je ne vais à ces soirées désastreuses que si Aislinn insiste. Tu es prête ? demanda-t-il à cette dernière.

– Cinq minutes, répondit-elle.

Elle se sentit aussitôt coupable : Seth et elle ne sortaient pas ensemble. Elle ne voulait pas le faire attendre, mais elle n'avait pas non plus envie de laisser une amie seule avec un fé dont les pouvoirs lui permettaient de toucher du fer ; une créature revêtue d'un charme qui aurait fait palpiter le cœur des filles les plus timides qui soient. Et Leslie n'était nullement timide.

– Si tu veux rentrer chez toi, je resterai avec Leslie...

– Non, je t'attends.

Il lui décocha brièvement un regard irrité et s'éloigna en direction des illustrations exposées sur les murs.

– Alors, qu'est-ce que vous avez prévu ? demanda Leslie avec un grand sourire.

– Que veux-tu dire ? Oh, rien de spécial. Il me raccompagne chez moi, c'est tout.

– Hum.

Leslie tapotait la vitrine du bout des ongles, sans s'apercevoir que le perceur la dévisageait d'un œil noir. Aislinn repoussa la main de son amie.

– Quoi ?

– C'est mieux que d'aller à une fête ? demanda Leslie en passant un bras autour des épaules d'Aislinn. Quand est-ce que tu vas laisser ce pauvre garçon tranquille ? ajouta-t-elle en chuchotant. C'est triste, tu sais, de le voir te suivre partout.

– Je n'ai... On est seulement amis. Il m'en parlerait, s'il... tu vois ce que je veux dire, reprit-elle en baissant la voix et en regardant Seth du coin de l'œil.

– Il te le fait assez comprendre. Seulement t'es trop bouchée pour l'entendre.

– C'est juste du flirt. Et même s'il en avait vraiment envie, je ne veux pas d'une nuit d'amour et puis plus rien. Surtout avec lui.

Leslie secoua la tête et soupira exagérément.

– Il faut que tu profites un peu de la vie, ma petite. Y'a pas de mal à se faire du bien, surtout si le garçon en question est un amant génial. En tout cas, c'est ce que j'ai entendu dire.

Aislinn refusait d'y penser et d'imaginer Seth avec d'autres filles. Elle savait qu'il avait des copines. Et même si elle ne les voyait jamais, elle était convaincue qu'elles n'étaient jamais loin. Mieux valait être son amie plutôt qu'une fille à consommer puis à jeter. Elle ne voulait plus parler de Seth et changea de sujet.

– Tu sais qui va à la soirée ?

Tout en s'efforçant de mettre de côté ses idées déprimantes, Aislinn écouta à moitié la réponse de Leslie, qui disait que le cousin de Rianne avait invité des copains de son club d'étudiants.

On fait bien de ne pas y aller. Seth aurait détesté ces types.

Quand le frère de Leslie entra dans la boutique, Seth rejoignit Aislinn et, d'un air presque possessif, passa un bras autour de ses épaules.

« T'es vraiment bouchée », lut Aislinn sur les lèvres de Leslie.

Aislinn s'appuya contre Seth, oublia Leslie, le frère de cette dernière qui commentait un match qu'il avait gagné, et le fé qui était toujours dans l'arrière-boutique. Quand Seth était près d'elle, elle savait qu'elle maîtrisait encore les choses. *Ce serait vraiment stupide de mettre cette amitié en péril, juste pour une petite aventure sans lendemain.*

4

« Quand tu seras le Roi de l'Été, elle sera ta reine. Ta mère, la reine Beira, le sait parfaitement, et elle cherche à t'éloigner d'elle afin que se prolonge son propre règne. »
(*Contes merveilleux des mythes et légendes écossais* de Donald Alexander Mackenzie, 1917)

Dans les faubourgs de Huntsdale, devant la porte d'une splendide propriété victorienne qu'aucun agent immobilier ne parvenait à vendre (à supposer qu'ils pensent à la faire visiter), Keenan hésitait, la main en suspens.

Il observa les silhouettes silencieuses qui se déplaçaient dans le jardin rempli de buissons d'épineux, aussi vivement que les ombres qui dansaient sous les arbres glacés. Dans cet endroit, jamais le givre ne fondait et jamais il ne disparaîtrait, mais les mortels qui passaient dans la rue ne discernaient que les ombres. Ils détournaient le regard, du moins ceux qui osaient poser les yeux sur la propriété. Personne ne foulait la pelouse glaciale de Beira sans son autorisation, qu'il s'agisse d'humains ou de fés. Et puis le lieu n'avait rien d'accueillant.

Derrière Keenan, circulaient des voitures dont les pneus crissaient sur la chaussée, tandis que la neige gelée se transformait en boue grise. Mais le bruit était étouffé par le froid presque palpable, pareil à un voile mortuaire, qui planait sur la demeure de Beira. Un froid si intense qu'il était même douloureux de respirer.

Bienvenue à la maison.

Évidemment, Keenan ne s'était jamais senti chez lui dans cet endroit ; tout comme Beira n'avait jamais été une mère pour lui. Dans son domaine, l'air lui-même le faisait souffrir et sapait le peu de force qu'il avait. Il essayait d'y résister, mais tant qu'il n'aurait pas les pleins pouvoirs, Beira pouvait l'obliger à se soumettre. Ce qu'elle ne manquait pas de faire, à chacune de ses visites.

Aislinn sera peut-être celle que je cherche. Peut-être que tout sera différent avec elle.

Keenan prit son courage à deux mains et frappa à la porte.

Beira l'ouvrit brusquement. De sa main libre, elle tenait un plateau de biscuits au chocolat encore fumants. Elle se pencha vers lui et l'embrassa dans le vide.

– Un biscuit, chéri ?

Elle n'avait pas changé depuis un demi-siècle, quand il avait commencé à se rendre à ces maudites rencontres : telle une caricature de la maternité, elle était vêtue d'une modeste robe à fleurs, d'un tablier à fanfreluches et d'un simple collier de perles. Ses cheveux étaient relevés en « chignon », mot qu'elle se plaisait à énoncer. Elle agita légèrement le plateau sous les yeux de son fils.

– Ils sortent du four. Je les ai faits pour toi.

– Sans façon, répondit-il en entrant dans la maison.

Elle avait de nouveau refait la décoration, moderne et cauchemardesque : une table en argent à la surface lisse ; des chaises noires bien raides et de forme bizarre ; des photographies en noir et blanc représentant des meurtres, des pendaisons et quelques scènes de torture. Les murs étaient soit d'un blanc éblouissant soit d'un noir mat, couverts de motifs géométriques de la couleur opposée. Sur les photos, quelques détails atroces avaient été coloriés en rouge – une robe, des lèvres, des plaies sanguinolentes – seules taches de véritable couleur dans la pièce. Un décor qui lui seyait à merveille, beaucoup mieux que le déguisement qu'elle s'entêtait à porter quand Keenan lui rendait visite. Derrière le bar, une fée des bois couverte de bleus s'adressa à lui.

– Que puis-je vous servir, monsieur ?

– Keenan, chéri, dis à cette fille ce que tu veux. Il faut que j'aille vérifier la cuisson du rôti, précisa Beira, qui marqua une pause. Tu restes pour le dîner, n'est-ce pas ?

– Ai-je vraiment le choix ?

Sans répondre à la fée des bois, il se dirigea vers le mur du fond et s'arrêta devant une des photos. Une femme aux lèvres rouge cerise était debout sur une potence, sur le point d'être pendue. À l'arrière-plan, des dunes escarpées paraissaient s'étendre à perte de vue.

– Une de tes œuvres ? demanda-t-il en jetant un coup d'œil à sa mère.

– Dans le désert ? Tu plaisantes, chéri.

Elle rougit, baissa les yeux et, tout en triturant son collier, lui décocha un sourire aguichant.

– Même entourée de l'agréable bise glaciale que j'ai créée au fil des siècles passés, reprit-elle, ce genre d'endroit m'est

53

encore interdit. Pour le moment. Mais c'est gentil à toi de t'y intéresser.

Keenan se tourna de nouveau vers la photographie. L'air désespéré, la fille le dévisageait fixement. Il se demanda si elle était vraiment morte pendue ou si elle n'était qu'un modèle pour le photographe.

– Bon... mets-toi à l'aise. Je reviens de suite. Tu pourras tout me dire sur cette nouvelle fille. Tu sais que je me réjouis toujours à l'avance des petites visites que tu me rends.

Puis, tout en fredonnant une berceuse qui relatait une histoire de doigts gelés et que Keenan connaissait depuis l'enfance, Beira quitta la pièce.

Il ne la suivit pas, sachant ce qu'il trouverait dans sa cuisine de la taille d'un restaurant : une troupe de fées des bois, malheureuses et affairées. L'écœurante mise en scène de Beira laissait entendre qu'elle cuisinait seule, alors qu'elle cherchait simplement à donner l'image d'une mère modèle.

– Je vous sers à boire, monsieur ?

La fée des bois lui apportait deux plateaux, l'un chargé de lait, de thé, de chocolat chaud et de diverses boissons énergétiques ; l'autre de carottes, de céleri, de pommes et d'un grand nombre d'aliments tout aussi banals.

– Vous devez manger sainement, votre mère insiste. Il serait imprudent de fâcher ma maîtresse, ajouta-t-elle en jetant un coup d'œil vers la cuisine.

Keenan prit une tasse de thé et une pomme.

– Tu crois ?

Il avait grandi à la Cour de l'Hiver, ce qui ne l'avait que trop familiarisé avec le traitement que la Reine de l'Hiver pouvait infliger à ceux qui déclenchaient sa colère ou qui, tout simplement, se risquaient à l'agacer. Cependant, il allait faire de son mieux pour la faire sortir de ses gonds. Après tout, c'était pour cette raison qu'il était venu.

– Le dîner va bientôt être prêt, annonça Beira, de retour dans la pièce. Allez, viens, et raconte-moi.

Elle prit place sur l'une de ses horribles chaises et tapota la plus proche. Mais Keenan, préférant garder ses distances aussi longtemps que possible, s'assit face à sa mère.

– Elle n'est pas facile, et elle a résisté quand je l'ai abordée la première fois.

Il s'interrompit et repensa à la peur qu'il avait lue dans les yeux d'Aislinn. Ce n'était pas la réaction qu'il suscitait habituellement chez les mortelles.

– Elle ne m'a pas fait confiance du tout, ajouta-t-il.

– Je vois, répondit Beira en hochant la tête.

Elle croisa les jambes et se pencha en avant, à l'instar d'une mère attentive.

– Et est-ce que... tu sais, ta petite amie précédente... est-ce qu'elle a une bonne opinion de cette fille ?

Sans le quitter des yeux, Beira fit signe à la fée des bois, qui s'empressa de lui apporter un verre rempli d'un liquide transparent. Alors que Beira refermait les doigts autour du pied du verre, celui-ci se couvrit peu à peu d'une fine couche de givre.

– Donia n'a rien contre elle.

– Comme c'est charmant, répondit la Reine de l'Hiver, en pianotant sur son verre du bout des ongles. Et comment va Dawn ?

Keenan réprima son agacement. Beira connaissait le nom de Donia. Celle-ci était la Fille de l'Hiver depuis plus d'un demi-siècle à présent, et les trous de mémoire délibérés de la reine frisaient le ridicule.

– Donia n'a pas changé depuis des décennies, mère. Elle m'en veut. Elle est lasse. De tout ce que tu lui as fait subir.

Beira se mit à examiner sa main manucurée d'un air nonchalant.

– Que lui ai-je fait subir ? Dis-moi, je t'en prie.

– Sans ton bâton, ta traîtrise et ce qui me lie à toi, rien de tout cela ne serait arrivé, rétorqua-t-il d'une voix rageuse. Tu savais ce qui arriverait aux mortelles qui toucheraient à ton bâton. Elles ne sont pas faites pour...

– Ah ! Mais mon cher petit, c'est toi qui lui as demandé de le faire. Tu l'as choisie et elle t'a choisi, lança Beira d'un air suffisant, en s'adossant contre sa chaise.

Elle ouvrit la main et son bâton vint s'y placer de lui-même, signe du pouvoir qu'elle exerçait.

– Elle aurait pu rejoindre ta petite cour de Filles de l'Été, reprit-elle, mais elle a pensé que le jeu en valait la peine. Que tu méritais que l'on prenne des risques ou que l'on souffre pour toi. C'est triste, vraiment, dit-elle pour le narguer. Une fille aussi ravissante, si pleine de vie.

– Elle l'est encore.

– Ah bon ? s'étonna-t-elle ; puis elle baissa la voix d'un ton mélodramatique : d'après ce que j'ai appris, elle décline de jour en jour... insinua Beira, qui marqua une pause et fit la moue. On dit même qu'elle ne supporte plus sa situation... Ce serait dommage qu'elle s'éteigne.

– Donia va bien.

Il se rendit compte qu'il avait parlé avec nervosité. Comment pouvait-elle l'irriter aussi aisément ? Il s'en voulait.

À l'idée que Donia puisse devenir une ombre à l'agonie, éternellement muette, emprisonnée, sa colère montait. Il en allait toujours ainsi. La disparition d'un fé était toujours tragique, car il ne pouvait connaître de vie après la mort. *Et Beira me l'a cruellement rappelé.* Comment son père avait-il pu supporter son épouse jusqu'à sa conception à lui, Keenan ? Cela le dépassait. Cette femme le rendait fou de rage.

Beira laissa échapper un bruit de gorge, une sorte de ronronnement, un grognement, presque.

– Nous n'allons pas nous disputer, chéri. Je suis certaine que Diane tiendra le coup jusqu'à ce que tu puisses convaincre cette nouvelle fille que tu vaux bien un tel sacrifice. Et puis, si elle est malade, elle n'aura peut-être pas la force de s'opposer à toi cette fois. Il se peut même qu'elle encourage la nouvelle à t'accepter, sans lui raconter des choses atroces sur ton compte, et sans rien lui dire de tes mauvaises intentions.

– Donia jouera son rôle, et moi le mien. Rien ne changera tant que je n'aurai pas trouvé la Reine de l'Été.

Keenan se leva, s'avança vers sa mère et baissa les yeux vers elle. Il ne pouvait se laisser intimider. Elle détenait les pleins pouvoirs, elle aurait préféré le tuer plutôt que l'aider, mais peu importait. Un roi ne pouvait s'abaisser devant quiconque. Un roi avait le droit, le pouvoir d'exiger. Pouvoir limité, peut-être – il n'était qu'un souffle tiède, impuissant à combattre son froid glacial – mais il était toujours le Roi de l'Été. Il était encore capable de lui tenir tête et il fallait qu'elle le sache. *Si seulement on pouvait en finir, au plus vite.*

– Tu sais que je la trouverai, Mère. Une de ces filles s'emparera du bâton et ton froid ne pourra rien contre elle.

Beira reposa son verre et le dévisagea.

– Tu crois ça ?

Je déteste ce moment.

Keenan se pencha et plaça les mains de chaque côté de la chaise de sa mère.

– Un jour viendra où je posséderai la force du Roi de l'Été, comme mon père. Ton règne sera achevé. Le froid cessera de se répandre partout. Tu ne pourras exercer le pouvoir impunément... à ce moment, on verra bien qui est le plus fort, ajouta-t-il à voix basse, en espérant qu'elle n'entendrait pas sa voix trembler.

Elle resta un instant immobile, sans parler. Puis elle se leva et posa une main froide sur le torse de son fils et le repoussa légèrement.

De la glace craquelée se forma sur la main de la reine et envahit peu à peu la poitrine de Keenan ; bientôt, la souffrance fut telle qu'il ne pouvait plus bouger, et même si la Chasse Fantastique[1] s'était abattue sur lui, il aurait été incapable de s'enfuir.

– Quel charmant discours. Chaque année plus amusant. On se croirait dans une émission de télé.

Elle l'embrassa sur les deux joues, où ses lèvres laissèrent deux traces brûlantes, et attendit que le froid s'insinue sous la peau de Keenan. Pour lui rappeler qu'*elle* détenait le pouvoir. *Pas moi, pas encore*, songea-t-il.

– C'est l'une des choses que j'apprécie tout particulièrement dans notre petit arrangement. Si j'avais affaire à un *vrai* roi, ces jeux me manqueraient.

---

1. Nom donné, selon diverses légendes, aux tempêtes nocturnes ou à de grands vents, assimilés au passage de cavaliers en chasse et de meutes de chiens emportés dans les airs à la suite d'une malédiction.

Keenan ne répondit pas, ne le pouvait pas. S'il disparaissait, est-ce qu'un autre prendrait sa place ? *La nature a horreur du vide.*

Est-ce qu'un nouveau roi, un roi libre de toute entrave, prendrait le pouvoir ? Elle l'avait déjà laissé entendre, d'un ton moqueur. « Si tu veux les protéger, abandonne. Laisse ta place à un *vrai* roi. » Mais s'il échouait, est-ce qu'un autre roi exercerait vraiment le pouvoir ? Keenan n'avait aucun moyen de le savoir. Il la détestait. Tout comme il détestait la situation.

Puis Beira se pencha vers lui.

– Je suis sûre que tu trouveras ta petite reine, murmura-t-elle de son souffle glacial, qui se déposa sur les lèvres de Keenan. C'est peut-être déjà fait. Ça n'était pas Siobhan ? Ou cette Eliza d'il y a quelques siècles ? Une gentille fille, cette Eliza. Elle aurait pu devenir une charmante reine, tu ne crois pas ?

Keenan frissonnait et son corps commençait à s'engourdir. Il essayait de chasser le froid, de le repousser. *Je suis le Roi de l'Été. Elle ne peut pas me soumettre.* Il déglutit, tâcha de rester bien droit.

– Imagine, depuis tout ce temps, elle se trouve peut-être dans le groupe des filles trop faibles et trop timides pour prendre ce risque, celles qui n'ont jamais osé s'emparer du bâton.

Plusieurs fées-renardes entrèrent dans la pièce.

– Sa chambre est prête, maîtresse.

– Le pauvre chéri est fatigué. Et il a été si désagréable avec sa maman... dit-elle en soupirant, comme si Keenan l'avait blessée.

Elle posa un ongle sous le menton de son fils et l'obligea à renverser la tête en arrière.

– Au lit sans manger... comme d'habitude. Peut-être qu'un

de ces jours, tu arriveras à rester éveillé, ajouta-t-elle en l'embrassant sur le menton. Qui sait ?

Puis tout s'obscurcit et il ne sentit pas les fées-renardes le transporter jusqu'à la chambre que Beira avait fait préparer pour lui.

5

« Ces êtres souterrains ont des controverses et des doutes, des débats et des querelles, et prennent parti pour un camp ou un autre.9 »
(*La République mystérieuse : Des elfes, faunes, fées et autres semblables* de Robert Kirk et Andrew Lang, 1893)

Quand le vent changeait de direction et apportait un courant d'air glacial et mordant sur la petite maison, Donia savait que Beira n'était plus loin.

Qui d'autre pourrait me rendre visite, de toute façon ?

Personne ne venait, malgré l'emplacement de la maison de Donia : à l'extérieur de la ville, où le fer était omniprésent, dans l'une des quelques zones encore boisées. Lorsque Keenan avait choisi Huntsdale, tous l'avaient suivi et s'y étaient installés. Et quand Donia avait déniché cet endroit, elle avait espéré que les fés viendraient faire des fêtes entre les arbres. Mais personne n'était venu. Tous refusaient de s'approcher de chez elle. De la même façon, ils évitaient Donia, comme si Keenan avait encore des droits sur elle. Même les représentants des autres cours royales ne s'y risquaient pas : seuls les plus hauts dignitaires des cours de l'Hiver et de l'Été osaient lui rendre visite.

Donia ouvrit la porte et recula d'un pas.

Inutile de faire comme si je ne l'avais pas sentie arriver.

Beira surgit sur le seuil de la maison et prit la pose d'une vieille actrice jouant à la vamp.

Après avoir embrassé Donia du bout des lèvres et lancé quelques plaisanteries d'usage, elle alla s'allonger sur le canapé, croisa les chevilles et laissa ses petits pieds délicats pendre par-dessus le rebord. L'image de femme fatale qu'elle cherchait à renvoyer était pourtant en décalage avec le bâton de bois brut qu'elle tenait d'une main légère.

– Je pensais à toi, ma chérie.

– J'en suis certaine.

Le bâton n'était plus un danger pour elle, mais Donia préféra s'éloigner. Elle s'appuya contre le mur de pierre, près de la cheminée. Un peu de chaleur se glissa sur sa peau, mais pas assez pour adoucir le froid qui s'insinuait en elle ; pourtant, mieux valait ne pas s'asseoir près de la source de cet air affreusement glacial.

Le froid ne dérangeait jamais Beira. Il faisait partie intégrante de sa nature et ainsi, elle pouvait le contrôler. Donia le portait en elle, mais sans l'apprécier, car elle continuait d'avoir la nostalgie de la chaleur. En revanche, la reine ne recherchait pas la chaleur ; elle se délectait du froid, qui l'enveloppait comme un nuage de parfum glacé – surtout quand cela lui permettait de faire souffrir les autres.

– Mon petit garçon m'a rendu visite ce soir, l'informa Beira de son habituel ton désinvolte et trompeur.

– Je me doutais qu'il irait vous voir.

Donia essayait de parler d'une voix posée, mais en dépit de décennies de pratique, elle avait laissé transparaître un brin d'inquiétude. Elle croisa les bras ; le sort de Keenan la préoccupait encore, embarrassant sentiment.

Beira sourit mais ne répondit pas, laissant un silence gênant s'installer. Puis, sans se départir de son sourire, elle tendit la main, comme si un verre allait s'y matérialiser. Rien ne se passa. Une expression de douleur se peignit sur ses traits. Elle poussa un long soupir et regarda autour d'elle.

– Tu n'as toujours pas de serviteurs ?

– Non.

– Franchement, ma chérie, tu devrais vraiment en prendre quelques-uns. Les fées des bois sont obéissantes. En revanche, je ne peux pas supporter les farfadets, dit-elle en grimaçant. Terriblement indépendants, ceux-là. Mais je pourrais te prêter quelques-unes de mes fées des bois pour t'aider.

– Et pour pouvoir m'espionner ?

– Oui, bien sûr. Mais c'est un détail sans importance. Cet endroit est... sordide, ajouta-t-elle en agitant légèrement la main. Pire que le précédent. Dans cette petite ville... ou bien je confonds avec une autre des fiancées abandonnées par mon fils ? J'ai un mal fou à me souvenir...

Donia refusa de se laisser piéger.

– L'endroit est propre.

– Mais il n'a rien d'élégant. Aucun style.

Du bout des doigts, Beira effleura les sculptures grossièrement taillées dans du grès qui décoraient la table posée près du canapé.

– Ça ne date pas de ton époque, ceci ?

Elle prit un petit ours sculpté à la patte dressée, qui avait sorti ses griffes miniatures.

– Le travail de Liseli, il me semble ?

Donia acquiesça, même si cette précision était parfaitement inutile. Beira savait exactement qui avait fabriqué ces objets. Mais savoir que Liseli rendait visite à Donia irritait la reine. Liseli n'était pas revenue depuis quelques années, mais elle repasserait un jour ou l'autre. Depuis qu'elle était débarrassée du froid de Beira, elle voyageait à travers le monde, en choisissant souvent des régions désertiques où elle ne risquait pas de croiser la Reine de l'Hiver ou d'autres créatures de ce genre. De temps à autre, elle réapparaissait pour rappeler à Donia que le froid ne durerait pas éternellement, contrairement aux apparences.

– Et à qui est ce pantalon en haillons que tu tiens absolument à porter ?

– À Rika. Nous faisons la même taille.

Rika ne lui avait pas rendu visite depuis plus de vingt ans, mais c'était une fille étrange, plus à l'aise quand elle était investie du froid de Beira que d'avoir été la fiancée de Keenan. Chacune d'elles était différente. Le seul point commun que partageaient les Filles de l'Hiver était leur force de caractère.

Ça vaut mieux que de ressembler aux insipides Filles de l'Été, qui suivent Keenan comme des petites filles, songeait Donia.

Beira attendait que Donia reprenne la parole, et cette dernière essayait de ne pas montrer son impatience.

– Vous venez me voir pour une raison spécifique ? finit par demander la Fille de l'Hiver.

– Je n'agis jamais sans raison.

La reine se leva, alla la rejoindre et posa la main dans le dos de Donia.

64

Il ne servirait à rien de demander à Beira d'ôter sa main. Au contraire, cela l'encouragerait à renouveler ce geste plus souvent encore à l'avenir.

– Allez-vous me dire de quoi il retourne ?

– Tsss... Tu es pire que mon fils. Pas aussi capricieuse, cependant.

Beira se rapprocha, glissa ses mains autour de la taille de Donia et enfonça ses doigts dans ses hanches.

– Tu serais tellement plus jolie si tu t'habillais mieux. Ou si tu te coiffais de façon plus flatteuse.

Donia s'écarta, afin d'entrouvrir ostensiblement la porte qui donnait sur l'arrière de la maison et de laisser un peu d'air froid, de plus en plus glacial, s'échapper vers l'extérieur. Elle regrettait de ne pas être aussi « capricieuse » que Keenan – mais telle était la nature du Roi de l'Été. Aussi lunatique que les orages d'été, d'humeur changeante et imprévisible, capable de rire ou d'entrer en rage sans qu'on le pressente.

Pourtant, lorsqu'elle s'était emparée du bâton de la reine, il y avait bien longtemps, ce n'était pas ses pouvoirs à *lui* qui avaient envahi Donia, mais ceux de Beira. Si le froid ne s'était pas emparé d'elle, si elle avait été immunisée, elle aurait pu épouser Keenan et passer l'éternité avec lui. Mais le froid que contenait le bâton l'avait consumée, si bien qu'elle n'était guère plus qu'une extension du bâton lui-même.

Donia ne savait pas encore à qui elle en voulait le plus : à Keenan, qui avait voulu la convaincre qu'il l'aimait ; ou à Beira, qui avait anéanti ce rêve. Si Keenan l'avait vraiment aimée, elle aurait sûrement été l'Élue... elle aurait pu devenir la Reine de l'Été.

Donia sortit sur le pas de la porte. Les arbres s'élançaient vers le ciel gris, leurs branches noueuses cherchant les derniers rayons du soleil. Quelque part, dans le lointain, elle entendit le souffle du daim qui errait dans la petite réserve naturelle attenante à son jardin. *Une vision familière. Des bruits rassurants.* L'endroit aurait pu être idyllique. Ce n'était pas le cas. Plus rien n'était paisible quand le jeu recommençait.

Dans l'ombre, elle aperçut une vingtaine de ces laquais qui servaient Keenan. Des hommes-sorbiers, des fés-renards et d'autres soldats appartenant à sa cour. Même ceux qui ressemblaient presque à des mortels lui paraissaient encore bien insolites, alors qu'elle les connaissait depuis des décennies. Ils ne quittaient jamais les lieux. Ils la surveillaient et rapportaient chacun de ses gestes à leur roi. Il n'avait pas tenu compte de son désir de les voir partir. Alors que leur présence lui donnait l'impression d'être prise au piège.

« *C'est dans l'ordre des choses, Donia. La Fille de l'Hiver est sous ma responsabilité. Il en a toujours été ainsi.* »

Il essaya de lui prendre la main, d'entremêler aux siens ses doigts qui désormais lui faisaient si mal.

Elle s'éloigna. « *Il faut que cela change, Keenan. Je ne plaisante pas. Donne-leur l'ordre de partir ou je les tuerai.* »

Il n'était pas resté quand elle s'était mise à pleurer. Mais il l'avait entendue. Tout le monde l'avait entendue.

Pourtant, il ne l'avait pas écoutée. Il s'était trop habitué à la docilité de Rika et au fait que tous courbent l'échine devant lui. Alors Donia, les dix premières années, s'était vengée sur les gardes. Lorsqu'ils approchaient trop d'elle, elle les couvrait d'une épaisse couche de givre qui les pétrifiait. La plupart d'entre eux s'en étaient remis, mais pas tous.

Keenan s'était contenté d'envoyer d'autres laquais. Il ne s'était même pas plaint. Elle pouvait se montrer odieuse avec lui, peu importait : pour la surveiller, la relève était toujours assurée.

Elle avait donc continué à les punir, jusqu'à ce que le roi leur conseille de se tenir sous les arbres les plus éloignés de la maison ou de s'installer dans les branches de l'if ou du chêne. C'était un peu plus supportable.

Beira vint la rejoindre.

– Ils sont encore là. Des petits pions obéissants qu'il envoie afin de veiller sur toi.

– Ils vous ont vue arriver. Ils vont en informer Keenan.

Donia ne regarda pas Beira, mais fixait un jeune homme-sorbier qui, contrairement à ses compagnons, se rapprochait toujours de la maison.

Il lui fit un clin d'œil. Ces dernières décennies, il avait rarement quitté son poste. Les autres changeaient régulièrement, même si leur nombre restait stable. L'homme-sorbier était différent. Et même s'ils échangeaient rarement plus de trois mots, elle le considérait presque comme un ami.

– Sans nul doute, reprit Beira, qui se mit à rire – un bruit affreux, comme lorsque des corbeaux se disputent une carcasse. Le pauvre, il doit avoir bien froid.

Il ne servait à rien de feindre l'indifférence. Mais de protester non plus. Alors Donia scruta le bosquet d'arbres et essaya d'aborder un autre sujet avant de prendre des nouvelles de Keenan.

– Où sont vos laquais à vous, ce soir ?

Beira lui fit signe de s'approcher et lui indiqua dans quelle direction regarder.

Donia les vit arriver : un trio d'énormes boucs, au poil noir et hirsute, montés par trois harpies fidèles à la Reine de l'Hiver. Des créatures desséchées qui ressemblaient à peine à des femmes ; étrangement fortes, capables d'arracher les bras ou les jambes de n'importe quel vieux troll des montagnes. Donia, terrifiée, les regardait parader dans le jardin en caquetant comme des poules prises de folie – on aurait dit qu'elles cherchaient à provoquer les gardes de Keenan et à les inciter à s'approcher.

Donia s'écarta de Beira et gagna la rambarde de la véranda.

– Tu es très en beauté, Agatha, lança-t-elle à l'une des harpies.

La dénommée Agatha cracha dans sa direction.

Les titiller ainsi était peut-être imprudent, mais Donia ne pouvait s'en empêcher chaque fois qu'elle les voyait. Elle devait prouver à ces créatures et se prouver à elle-même qu'elle n'était pas intimidée.

– Vous vous doutez que ce n'est pas votre présence qui dissuade les gardes de s'approcher de la maison ?

Évidemment, elle était consciente que ces derniers n'obéissaient qu'à Keenan. Si le Roi de l'Été leur avait ordonné de se rapprocher, ils l'auraient fait, en dépit des menaces de Donia. Au diable ses désirs à elle. Au diable les blessures ou les coups mortels qu'elle pouvait infliger aux gardes. Seule importait la volonté de Keenan.

Les harpies lui lancèrent des regards noirs, mais ne répondirent pas. Tout comme les laquais de Keenan, ceux de Beira gardaient leurs distances avec Donia, par peur d'éveiller la colère de la reine. Le seul à pouvoir se le permettre était son fils.

Quelle famille bancale, songea Donia. Keenan et Beira la protégeaient tous les deux, chacun considérant l'autre comme une menace mortelle.

Les harpies restaient muettes et Donia se tourna vers Beira.

– Je suis fatiguée. Dites-moi pourquoi vous êtes venue.

Un instant, elle crut qu'elle avait été trop directe et que la reine allait se déchaîner contre elle. D'ordinaire, Beira était aussi calculatrice que son fils était capricieux, mais quand sa rage éclatait, elle devenait vraiment terrible. Cependant, la reine se contenta de sourire – un rictus particulièrement effrayant, mais moins dangereux que sa colère.

– Il en est qui souhaitent voir Keenan heureux ; ceux-ci veulent qu'il trouve la fille qui partagera son trône. Ce n'est pas mon cas.

Sur ce, la reine lança une violente vague de froid qui vint heurter Donia de plein fouet et lui donna la sensation d'avoir été engloutie au cœur d'un glacier. Si elle avait été encore mortelle, le choc l'aurait tuée.

Beira souleva la main presque inerte de Donia et l'enveloppa autour de son bâton, sous sa main à elle, glacée.

Rien ne se passa et rien ne changea, mais le simple contact avec le bâton réveilla les souvenirs des premières années, à l'époque où la souffrance était encore aiguë.

Alors que la Fille de l'Hiver s'efforçait de reprendre son souffle, Beira poursuivit :

– Empêche la nouvelle fille de s'emparer de mon bâton et je te rendrai la liberté en ôtant le froid qui est en toi. Keenan ne peut t'offrir cette liberté, contrairement à moi, précisa-t-elle en décrivant, du bout du doigt, un cercle sur la poitrine de Donia, une caresse qui se voulait à la fois moqueuse et perverse.

Sinon, voyons la quantité de froid que tu peux supporter avant d'être consumée.

Donia était capable de diriger le froid contre autrui mais elle ne savait le contrôler. Aussi, sur l'ordre de Beira, une nouvelle vague glaciale l'envahit, comme pour lui montrer qui détenait le pouvoir.

– Je sais où est ma place, dit Donia d'une voix rauque. Je dois l'avertir, lui dire de ne pas faire confiance à Keenan. J'ai accepté ce rôle quand je me suis emparée du bâton.

– N'échoue surtout pas. Mens, triche s'il le faut. Mais surtout, ne la laisse pas toucher mon bâton.

Beira posa sa main à plat sur la poitrine de Donia, recourba légèrement les doigts et laissa ses ongles érafler sa peau à travers son chemisier.

– Quoi ?

Donia recula d'un pas trébuchant, tout en essayant de recouvrer ses esprits ; il fallait qu'elle s'écarte de Beira sans amplifier la colère de cette dernière.

Il y avait des règles connues de tous. Elles n'étaient pas à l'avantage de Keenan, mais ne pouvaient être modifiées. Pourtant, Beira lui ordonnait de les enfreindre.

La reine lâcha son bâton et passa un bras autour de Donia. Tout en la soutenant, elle murmura :

– Si tu me laisses tomber, il est en mon pouvoir de faire mourir ton corps. Il ne pourra m'en empêcher. Toi non plus. Tu deviendras une ombre errante, et tu souffriras du froid, à un point que même toi ne peux soupçonner.

Sur ces mots, Beira s'écarta d'elle.

Donia vacilla sur ses jambes mais resta debout car elle tenait toujours le bâton. Puis elle le laissa retomber, tant l'objet la répugnait. Elle se rappelait la douleur éprouvée la première fois qu'elle l'avait touché, le désespoir qui l'envahissait chaque fois qu'une mortelle refusait de s'en emparer. Elle s'agrippa à la rambarde de la véranda et s'efforça de ne pas s'effondrer.

En pure perte.

– En route, lança Beira tout en faisant un signe d'adieu aux soldats de Keenan.

Puis elle et ses harpies disparurent dans l'obscurité.

Quand Keenan se réveilla, Beira était assise près de son lit, dans un fauteuil à bascule ; à ses pieds, un panier rempli de chiffons, et à la main, une aiguille.

– De la couture ? demanda-t-il en toussant.

Il se racla la gorge, irritée par la glace qu'il avait avalée quand elle l'avait pétrifié.

– Tu n'en fais pas un peu trop ? ajouta-t-il.

Elle souleva les morceaux de tissu cousus entre eux.

– Tu crois ? Je ne m'en sors pourtant pas si mal.

Il se redressa. Des fourrures épaisses étaient empilées sur lui, certaines encore ensanglantées.

– Il est vrai que c'est beaucoup plus agréable à voir que tes véritables passe-temps.

D'un geste évasif, elle écarta le sujet et lâcha son aiguille – qui continua pourtant d'agir seule, entrant et sortant du tissu.

– Elle n'est pas l'Élue, la nouvelle fille.

– Il se peut qu'elle le soit, rétorqua-t-il en repensant à la façon dont Aislinn parvenait à contrôler ses émotions. C'est d'elle que j'ai rêvé...

Une fée-renarde apporta un plateau chargé de boissons

chaudes et d'une soupe fumante qu'elle déposa sur la table basse placée près du lit.

– Tu avais rêvé des autres aussi, mon chéri, répondit Beira en soupirant, avant de s'enfoncer dans son fauteuil. Je ne veux pas me disputer avec toi, tu sais. Si j'avais su comment les choses se passeraient... Tu as été conçu ce jour-là. Comment aurais-je pu savoir que tout ceci arriverait quand j'ai tué ton père ? Je ne savais même pas que tu *existais* déjà.

Cela n'expliquait pas pourquoi elle avait entravé les pouvoirs de son fils ; ni la raison pour laquelle elle s'était servie des liens qu'elle entretenait avec la Cour des Ténèbres afin que Keenan soit maudit. Elle l'avait informé de l'origine de son titre, mais ne lui avait jamais expliqué pourquoi elle avait voulu limiter sa puissance.

Keenan prit une tasse de chocolat. Au contact de sa peau, la chaleur lui parut merveilleuse, et plus encore quand le liquide fut dans sa gorge.

– Dis-moi seulement qui elle est... répondit-il.

Voyant que Beira restait muette, il poursuivit :

– Nous pourrions trouver un compromis. Diviser l'année et les territoires, comme à l'époque de mon père.

Il finit sa tasse et en prit une autre, pour le seul plaisir de se réchauffer les mains. Elle se mit à rire, ce qui déclencha une minuscule bourrasque de neige qui tourna en spirale dans la pièce.

– Et tout abandonner ? Me flétrir comme une vieille harpie ? Pour quelle raison agirais-je ainsi ?

– Pour moi ? Ou pour respecter ce qui est juste ? Ou encore...

Il posa ses pieds sur le sol et fit la grimace quand ils s'enfoncèrent dans un petit tas de neige.

Parfois, les traditions les plus anciennes étaient les pires. Comme ces répliques qu'il leur fallait échanger, un scénario qu'ils jouaient depuis des siècles.

– Tu sais bien que je suis obligé de poser toutes ces questions.

Beira reprit son aiguille et l'enfonça dans le tissu.

– Je sais. Ton père se conduisait comme toi. Il observait scrupuleusement chaque règle. Il était si prévisible, ajouta-t-elle en fronçant les sourcils puis en prenant un autre morceau de tissu dans le panier.

– Les mortels sont de plus en plus nombreux à mourir de faim chaque année. À cause du froid... les récoltes gèlent. Et les gens meurent.

Keenan inspira profondément et toussa de nouveau. Dans la pièce, l'air était glacial. Faible comme il l'était à présent, il savait que plus il resterait près de sa mère, plus il mettrait de temps à se rétablir.

– Ils ont besoin de davantage de soleil. Ils ont de nouveau besoin d'un véritable Roi de l'Été.

– Ce n'est pas mon problème.

Elle laissa tomber son ouvrage dans le panier et se leva pour partir. Elle s'arrêta sur le seuil de la porte.

– Tu connais les règles.

Des règles édictées en faveur de Beira. Des règles qui le maintenaient prisonnier depuis des siècles.

– Ouais, je les connais.

6

« La vue d'une soutane et le son d'une cloche font fuir les fés. »
(*Mythologie féerique* de Thomas Keightley, 1870)

Le lundi matin, Aislinn se réveilla plus tôt que d'habitude. Après avoir pris une douche rapide, elle revêtit son uniforme et se rendit à la cuisine. Debout devant la cuisinière, sa grand-mère préparait des œufs au bacon.

La jeune fille se pencha vers elle pour poser un petit baiser sur sa joue.

– On fête quelque chose ?

– Pousse-toi, Aislinn, lui répondit la vieille femme. J'avais juste envie de te faire un bon petit déjeuner.

– Tu te sens bien ? demanda Aislinn en posant une main sur l'avant-bras de sa grand-mère, qui eut un sourire éteint.

– Tu parais fatiguée, ces derniers temps. Je me suis dit qu'il te fallait autre chose qu'un yaourt.

Aislinn prit la cafetière à moitié pleine et se servit une petite tasse, dans laquelle elle ajouta deux généreuses cuillères de sucre. Puis elle alla rejoindre sa grand-mère.

– La période des examens approche et ma dernière note en littérature n'est pas aussi bonne que je le pensais, expliqua Aislinn tandis que sa grand-mère la dévisageait d'un air incrédule. Euh... en fait, je ne m'en suis pas trop mal sortie, je veux juste dire que j'aurais pu faire mieux.

La vieille femme disposa les œufs dans les assiettes et les porta jusqu'à la minuscule table de cuisine.

– Quoi d'autre ? demanda-t-elle d'un ton inquiet que la jeune fille connaissait bien, tandis que sa main se crispait autour de sa tasse de café.

Mais Aislinn ne pouvait rien dire. Elle ne pouvait pas lui raconter que deux créatures la surveillaient, qu'un fé avait revêtu un charme afin de l'aborder, qu'elle avait dû prendre sur elle pour ne pas être irrésistiblement attirée par lui. De telle sorte qu'elle se résolut à parler de l'autre garçon qui la tentait tout autant.

– Hum... Il y a aussi ce garçon...

La main de sa grand-mère se détendit.

– Il est merveilleux, ajouta Aislinn, il est tout ce que je veux, mais c'est juste un copain.

– Tu l'aimes bien ?

La jeune fille acquiesça.

– Dans ce cas, c'est un imbécile. Tu es jolie, intelligente, et s'il t'a rejetée...

– En fait, l'interrompit Aislinn, je ne lui ai pas dit que je voulais sortir avec lui.

– Ah ? Alors rien de bien compliqué, rétorqua sa grand-mère d'un air satisfait. Propose-lui un rendez-vous. Et arrête de te tracasser. Quand j'avais ton âge, je n'avais pas autant de liberté que toi, tu sais, mais...

76

Et la vieille femme se lança dans l'un de ses discours préférés – sur l'évolution des droits des femmes.

Aislinn l'écouta tout en mangeant, acquiesçant quand il le fallait et posant des questions afin d'alimenter le flot de paroles de sa grand-mère jusqu'à ce qu'il soit temps de partir au lycée. Mieux valait lui faire croire que les garçons et sa scolarité étaient à la source de son inquiétude. Elle avait affronté de nombreux obstacles au cours de sa vie : son époux était mort prématurément, quand elle n'était qu'une jeune mère, et elle avait dû élever seule une fille et une petite-fille qui possédaient la Vue. Il ne fallait pas qu'elle découvre que les fés se comportaient bien étrangement ces derniers temps... sinon, Aislinn n'aurait plus aucune liberté.

Quand Carla frappa à la porte afin de faire le trajet en sa compagnie, Aislinn et sa grand-mère souriaient toutes les deux.

Mais en lui ouvrant, Aislinn aperçut aussi trois fés sur le palier, derrière Clara. Ils auraient pu s'approcher davantage, mais les fioritures en fer forgé qui ornaient la porte – sa grand-mère avait eu besoin d'une autorisation pour la faire installer – devaient les mettre mal à l'aise.

– Houlà, s'exclama Clara en voyant le sourire de son amie s'évanouir. Je n'avais pas l'intention de te mettre de mauvaise humeur.

– C'est pas ta faute... juste qu'on est lundi, répliqua Aislinn, en s'efforçant de montrer un visage plus aimable.

Carla vérifia que la grand-mère de son amie s'était éloignée et demanda doucement :

– Tu veux qu'on sèche les cours ?

– Et prendre encore plus de retard en maths ? marmonna Aislinn.

Elle attrapa son sac puis fit un signe à sa grand-mère avant que celle-ci n'ait le temps de les rejoindre sur le palier.

– Je t'aiderai à réviser, si tu veux, répondit Carla en haussant les épaules. Il y a des promos en ville...

– Pas aujourd'hui. Allez, viens.

Aislinn dévala les escaliers, où elle croisa plusieurs autres créatures. D'habitude, les fés ne rentraient pas dans l'immeuble. La zone était censée être un refuge : aucune verdure en vue, des barreaux en fer aux fenêtres. Le quartier était tout à fait convenable, et se trouvait loin des banlieues que les arbres et les bosquets rendaient dangereuses.

Alors qu'elles prenaient le chemin du lycée, la bonne humeur d'Aislinn s'évanouit définitivement. Des fés étaient tapis dans les recoins, marchaient derrière elles, murmuraient sur leur passage. La situation était plus que déconcertante.

Aislinn se rappela les dernières paroles de la fée-cadavre, qui résonnaient encore dans sa tête – « Fuis, pendant qu'il en est encore temps... ». Fuir était impossible, mais si seulement elle avait pu savoir ce qu'il lui fallait fuir, cela aurait calmé la panique qu'elle éprouvait de nouveau.

Soudain, une fée-louve dont la fourrure cristalline tintait à la façon d'un carillon de verre vint la renifler et la jeune fille trembla, se demandant si le fait d'en apprendre davantage apaiserait *vraiment* sa terreur.

Au fil de la journée, son inquiétude se dissipa. Comment aurait-elle pu avouer au père James qu'elle n'arrivait pas à se concentrer parce qu'elle était suivie par des fés ? L'Église insis-

78

tait parfois sur les dangers de tout ce qui relevait du surnaturel, mais les prêtres ne croyaient pas plus aux fés qu'en la nécessité de l'ordination des femmes...

Encore que..., se dit-elle avec un sourire amer, alors qu'elle se rendait au cours de littérature, le dernier de la journée, *il est peut-être plus fréquent de rencontrer un prêtre qui soit pour l'égalité hommes-femmes que prêt à admettre l'existence des fés. Mais pas au lycée Bishop.*

– Tu as terminé ta lecture ? lui demanda Leslie.

Aislinn sortit son sac de son casier et referma la porte d'un coup sec. Elle leva les yeux au ciel.

– Ouais. Cet Othello était un imbécile.

– Pas un pour rattraper l'autre, mon chou, répondit Leslie en lui décochant un clin d'œil.

– Comment s'est passée la soirée chez Rianne ? demanda Aislinn alors qu'elles entraient dans la salle de classe.

– Comme d'habitude... mais les parents de Dominic partent toute la semaine. L'occasion de s'éclater, de se faire de bons trips et de rencontrer des garçons aussi...

– Pas mon truc.

– Allez, Ash...

Parfois, Aislinn regrettait de ne pouvoir consommer plus souvent de l'alcool. Elle ne le faisait que lorsqu'elle restait dormir chez Seth. Car se balader dans Huntsdale un peu ivre était trop risqué...

– Ça me dit rien, répliqua-t-elle d'un ton plus ferme.

– Tu pourrais au moins venir. Tu n'as pas besoin de faire la bringue, simplement traîner un peu avec nous. C'est pas comme si je me droguais. C'est juste pour me détendre. Et puis, les cousins de Dom seront là.

– Je croyais que c'étaient tous des crétins ? rétorqua Aislinn avec un petit sourire narquois.

– Oui, c'est vrai, mais ils sont carrément beaux. Si ça n'avance pas avec Seth... ajouta Leslie d'une voix lascive. Réfléchis, et dis-moi.

Sœur Mary Louise entra dans la salle, ce qui épargna à Aislinn d'avoir à refuser une nouvelle fois. Avec sa vivacité habituelle, l'enseignante se mit à déambuler devant son bureau tout en observant ses élèves derrière ses horribles lunettes.

– Eh bien, qu'avez-vous à me dire ?

C'était l'une des raisons pour lesquelles ce cours était celui qu'Aislinn préférait : sœur Mary Louise ne se contentait pas de se lancer dans un cours magistral. Elle incitait ses élèves à parler, commentait leurs propos et leur distillait de cette façon tout ce qu'il leur fallait savoir, beaucoup plus habilement que les autres professeurs.

– Si Othello avait fait confiance à Desdémone, ça ne se serait pas fini comme ça, s'exclama soudain Leslie, avant que quelqu'un d'autre puisse le faire.

Sœur Mary Louise la gratifia d'un sourire encourageant, puis se tourna vers Jeff, qui n'était généralement jamais d'accord avec Leslie.

– Qu'en penses-tu ?

Un débat s'engagea aussitôt, entre Aislinn et Leslie d'un côté et Jeff de l'autre, la seule voix masculine à s'exprimer.

Après le cours, Aislinn quitta Leslie près des casiers et rejoignit la foule qui convergeait vers la sortie. Elle était plutôt de bonne humeur. C'était mieux quand la journée commençait avec le cours de littérature, plutôt qu'avec les maths, une vraie torture, mais ce n'était pas mal non plus de finir avec.

Cependant, dès qu'elle franchit la porte du lycée, la peur qu'elle avait réussi à réprimer le matin même refit surface : devant l'établissement, assise sur le dos de son loup, attendait la fée-cadavre. Tout aussi terrifiante que ce Keenan, le fé qui l'avait abordée dans la boutique de bandes dessinées.

7

« Les fées sont vindicatives, mais aussi arrogantes, et interdisent que l'on remette en question leurs droits établis depuis si longtemps. »
(*Légendes anciennes, sortilèges et superstitions en Irlande* de Lady Francesca Speranza Wilde, 1887)

– Hé ! lança Leslie en claquant des doigts devant le visage d'Aislinn, qui reprit ses esprits à la vue du vernis à ongles argenté de sa camarade. Tu viens avec nous ou quoi ?

– Comment ?

– Chez Dom, répondit Leslie en soupirant, l'air passablement irrité.

Près d'elle, Carla étouffa un petit rire. Leslie expira bruyamment, et repoussa sa frange trop longue.

– Apparemment, tu n'as rien écouté de ce que j'ai dit !

– Attendez ! s'écria Rianne qui dévalait les escaliers.

Comme Leslie, elle avait déjà ôté sa veste, mais elle avait aussi déboutonné son chemisier de deux crans. Une façon sans gravité de se faire remarquer, mais qui lui valait des leçons de morale de la plupart de ses professeurs.

83

Justement, posté au coin du bâtiment, le père Edwin s'adressa aux jeunes filles :

– Vous vous trouvez encore dans l'établissement, mesdemoiselles !

Arrivée sur le trottoir, Rianne lui lança un baiser et rétorqua :

– Plus maintenant ! À demain, mon père !

Le père Edwin desserra son col blanc, sa manière à lui de s'éclaircir la voix.

– Essayez d'être prudentes.

– Oui, mon père, répondit Leslie d'un ton obéissant. Alors, Aislinn, poursuivit-elle en baissant la voix, tu viens ?

Puis elle s'éloigna, certaine que les autres la suivraient.

– Je ne peux pas, répondit Aislinn. Je dois retrouver Seth à la bibliothèque.

– Ah, lui... appétissant, fit remarquer Rianne en poussant un long soupir. Tu nous caches quelque chose ? Selon Leslie, c'est à cause de lui que tu nous as fait faux bond l'autre soir.

Sur le trottoir d'en face, Aislinn aperçut la fée-cadavre, qui écoutait tout ce que les amies se disaient. Elle les suivait, accompagnée de son loup qui descendait la rue en bondissant à leur hauteur.

– On est juste amis, Seth et moi, répondit Aislinn en rougissant.

Sachant que la fée l'entendait, elle se sentait plus gênée que d'ordinaire. Elle s'immobilisa, se pencha et ôta sa chaussure, comme pour faire croire qu'il y avait quelque chose à l'intérieur. Elle jeta un coup d'œil derrière elle. La fée et son loup s'étaient arrêtés dans l'ombre, de l'autre côté de la rue. Des humains passaient devant eux en parlant, en riant, sans rien voir de l'animal, anormalement grand, et de sa cavalière à l'allure sauvage.

– Je parie que vous pourriez être plus que des amis, dit Rianne en passant son bras sous celui d'Aislinn pour l'encourager à poursuivre son chemin. C'est pas ton avis, Leslie ?

Celle-ci eut un sourire sarcastique.

– D'après ce qu'on dit, il a assez d'expérience pour être un bon candidat. Fais-moi confiance : pour ton premier, autant en prendre un qui soit un peu adroit.

– Ce qui apparemment est le cas de Seth, ajouta Rianne d'une voix gutturale.

Carla et Leslie éclatèrent de rire. Aislinn se contenta de secouer la tête.

– Sheila a vu le nouvel élève dans le bureau du directeur, les informa Carla alors qu'elles s'étaient arrêtées devant le passage piéton. Celui qui doit arriver cette semaine, un orphelin je crois. D'après elle, il est craquant...

– Un *orphelin* ? C'est le mot qu'elle a employé ? *Orphelin* ? rétorqua Leslie en levant les yeux au ciel.

Ravie d'entendre ses amies aborder un autre sujet, Aislinn n'écoutait plus qu'à moitié, plus préoccupée par celle qui l'avait prise en filature que par l'arrivée de nouveaux élèves. La fée-cadavre continuait d'avancer à sa hauteur. Et d'après la façon dont les autres créatures se comportaient avec elle, Aislinn comprenait qu'elle n'était pas n'importe qui. Personne ne l'approchait. Certains la saluaient quand elle passait devant eux. Elle, en revanche, les ignorait tous.

Au croisement des rues Edgehill et Vine, où les filles se séparaient d'habitude, Carla insista de nouveau.

– Tu es sûre de ne pas vouloir venir ? Tu pourrais l'amener avec toi.

– Quoi ? s'étonna Aislinn. Non, Seth m'aide à réviser mes cours de... d'éducation civique. Je vous appellerai plus tard.

Le feu passa au vert et elle s'engagea sur le passage piéton.

– Amusez-vous bien ! leur lança-t-elle.

La fée apparemment ne l'avait pas suivie.

Elle est peut-être partie.

– Hé, Aislinn ! l'appela Leslie une fois qu'elles furent suffisamment éloignées, afin que tout le monde l'entende. Tu sais très bien qu'il n'y a pas d'évaluation d'éducation civique ce mois-ci !

– Vilaine fille ! ajouta Rianne en agitant le doigt vers elle.

Les passants n'en tinrent pas compte, mais le visage d'Aislinn était en feu.

– On s'en fout, marmonna-t-elle.

Aislinn traversait le parc pour se rendre à la bibliothèque. Elle songeait à Seth, à la fée qui l'avait suivie. Elle était complètement perdue dans ses pensées lorsque quelqu'un – un humain, et pas une fée – l'attrapa par le bras et l'attira contre son torse, où il la tint serrée, sans qu'elle puisse se dégager.

– Voyez-moi ça, une gentille petite catho... Quelle jolie jupe...

L'homme tira sur sa jupe plissée et les deux autres types qui l'accompagnaient se mirent à rire.

– Qu'est-ce que tu fiches là, poupée ?

Aislinn essaya en vain de lui donner un coup de pied.

– Arrêtez, lâchez-moi...

– Arrêtez... je vous en prie, arrêtez, se moquèrent les compagnons de son agresseur.

Qui peut venir à mon secours ?

D'habitude, le parc n'était pas désert à cette heure-ci. Il n'y avait pourtant personne en vue. Aucun être humain. Ni aucun fé.

Elle ouvrit la bouche pour hurler, mais l'homme plaqua la main contre sa mâchoire. Elle lui mordit l'index.

– La salope.

Malgré tout, il n'ôta pas sa main. Au contraire, il serra plus fort les joues d'Aislinn, si bien que sa gencive comprimée se mit à saigner.

Le type à sa droite rit de nouveau.

– On dirait qu'elle aime se faire malmener, hein ?

La jeune fille sentit les larmes lui monter aux yeux. Le bras qui l'enserrait la meurtrissait ; la main qui l'empêchait de crier se referma davantage et un goût de sang envahit de nouveau sa bouche, tandis qu'elle s'efforçait de se souvenir de ce qu'elle savait de l'autodéfense.

Sers-toi de tout ce que tu peux. Hurle. Fais semblant de ne plus résister. Ce qu'elle fit, en se laissant tomber de tout son poids.

L'homme se contenta de la rattraper et la maintint contre lui.

Au même instant, elle entendit un grognement.

Près d'elle, elle aperçut le loup de la fée-cadavre. Les babines retroussées. Il ressemblait à présent à un gros chien, mais Aislinn savait ce qu'il était. La fée-cadavre elle aussi avait pris une apparence humaine. Elle tenait son animal en laisse, mais ce dernier était suffisamment proche des trois hommes et, en un bond, il aurait pu s'attaquer à eux.

– Ôte tes mains d'elle, dit la fée à l'agresseur d'Aislinn, avec un calme effrayant.

Les deux autres reculèrent, mais celui qui s'en prenait à Aislinn ne se laissa pas faire.

– C'est pas tes affaires, petite blonde. Va voir ailleurs si j'y suis.

La fée attendit un instant, puis elle haussa les épaules et lâcha la laisse.

– Comme tu voudras. Attaque, Sasha, attaque au bras !

Le loup bondit sur l'homme et lui planta ses crocs dans le poignet.

L'homme poussa un cri perçant, s'écarta d'Aislinn et porta la main à son avant-bras qui saignait. La jeune fille s'effondra sur le sol.

Les trois agresseurs s'enfuirent sans demander leur reste. Le loup les poursuivit en leur mordillant les jambes.

La fée s'accroupit près d'Aislinn.

– Tu peux te relever ? demanda-t-elle, impassible.

– Pourquoi as-tu...

La jeune fille eut un mouvement de recul quand la fée fit mine de lui toucher la figure.

– Merci, ajouta-t-elle.

Le visage de la fée-cadavre se crispa.

– Je ne comprends pas ce qui s'est passé, fit remarquer Aislinn, les yeux braqués vers les fuyards.

Huntsdale n'était pas une ville mal fréquentée, même s'il y avait parfois des incidents la nuit – le taux élevé de chômage et la fréquentation active des bars y étant pour beaucoup, aussi, mieux valait éviter certains raccourcis un peu sombres quand il se faisait tard. Néanmoins, les agressions étaient très rares dans le parc.

Son regard croisa celui de la fée.

– Pourquoi... ?

La fée resta silencieuse un instant, puis, évitant de répondre à la question d'Aislinn, elle tendit la main vers elle.

– Désolée de ne pas être arrivée plus tôt.

– Pourquoi ici...

Aislinn s'interrompit, se mordit la lèvre et se releva.

– Je m'appelle Donia.

– Aislinn, répliqua la jeune fille avec un petit sourire tremblant.

– Allez, Aislinn, ne restons pas ici, fit Donia en se dirigeant vers la bibliothèque.

Elle se mit à marcher aux côtés d'Aislinn, sans la toucher, mais trop près pour que la jeune fille se sente vraiment à l'aise.

Elles s'immobilisèrent devant l'une des colonnes qui encadraient la porte du bâtiment.

– Et ton... euh... chien ? Tu ne vas pas voir où il est ?

– Non, Sasha reviendra tout seul, expliqua Donia, avec un sourire qui aurait pu être rassurant si elle avait été humaine. Bon, entrons, ajouta-t-elle en indiquant la bibliothèque.

Un peu plus calme, Aislinn poussa la porte en bois joliment décorée qui, comme les colonnes qui l'encadraient, tranchait sur la banalité architecturale du reste de la ville. Comme si les bâtisseurs d'Huntsdale avaient décidé qu'il fallait malgré tout une source de beauté dans ces rues toutes plus ordinaires les unes que les autres.

C'était presque comique : les règles selon lesquelles elle avait vécu jusqu'à présent étaient désormais caduques. Ce n'étaient pas les fés qui l'avaient agressée, mais des êtres humains. De même, elle avait enfreint la première des règles – *n'attire jamais l'attention des fés sur toi*. Mais que se serait-il passé si la fée n'était pas venue à son secours ?

Ses jambes avaient du mal à la porter. Elle avait le ventre noué.

– Tu as besoin de t'asseoir un peu ? lui demanda Donia avec douceur, tout en la guidant vers le hall d'entrée, où se trouvaient les toilettes. C'est effrayant, ce qu'ils t'ont fait.

– Je me sens bête, murmura Aislinn. Il ne s'est rien passé, pourtant.

– Mais parfois, c'est ce qui aurait pu arriver qui fait vraiment peur... Allez, passe-toi la tête sous l'eau. Tu te sentiras mieux.

Une fois seule dans la minuscule salle d'eau, la jeune fille nettoya son visage et se tâta les côtes. Elle aurait certainement un bleu, là où les doigts de l'homme avaient meurtri sa peau. Elle avait aussi la lèvre fendue. Cependant, rien de grave n'était arrivé. *Ça aurait pu être pire, malgré tout.*

Elle se lava de nouveau le visage et se recoiffa. Puis elle enleva son uniforme, le roula en boule dans son sac, avant d'enfiler un jean usé et une longue tunique qu'elle avait achetée à la boutique de fripes. Enfin, elle regagna l'entrée et entra dans la salle de lecture.

Donia avait repris son apparence féerique. Elle discutait avec une fille-squelette d'une pâleur cadavérique, si frêle que chacun de ses os était visible sous sa peau presque translucide. Le fait qu'elle puisse se mouvoir semblait enfreindre une loi naturelle élémentaire. *Comment une chose qui a l'air aussi fragile peut-elle tenir debout sans se briser ?* Pourtant, les filles-squelettes glissaient au-dessus du sol sans effort. Et malgré leur allure morbide, elles étaient étrangement belles.

Mais Donia était plus extraordinaire encore : sa chevelure blanche fouettait l'air comme si un vent tempétueux l'enveloppait, elle et nulle autre. De minuscules glaçons tombaient régulièrement autour d'elle avec de petits cliquetis.

– Retrouve-les, ordonna-t-elle. Et découvre pourquoi ils l'ont agressée. Je veux savoir si on les a obligés à agir ainsi. Personne ne peut porter la main sur Aislinn.

– Est-ce que je dois en informer Keenan ? demanda la fille-squelette dans un chuchotement sec, comme si les mots passaient sur une râpe avant de se former dans sa bouche.

Donia ne répondit rien, mais ses yeux s'assombrirent. La fille-squelette recula, les mains levées devant elle, suppliante. Donia se contenta de s'éloigner et de disparaître.

Puis, un moment plus tard, elle revint, de nouveau vêtue d'un charme, et se dirigea vers Aislinn en souriant.

– Ça va mieux ?

– Oui, je vais bien, mentit la jeune fille d'une voix à peine plus audible que celle de la fille-squelette quelques instants plus tôt.

Tant de choses la troublaient. Keenan et Donia la suivaient pour une raison précise, mais elle ne pouvait pas leur demander. *Est-ce qu'ils s'ennuient ? Est-ce qu'ils jouent avec moi seulement pour se distraire ?*

Il circulait nombre d'histoires anciennes du même genre, mais Donia semblait furieuse contre ceux qui avaient agressé Aislinn ; apparemment, elle pensait que quelqu'un leur avait donné des ordres. *Mais pourquoi... ? Que se passe-t-il ?*

– J'ai bouquiné en t'attendant ; mais avant de partir, j'aimerais savoir si quelqu'un peut te ramener chez toi. Tu es certaine que ça va aller ?

Donia, toujours souriante, pencha la tête sur le côté. Tout dans son attitude paraissait amical, sans danger.

– Oui, aucun problème, répondit la jeune fille.

Elle suivit Donia jusqu'à une table toute proche, sur laquelle étaient posés un livre ouvert et un sac en cuir en mauvais état.

– Il y a quelqu'un que tu peux appeler ?

– Oui, t'inquiète.

Donia fourra son livre dans son sac.

La porte de la salle s'ouvrit. Une mère et ses deux enfants entrèrent.

Derrière eux, se trouvait un groupe de fées. Les six créatures étaient très belles et élancées ; elles se déplaçaient comme des mannequins et leurs vêtements semblaient avoir été faits sur mesure. Elles auraient presque pu passer pour humaines, si leur peau n'avait pas été couverte de plantes fleuries qui serpentaient, pareilles à des tatouages vivants.

L'une d'elles se lança dans une danse démodée et se mit à tournoyer sur elle-même. Ses compagnes riaient doucement et se saluaient les unes les autres.

Tout à coup, la première vit Donia. Elle murmura quelque chose aux autres, qui s'arrêtèrent net. Même les plantes qui rampaient sur leur peau s'étaient immobilisées.

Donia ne dit pas un mot ; Aislinn non plus. Chacune devant faire croire à l'autre qu'elle ne voyait pas les fées...

– Si tu n'étais pas passée par là... finit par dire Aislinn.

Donia, une expression peinée sur le visage, détourna son regard des créatures.

– Quoi ?

– Dans le parc. Si tu n'avais pas été là...

– Mais j'y étais, répondit-elle en souriant, malgré ses traits à présent tirés.

Elle semblait angoissée, pressée de partir.

– Bon, il faut que j'aille retrouver... quelqu'un, lui dit la jeune fille en s'éloignant en direction des escaliers qui menaient au sous-sol de la bibliothèque. Et j'ai un truc à aller chercher. En tout cas, merci pour tout.

Donia lança un bref coup d'œil aux fées, qui se parlaient de nouveau en riant.

– Seulement, essaie de rester avec ce quelqu'un quand tu sortiras d'ici. C'est d'accord ?

– Bien sûr.

– Parfait. On se croisera de nouveau un de ces jours. Dans des circonstances plus agréables, j'en suis convaincue.

Donia souriait. Elle était belle, étonnamment belle, pareille à un ciel orageux strié d'éclairs.

Et probablement tout aussi dangereuse, songea Aislinn.

8

« Une femme de Cornouailles qui se retrouva par hasard gardienne d'un enfant elfe devait laver le visage de ce dernier avec une eau spéciale qu'on lui avait donnée… et la femme se risqua à s'en servir pour elle ; ce faisant, quelques gouttes éclaboussèrent l'un de ses yeux. C'est ainsi qu'elle acquit la Vue. »
(*Légendes et romances de Bretagne* de Lewis Spence, 1917)

Aislinn resta immobile, les yeux rivés sur la fée qui s'éloignait. Un bref instant, Donia lui avait paru si irrémédiablement seule que la jeune fille avait senti les larmes lui monter aux yeux.

Seth surgit derrière elle. Elle sut qu'il s'agissait de lui avant même qu'il glisse ses bras autour d'elle. Comment cela était-il possible ? C'était ainsi, voilà tout. Ces derniers temps, elle avait souvent ces intuitions, ce qui commençait à lui faire peur.

– C'était qui ? murmura-t-il.

– Quoi ?

Pas facile de lui répondre en chuchotant quand il se tenait derrière elle. Il mesurait au moins trente centimètres de plus qu'elle.

– Elle, là-bas. Tu étais en train de lui parler, précisa-t-il en inclinant la tête vers la porte qu'avait passée Donia.

Elle était bien embarrassée : que lui répondre ? Mais quand elle se tourna vers lui, Seth oublia sa question en découvrant son visage.

– Que t'est-il arrivé ?

Il fixait la bouche gonflée d'Aislinn et avança la main, comme s'il s'apprêtait à la toucher.

– Je te raconterai tout chez toi, d'accord ? répondit-elle en le serrant dans ses bras.

Elle ne voulait pas y repenser. Pas maintenant. Elle avait seulement envie de quitter cet endroit pour aller chez Seth, où elle se sentirait enfin en sécurité.

– Je vais chercher mes notes.

En s'éloignant, il passa juste devant le groupe de fées. Ces dernières se dirigeaient vers Aislinn. L'une d'elles la contourna.

C'est elle, la nouvelle...

Une autre caressa les cheveux d'Aislinn.

Quelle ravissante créature...

Une autre encore haussa les épaules.

Peut-être.

Aislinn s'efforçait de rester impassible et de se concentrer sur les feuilles qui bruissaient au contact des vêtements des fées, et non sur le parfum insolite et sucré qui semblait embaumer l'air autour d'elles ou s'exhaler de leur peau trop chaude, tandis qu'elles l'inspectaient du bout des doigts. Cela ne gênait nullement la jeune fille : après ce qui lui était arrivé dans le parc, leurs effleurements ne lui paraissaient pas si terribles. La violence des trois hommes la faisait encore frissonner...

Les fées bavardaient à voix haute maintenant que Donia avait quitté les lieux mais à l'évidence, personne ne pouvait les entendre.

La Fille de l'Hiver semble avoir fait des progrès...

Celle-ci est une intouchable à présent...

Quelle importance ? Les filles ne m'intéressent pas. En revanche, son ami... quel beau morceau, et on peut le toucher, lui !

Toutes se mirent à rire.

Une fois qu'elle nous aura rejointes, elle nous le prêtera peut-être.

Et si elle est l'Élue, elle n'aura pas le choix. Et on pourra pourchasser son ami en toute liberté.

Quand Seth revint vers elle, son sac à l'épaule, Aislinn tendit les mains vers lui, comme si elle s'apprêtait à le prendre de nouveau dans ses bras. Il lui lança un regard interrogateur.

Qui nous oblige à attendre ?

Une des fées caressa la joue du jeune homme ; une autre le pinça.

Seth écarquilla les yeux.

Aislinn sentit son cœur battre plus vite. *Il les a senties*, comprit-elle. Avant lui, elle n'avait jamais parlé de son secret à quiconque, sauf avec sa grand-mère, mais celle-ci avait elle aussi la Vue. Espérant que les fées étaient aussi bêtes qu'elles en avaient l'air, elle passa son bras autour de la taille de Seth et l'entraîna vers la sortie, loin de ces créatures lubriques.

– On rentre ?

– Ça me va, répondit-il en accélérant un peu le pas et en entourant les épaules de son amie.

Le Roi de l'Été va avoir de la concurrence, on dirait...

Tu veux qu'on l'avertisse ? « Oh, Keenan, chéri... Son petit jouet est à croquer. »

Ne sois pas mesquine... le Roi aime bien s'amuser avec nous.

Elles rirent de nouveau.

Oui, mais ça va bien changer quand elle sera dans les parages... Tu sais comment ça se passe.

Je me dévouerai pour distraire le mortel ! Et pendant ce temps, Keenan pourra faire la cour à son Élue.

Mmm... Moi aussi, je veux bien m'en occuper.

Vous avez vu, tous ces anneaux qu'il a sur le visage ? Je me demande si sa langue aussi est percée... ?

Une fois en sécurité à l'intérieur des parois métalliques du train de Seth, Aislinn put reprendre son souffle. Tout au long du trajet, qui avait ressemblé à une procession d'un autre âge, des fés les avaient observés ou s'étaient approchés d'eux. Ils n'avaient pas touché la jeune fille, mais Seth aurait sur la peau plusieurs bleus inexplicables le lendemain. Elle était heureuse qu'il ne puisse voir ces créatures.

– Je suis désolée, dit-elle.

– Pourquoi ?

Il délogea Boomer, qui s'était lové autour de la bouilloire, et alla le reposer dans le terrarium.

– À cause d'eux, répondit-elle en s'asseyant sur un plan de travail de la cuisine.

Seth brancha le courant du terrarium et alluma le rocher et les lumières chauffantes de Boomer.

– Un thé, ça te dit ?

– Bien sûr... est-ce que tu les as sentis ?

– C'est possible.

Il s'interrompit et rinça la bouilloire sous le robinet.

– À la bibliothèque, reprit-il, il s'est passé quelque chose... Mais dis-moi d'abord ce qui t'est arrivé, ajouta-t-il en désignant le visage meurtri d'Aislinn.

Elle lui raconta tout. Les trois hommes dans le parc, l'arrivée de Donia, qui l'avait sauvée, et la colère de cette dernière lorsqu'elle avait parlé à la fille-squelette. Elle laissa les mots sortir d'eux-mêmes, sans rien dissimuler.

Pendant quelques instants, il resta immobile, tendu.

– Tu vas bien ? finit-il par demander d'une voix crispée.

– Oui. En fait, il ne m'est rien arrivé. Ça m'a simplement fait peur. Je me sens bien.

Et elle disait vrai. En revanche, Seth luttait pour garder son calme. La mâchoire serrée, les traits tirés, il lui tourna le dos et s'efforça de se détendre. Mais elle le connaissait trop bien et savait qu'il n'y parvenait pas.

– Je t'assure que je vais bien. J'ai mal au visage, là où il m'a agrippée. Mais ça n'était pas bien traumatisant.

Un jour qu'elle traversait le parc, alors qu'elle était plus jeune, elle avait vu un groupe de fés entraîner l'un d'entre eux dans un bosquet d'arbres. Le fé, un jeune homme à l'air délicat, avait poussé des cris atroces et perçants qui avaient résonné dans les cauchemars d'Aislinn durant des mois. Cette agression avortée dans le parc, ce n'était rien à côté de ce qui aurait pu se passer.

– Donia est venue à mon secours avant que la situation tourne mal, répéta-t-elle.

– S'il t'arrivait quelque chose, je ne sais pas ce que je ferais...

Il s'interrompit, avec dans les yeux une lueur de panique inhabituelle.

– Mais ce n'est pas le cas, répliqua-t-elle en se demandant

99

comment apaiser les inquiétudes de Seth. Maintenant, parle-moi de *tes* rencontres avec les fées...

Il acquiesça, respectant son besoin de changer de sujet.

– Et si on écrivait chacun de notre côté ce qu'elles m'ont fait ?

– Pourquoi ?

– Pour ne pas me laisser influencer par mon imagination ou par tes suggestions.

Il semblait hésitant, mais Aislinn ne lui en voulait pas. Elle ne pouvait pas éviter les fés, contrairement à lui, qui avait le choix. Elle ne l'avait jamais eu.

Elle prit le stylo et le carnet qu'il lui tendait et écrivit : « À la bibliothèque : fesse pincée, joue tapotée. Au coin de l'allée des Saules : cou léché. Sixième Rue : coup de coude. Passage piéton près de chez Keelie : tripoté. Sous le pont : croche-pied. »

Elle leva les yeux. Seth fixait la liste déjà longue d'Aislinn. Il retourna sa feuille de papier vers elle : « Pincé à la bibliothèque, poussé (?) près de la Sixième Rue, trébuché sous le pont ? »

En retour, elle lui fit passer sa liste inachevée.

– Ce serait des fés qui m'auraient fait ça, hein ? demanda-t-il avec un sourire éteint. C'est la première fois que je m'en rends compte. Comment ça se fait ?

– J'en sais rien. Mais maintenant, tu es conscient de leur existence.

Elle prit une profonde inspiration. Il allait falloir lui dire de rester en dehors de tout cela avant qu'il n'attire trop l'attention sur lui, elle le savait bien ; au risque de se retrouver vraiment seule. Mais pendant qu'il en était encore temps, Seth devait saisir sa chance, éviter la confrontation avec ces redoutables créatures. Il ne méritait pas cela...

– Tu peux me dire de partir, tu sais, et faire comme si rien de tout cela n'était arrivé. Je comprendrais.

Il glissa sa langue sur l'anneau qui ornait sa lèvre.

– Pourquoi veux-tu que je me conduise ainsi ?

– Parce qu'ils t'ont *touché* ! Tu les as bel et bien sentis.

– C'est une expérience qui en vaut la peine, déclara-t-il en reprenant la bouilloire, mais les yeux braqués sur Aislinn. Et puis, je me doutais bien qu'ils se comporteraient ainsi.

– Oui, mais tu t'es vraiment rendu compte de leur présence. Et ils te regardaient tous. Depuis que le fé m'a abordée, il se passe quelque chose d'inhabituel...

Elle n'essaya pas de dissimuler l'inquiétude et la peur qui perçaient dans sa voix. S'il voulait s'instruire sur les fés, il lui faudrait connaître aussi la vérité et la terreur qu'elle éprouvait.

Il remplit la bouilloire puis revint vers Aislinn.

– Je suis désolé de ne pas avoir été là avant, chuchota-t-il tout en la serrant fort contre lui.

Elle ne dit rien. Elle ne savait pas quoi dire. Si elle lui racontait tout ce dont elle avait été témoin au fil des années, il ne ferait que s'inquiéter davantage. Et si elle se laissait aller à imaginer ce qui aurait pu arriver dans le parc, la panique viendrait. Elle ne voulait plus penser à cette agression, à ce qui avait incité ces hommes à s'en prendre à elle.

Elle finit par s'écarter légèrement de Seth et lui raconta comment un groupe de fées l'avait encerclé à la bibliothèque en parlant d'eux deux.

– Alors, qu'en penses-tu ? demanda-t-elle.

Il enroula une longue mèche de cheveux d'Aislinn autour de son doigt et la fixa du regard.

– Ce que je pense d'un piercing à la langue ?

– Mais non, des commentaires des fées, précisa-t-elle en rougissant.

Elle glissa en avant, comme si elle s'apprêtait à descendre du plan de travail où elle était toujours assise.

– On dirait qu'elles savent ce qui se passe, reprit-elle. Tu pourrais peut-être faire des recherches au sujet de ce genre de fées... aussi superficielles que Rianne, et hem... Seth...

– Oui ?

Au lieu de s'écarter, le jeune homme s'était rapproché d'elle et appuyait légèrement son corps contre celui de son amie.

– Je ne pourrai pas descendre si tu restes là.

Elle était oppressée, avait l'impression de perdre pied, mais cela était agréable – rien à voir avec ses préoccupations du moment. Seth ne bougea pas, et fit comme s'il ne l'avait pas entendue.

Elle resta immobile elle aussi et ne le repoussa pas. Elle préféra reprendre :

– Tu ne m'as pas dit ce que tu en pensais ?

Il leva un sourcil en la regardant toujours fixement.

– On n'a jamais assez de piercings.

Elle entrouvrit les jambes, un genou de chaque côté du jeune homme, en se disant que non, elle ne devait pas, ne pouvait pas...

– C'est...

– Oui ?

Il ne chercha pas à se rapprocher davantage. Il pouvait la taquiner, essayer de la séduire, mais jamais il n'insistait.

C'était à elle de décider. Dans un monde où elle avait si peu de choix, il lui semblait merveilleux d'être maîtresse de quelque chose.

– Je ne parlais pas de piercings...

Elle rougit de nouveau et se sentit idiote. Il ne fallait pas qu'elle l'encourage et qu'elle laisse la situation prendre une tournure trop bizarre. Sinon, leur amitié serait brisée.

– S'il arrivait quelque chose en mon absence, promets-moi de tout me raconter.

Il recula, lui laissant enfin la place de descendre du plan de travail. Elle avait les jambes en coton.

– Les fés te prêtent trop d'attention, je n'aime pas ça.

Il servit le thé et ouvrit un paquet de biscuits. Puis il enfila ses lunettes et sortit des livres et des photocopies de son sac. Elle prit une tasse et le suivit jusqu'au canapé, contente d'être de nouveau en terrain connu.

Tandis que Seth triait ses documents, son genou cogna contre la jambe d'Aislinn.

Enfin, contente... pas tant que ça, songea-t-elle.

– Tu sais déjà que le fer ou l'acier te protègent. J'aime savoir que je dors dans un lieu sûr, mais je vais quand même passer à *L'Encre et l'Aiguille* et faire remplacer mes anneaux en titane par des piercings en acier. À moins que... tu ne penses qu'un piercing à la langue soit une bonne idée, ajouta-t-il en se tournant vers elle. Sérieux, ça ne me dérange pas de le faire.

Il la dévisagea, avec dans le regard l'air d'attendre quelque chose.

Mais Aislinn, les joues écarlates, ne put répondre. *Il me taquine encore, juste pour me distraire.* Et ça avait marché. *Trop bien.* Elle se mordit la lèvre et détourna les yeux.

103

– Bon. Apparemment, certains symboles sacrés peuvent fonctionner : une croix, surtout si elle est en fer, et de l'eau bénite.

Il mit le document de côté et ouvrit un livre où certains passages avaient été marqués par des petits papiers collants de couleur. Il les passa en revue tout en énumérant diverses techniques de protection :

– Répandre devant eux de la terre ramassée dans un cimetière... De même, le pain et le sel seraient très utiles, mais je ne sais pas comment on s'en sert. Répandre miettes et grains de sel ? Les leur jeter dessus ?

Aislinn se leva et se mit à faire les cent pas. Seth la dévisagea puis poursuivit :

– Mettre ses vêtements à l'envers afin de ressembler à quelqu'un d'autre... Il y a aussi des plantes et des herbes : le trèfle à quatre feuilles, le millepertuis, la verveine... elles permettent toutes de voir qui se cache derrière un charme.

Il reposa le livre et mangea un biscuit, les yeux dans le vague.

Aislinn s'effondra sur le canapé, loin de lui, contrairement à son habitude.

– Je ne sais plus... Tu m'imagines me baladant en permanence avec mes vêtements à l'envers ? Quant à cette histoire de pain, je n'en avais jamais entendu parler. Tu me vois me trimballer avec des tartines dans les poches ?

– Le truc du sel est plus simple.

Il alla ouvrir un tiroir, fouilla dedans pendant une bonne minute et en sortit une poignée de petits sachets de sel.

– Tiens, ce que j'ai récupéré des menus à emporter. Mets-en dans tes poches, conseilla-t-il, on sait jamais.

Il lui lança une demi-douzaine de sachets et en fourra quelques-uns dans ses poches.

– Tu sais de quelle quantité on aura besoin ? Et comment on s'en sert ?

– Pas vraiment. Je n'ai rien trouvé d'autre dans ce bouquin, mais je vais suivre cette piste. Et puis j'ai réservé d'autres livres à la bibliothèque.

Il revint vers la table et griffonna quelques mots dans son carnet.

– Et les plantes ? reprit-il. Je peux en cueillir. D'après toi, laquelle essayer ?

– Je les vois déjà, Seth, répliqua-t-elle d'un ton impatient, avant de se reprendre et de lui parler plus gentiment. À quoi me serviraient ces herbes ?

– Ça serait plus pratique si je les voyais moi aussi...

Il s'interrompit pour écrire une petite liste :

Chercher d'autres recettes.
Des onguents ? Du thé ?
Comment préparer les herbes ?
Camomille pour Ash.

– De la camomille ?

– Pour te détendre un peu.

Il se pencha vers elle et, d'un geste rassurant, lui caressa les cheveux, avant de placer une main sur la nuque de la jeune fille.

– Tu entends le ton sur lequel tu me parles ?

– Désolée. Je croyais pouvoir m'en dépêtrer toute seule, mais aujourd'hui... Si Donia n'avait pas été là... Et c'est bien le problème. Elle n'avait *aucune* raison de se trouver là. Je les vois depuis toujours, mais jamais ils ne m'avaient remarquée. Alors que maintenant, on dirait qu'ils ont tous interrompu leurs activités pour m'observer. C'est la première fois que cela arrive.

L'air pensif, il la regardait en faisant tourner l'une des pointes qui ornaient son oreille. Puis il reprit le livre et s'assit sur une chaise, face à Aislinn.

– D'après ce bouquin, les enfants qui portent des pâquerettes ne peuvent pas être enlevés par les fés. Je ne sais pas si ça marche aussi pour les adultes, ajouta-t-il avant de lâcher l'ouvrage et de s'emparer du dernier de la pile. On peut aussi sortir avec un bâton de sorbier. Ou alors, s'ils te poursuivent, saute par-dessus un ruisseau qui coule de préférence en direction du sud.

– Il y a seulement une rivière ici, et je ne vois pas comment je pourrais la franchir d'un seul bond, à moins qu'il ne me pousse des ailes... répliqua-t-elle d'un ton plaintif qui l'irritait elle-même. Et quoi faire avec un bâton ? Les frapper ? Sans oublier qu'ils sauraient que je les vois si j'agissais ainsi.

Seth ôta ses lunettes, les posa sur des livres empilés à même le sol et se frotta les yeux.

– Je fais ce que je peux, Aislinn. Je n'ai pas encore mené de recherches plus poussées, mais on va découvrir d'autres moyens, c'est sûr.

– Et si je n'en ai pas le temps ? Les règles sont en train de changer, et je ne sais pas pourquoi. Il faut faire quelque chose maintenant !

Elle frissonna au souvenir de l'étrange immobilité des créatures croisées un peu plus tôt.

– Par exemple ?

Plus l'angoisse étreignait Aislinn, plus Seth semblait recouvrer son sang-froid.

– Retrouver les deux créatures qui ont tout déclenché... Keenan et Donia. Et essayer de leur parler, ajouta-t-elle avant de porter une main à sa poitrine et d'inspirer à plusieurs reprises.

Du calme. Ça ne sert à rien de s'énerver.

Il recula sur sa chaise et la fit basculer vers l'arrière.

– Tu crois que c'est une bonne idée ? Surtout après ce que ces types...

– Des fés me *suivent*, l'interrompit-elle. Ces créatures appartiennent à une cour royale et il pourrait m'arriver bien pire si je tombais entre leurs mains. Ils me veulent quelque chose dont j'ignore tout, et ça ne présage rien de bon. J'ai entendu les fées appeler Keenan le « Roi de l'Été »... elles n'étaient pas encore en train de fantasmer sur toi.

La chaise de Seth retomba lourdement sur ses quatre pieds.

– Un roi ?

– Peut-être.

Il eut soudain l'air inquiet et un éclair de panique traversa son regard. Pourtant, il acquiesça.

– Demain, je vais voir ce que je peux trouver à son sujet. J'ai prévu de faire des recherches sur le Web en attendant les autres livres.

– Bonne idée, répondit-elle en souriant.

Elle s'efforçait de contrôler sa peur, refusant de s'appesantir sur le fait qu'un *roi*, et non un simple courtisan, la pourchassait. Seth l'observait, comme on observe quelqu'un qui se trouve au bord d'un précipice, sans savoir s'il va réussir à l'éviter. Mais il ne lui demanda rien de plus.

– Tu restes pour le dîner ?

– Non.

Elle alla rincer sa tasse et prit une profonde inspiration. Elle enfonça ses mains dans ses poches afin que Seth ne les voie pas trembler, se tourna de nouveau vers lui et annonça en reculant :

– Je vais voir qui traîne dans les rues ce soir. Avec un peu de chance, je surprendrai d'autres conversations. Tu m'accompagnes ?

– Une seconde.

Le jeune homme ouvrit une vieille malle sur laquelle une étiquette indiquait : « Manuels scolaires ». Il en sortit plusieurs boîtes à cigares remplies de bijoux. Des bracelets de cuir ornés d'anneaux de métal, de jolis camées et de petites boîtes tapissées de velours. Il mit plusieurs bijoux de côté, dont un des bracelets. Il fouilla de nouveau dans la malle et en tira un vaporisateur au poivre.

– Normalement, ça marche contre les humains, mais les fés y seront peut-être sensibles...

– Seth, je...

– Garde-le sur toi, dit-il, un grand sourire aux lèvres.

Puis il lui montra un collier et un bracelet formés de maillons de métal.

– C'est de l'acier. D'après mes recherches, ça les brûle ou ça les affaiblit.

– Je sais tout ça, mais...

– Mieux vaut se protéger autant que possible, d'accord ?

Elle hocha la tête. Il se plaça derrière elle, repoussa ses cheveux sur le côté.

– Tiens-les.

Elle obéit sans dire un mot. Alors que Seth lui passait le collier autour du cou, elle eut une drôle de sensation – il était si proche d'elle... Pourtant, elle se laissa faire.

Il doit avoir raison. Toute aide était la bienvenue. Partir à la recherche de fés allait à l'encontre de toutes les règles qu'on lui avait inculquées, mais ça valait mieux que d'attendre. *J'ai besoin d'agir, d'essayer de faire quelque chose.*

Derrière la vitre, elle s'aperçut que d'autres fés étaient arrivés ; l'un d'eux était perché sur une haie qui n'aurait pas dû supporter son poids ; et pourtant, il parvenait à tenir en équilibre.

Seth laissa tomber la lourde chaîne autour de son cou.

Puis il l'embrassa sur la nuque et se dirigea vers la porte.

– Allons-y.

9

« Parmi le "petit peuple", il était d'habiles musiciens et [...] leur musique enchanteresse était un attrait des plus puissants, qui pouvait inciter à rester près d'eux. »
(*Notes sur le folklore du nord-est de l'Écosse* de Walter Gregor, 1881)

Donia s'efforçait de comprendre les événements de la soirée – *Pourquoi des mortels ont-ils attaqué Aislinn ? Est-ce une simple coïncidence ?* Elle passa devant des vagabonds appuyés contre les murs de brique des vieux bâtiments, un groupe de jeunes hommes qui commentèrent à haute voix ses « atouts » physiques, et un type très maigre qui vendait du crack à un autre sans se cacher.

Depuis que Donia était la Fille de l'Hiver, Beira n'avait jamais enfreint les règles. Personne ne savait *pourquoi*, mais de nombreuses rumeurs circulaient. Des siècles plus tôt, la Reine de l'Hiver avait cruellement châtié quelques-uns de ses fés qui avaient voulu fausser le jeu. Aucune ingérence n'était tolérée. Mais le fait qu'il n'y avait pas de fés à proximité quand Aislinn avait traversé le parc ne pouvait être un hasard. Soit Beira avait planifié l'agression, soit elle l'avait autorisée.

Tout en marchant, elle laissa s'estomper le charme qui lui donnait une apparence humaine et, bientôt, redevint invisible. Malheureusement, elle ne pouvait se dissimuler aussi facilement aux yeux des fés. Keenan arrivait justement à sa rencontre et se mit à marcher à ses côtés.

– Que veux-tu ?

Elle essaya de parler d'une voix égale, mais avec lui, cela ne paraissait jamais fonctionner, et ce jour-là encore moins que les autres.

– Du bonheur. Ton pardon. Les remords soudains de Beira, répondit-il en se penchant vers elle pour l'embrasser sur la joue.

Elle s'écarta, marcha dans une flaque d'eau.

– Je ne peux rien t'offrir de la sorte.

– Même pas ton pardon ?

D'un air absent, et sans réduire l'allure, il souffla une douce brise en direction de deux drogués frissonnants.

Donia resta muette. Elle se demandait si elle pouvait mentir par omission. Mais comme à son habitude, Keenan se montra impatient et, avant qu'elle puisse rassembler ses idées, il demanda :

– Tu l'as vue ?

– Oui.

– Tu lui as parlé ?

Il tendit la main vers le sac de Donia pour lui proposer de le porter. Il était toujours plein de sollicitude. Alors que ses yeux luisants étaient désormais remplis de pensées pour *elle*, Aislinn.

Donia lui arracha le sac des mains, puis, se sentant bête et mesquine, elle le lui tendit.

Sasha arriva vers elle à toute allure, enjambant les détritus en quelques bonds. Il s'arrêta devant elle, la queue dressée.

– Brave bête, dit-elle en s'inclinant pour lui ébouriffer la fourrure – mais aussi pour vérifier s'il n'avait pas du sang sur la truffe.

Sur le trottoir d'en face, les gardes de Keenan, assez nombreux, restaient discrètement à distance, contournant les gens quand il le fallait et avançant le long des façades, toutes décrépites dans ce quartier, sans pour autant laisser leurs longs manteaux traîner sur le sol crasseux.

Donia se tourna de nouveau vers Keenan.

Celui-ci lui sourit.

Et, un instant, elle oublia tout – sa trahison, l'éventuel complot de Beira, la morsure du froid. *Il est aussi beau qu'au premier jour. Je suis pâle, les traits affreusement tirés, alors que lui est toujours resplendissant.* Elle détourna les yeux et accéléra l'allure.

Keenan calqua son pas sur le sien afin de rester à ses côtés.

– Donia ? Est-ce que tu lui as parlé ? Dis-moi.

– Oui, je lui ai parlé.

Elle repensa à ce qui avait failli arriver à Aislinn. À ce qui serait arrivé si elle n'était pas intervenue. Mais elle n'en dit rien à Keenan.

– Elle est gentille, elle a bon fond... Exactement ce qu'il te faut.

– Toi aussi, tu l'étais, fit-il observer avant de l'embrasser sur la joue, aussitôt meurtrie par ce baiser. Et tu l'es toujours.

– Salaud.

Elle le repoussa brutalement, sans se soucier de se brûler la main au contact de sa peau.

113

Il porta la main à son épaule ; la glace qui s'y était formée quand Donia l'avait touché crépita sous ses doigts.

– Tout ça à cause de Beira, la meurtrière de mon père.

Keenan marcha à la hauteur de Donia jusqu'à ce qu'ils atteignent l'entrée d'une ruelle barricadée. Elle ne lui parlait pas, n'essayait même pas d'être polie avec lui. Des années avaient passé et pourtant, le dédain qu'il lisait sur son visage le faisait encore souffrir.

Il finit par se placer devant elle, l'empêchant d'avancer.

– Tu as vu Beira.

Elle avait compris que ce n'était pas une question.

– Qu'est-ce qu'elle voulait ? insista-t-il.

Elle le contourna et s'éloigna en direction des voies de garage des trains.

– Rien de particulier, je me débrouillerai seule.

Elle lui cachait quelque chose. Keenan avait vu ses mains se crisper et entendu son souffle se faire plus saccadé. Il la suivit.

– Bizarre qu'elle vienne te rendre une simple visite de courtoisie. Je ne savais pas que tu appréciais autant sa compagnie.

– Ça n'est pas pire que de te voir, répliqua-t-elle, mais d'une façon ou d'autre, je le supporte.

Elle s'immobilisa, s'appuya contre le mur d'un des bâtiments noircis par le feu, ferma les yeux et respira profondément, tandis que Sasha se couchait à ses pieds.

Autrefois, elle avait été mortelle. Aussi, la proximité du fer lui était moins douloureuse qu'à la plupart des fés ; malgré tout, elle en souffrait. Si la présence du métal avait fait du mal à Sasha, elle ne serait pas venue là, mais le loup était immunisé. Quant aux gardes de Keenan, même s'ils restaient à distance, ils se trouvaient suffisamment près pour en être affectés, et leur roi leur fit signe de s'éloigner.

– Donia ?

Il voulut prendre sa main, puis se ravisa. Le contact de sa peau lui était douloureux, davantage que le fer. Il préféra poser ses mains sur le mur couvert de graffitis, de chaque côté de la Fille de l'Hiver, comme pour l'emprisonner entre ses bras, mais sans la toucher.

– Pourquoi es-tu venue jusqu'ici ?

– Pour me souvenir de ce que j'ai perdu, répondit-elle en ouvrant les paupières. Pour me souvenir que je ne dois faire confiance à aucun d'entre vous, ajouta-t-elle en soutenant son regard.

Elle se montrait vraiment insupportable. Cette dispute durait depuis des décennies. Keenan, confronté à ses yeux accusateurs, grimaça.

– Je ne t'ai pas menti.

– Tu ne m'as pas non plus dit la vérité.

Elle ferma de nouveau les yeux.

Durant quelques minutes, tous deux demeurèrent silencieux. Le souffle froid de Donia se mêlait à la chaleur de celui de Keenan, et un petit nuage de vapeur se formait au-dessus d'eux.

– Va-t'en, Keenan. Je ne t'apprécie pas plus aujourd'hui qu'hier ou qu'avant-hier, ou...

– Mais moi, je t'apprécie toujours. C'est ce qu'il y a de beau entre nous, pas vrai ? Tu continues de me manquer. Chaque fois que le jeu recommence, tu me manques, ajouta-t-il en baissant la voix tant il était à vif.

Elle ne prit même pas la peine d'ouvrir les yeux.

115

L'amour qu'elle a pu éprouver s'est éteint il y a des années. Si les choses étaient différentes... mais ça n'est pas le cas, songea-t-il. Donia n'était pas l'Élue, il en avait conscience. Elle était comme toutes ces filles qu'il ne posséderait jamais. Il lui fallait réfléchir au moyen d'approcher Aislinn, et ne plus penser à celle qu'il avait aimée et perdue.

Il soupira.

– Vas-tu me dire ce que Beira te voulait ?

À cet instant, Donia rouvrit les paupières, le dévisagea et se pencha près de son visage, si près qu'il sentit ses mots sur ses propres lèvres.

– Beira veut la même chose que toi : que je respecte ses volontés.

Il recula de plusieurs pas.

– Bon sang, Donia, tu sais très bien que je ne veux...

– Arrête ! Tais-toi un peu, rétorqua-t-elle en s'écartant du mur. Elle veut que je persuade Aislinn de ne pas se fier à toi. Elle a simplement voulu m'encourager, histoire que je n'oublie pas mon rôle.

Elle lui cachait quelque chose, Keenan en était convaincu. Beira ne se serait pas déplacée pour si peu. Evan, l'homme-sorbier, lui avait rapporté que Donia semblait terrifiée lorsque Beira l'avait quittée.

Terrifiée. Mais elle ne lui faisait pas suffisamment confiance pour lui expliquer pourquoi. Il se mit à la suivre.

– Je t'en prie, dit-elle d'une voix soudain tremblante. Pas aujourd'hui. Laisse-moi seule aujourd'hui.

Puis elle partit en direction des voies de garage, dont elle se rapprocha autant que possible. Il ne pouvait pas l'arrêter, ne pouvait rien faire pour l'aider ; il se contenta de la regarder jusqu'à ce qu'elle se faufile derrière un mur et disparaisse de sa vue.

À la nuit tombée, Donia était plus calme. Mais son excursion près des voies de garage l'avait fatiguée, et elle fit halte dans le parc, près d'une fontaine située dans l'allée des Saules, à un pâté de maisons de l'immeuble d'Aislinn. Elle avait autorisé Sasha à s'en aller de son côté ; elle n'aimait pas lui demander de rester près d'elle quand il avait envie de vagabonder.

La lumière crue des lampadaires se réfléchissait sur la surface de l'eau, laissant certaines parties de la rue plongées dans la pénombre. Un vieux saxophoniste, qui avait l'air de chérir son instrument, jouait pour les passants. Donia étendit ses jambes sur un banc, dans l'ombre et, tout en écoutant la musique, repensa aux événements de la journée.

Donia avait essayé d'en parler autour d'elle, mais personne n'avait rien voulu lui dire. Ni les fés de l'hiver de Beira, ni ceux d'Irial, le Roi des Ténèbres, dont les intérêts étaient proches de ceux de la Reine de l'Hiver. Tous niaient leur implication dans cet incident. Certains fés lui avaient seulement expliqué qu'ils ne se sentaient pas à l'aise dans le parc. Cette absence de réponse suffisait à faire comprendre que Beira était impliquée, de son plein gré ou non.

Elle croit que cette fille est différente des précédentes.

Le musicien entama un nouvel air tout aussi mélancolique que le précédent. Donia s'étira sur son banc et goûta à sa solitude, en imaginant brièvement qu'elle faisait toujours partie du monde des humains. Mais plus jamais elle ne redeviendrait une mortelle. Elle n'appartenait plus à leur univers.

Quand elle repensait à ce qu'elle avait sacrifié pour Keenan,

117

la souffrance revenait. Une fois que la fille suivante se serait emparée du bâton, elle deviendrait une simple fée – sans devoir d'allégeance à aucune des cours royales, ni lieu où elle aurait pu se sentir chez elle.

Pourtant, elle n'avait pas cessé de vouloir trouver sa place parmi les fés. Autrefois, elle avait cru l'avoir trouvée, auprès de Keenan. Quand elle l'avait rencontré, avant qu'elle apprenne qui il était vraiment, il l'avait emmenée écouter des amis qui jouaient de la musique. Il lui avait même offert une robe, une jolie petite chose décorée de fils de perles qui se balançaient autour d'elle dès qu'elle dansait. Et qu'est-ce qu'ils avaient dansé !

La troupe de musiciens ne ressemblait à rien de ce qu'elle avait pu connaître. Trois hommes minces semblaient se fondre avec les mélodies qu'ils extrayaient de leurs cors, tandis qu'une femme à la voix triste et sensuelle susurrait des chants à la foule, comme si ses mots et son corps recelaient des promesses insoupçonnées. Au piano, un homme bien charpenté caressait les touches de son instrument. Et quand ils jouaient, ces sons paraissaient canaliser l'essence même des émotions. Jamais elle ne s'était sentie aussi bien que ce jour-là, alors qu'elle tournoyait dans les bras de Keenan.

Plus jamais elle ne connaîtrait autant de félicité.

Donia se ressaisit, chassa sa nostalgie et ferma les yeux pour écouter le saxophoniste. La mélodie était plate comparée aux airs des fés qu'elle s'était remémorés, mais humaine, bien heureusement. Il n'y avait aucune supercherie dans cette musique, aucun mensonge ne se glissait sous les notes. Elle n'était pas parfaite, mais elle n'en était que plus belle.

Tout cela était tellement absurde qu'elle éclata de rire. Elle pouvait écouter la musique la plus sublime qui soit quand elle le voulait, chantée par des voix d'une pureté incomparable, mais celle d'un vieil homme sans grand talent qui jouait pour se faire un peu d'argent lui plaisait davantage.

Près d'elle, elle entendit la voix d'Aislinn, prudente et fluette.

– Donia ?

Elle était vraiment sur ses gardes, beaucoup plus que Donia quand la Fille de l'Hiver et le Roi de l'Été s'étaient joués d'elle. *Il va lui falloir quelque chose qui lui permette d'égaliser les chances, surtout si elle est celle qu'il cherche depuis tant d'années.*

– On se promenait, et je t'ai aperçue. Sasha n'est pas avec toi, alors j'ai pensé... Il est revenu ?

– Sasha va bien. Assieds-toi près de moi.

Donia n'avait pas rouvert les yeux, mais elle se tourna vers Aislinn en souriant. Le mortel qui accompagnait la jeune fille n'avait rien dit, mais Donia entendait ses battements de cœur réguliers, tandis qu'il se tenait près d'Aislinn.

– Nous n'étions pas... commença la jeune fille.

– Reste un peu. Détends-toi près de moi. Nous en avons bien besoin toutes les deux.

Donia disait vrai. Chaque fois que Keenan murmurait ses mots creux, qu'il protestait en se disant de bonne foi ou qu'il lui rappelait ce qu'ils avaient perdu et ce qu'elle ne pouvait plus avoir, elle était de mauvaise humeur. Si ça avait été l'hiver, il n'aurait pas pu l'ennuyer, mais du printemps à l'automne, il était sans cesse dans les parages, à la tourmenter, ne serait-ce que par sa présence.

Peu importait qu'il l'ait tentée avec des promesses vides ou qu'il lui ait volé sa mortalité. Quand une autre fille accepterait de le croire, tout changerait ; mais pour l'instant, elle était prise au piège, obligée d'être là quand il faisait tout pour que ces candidates tombent amoureuses de lui – sachant bien que celles qui refusaient de prendre le bâton devenaient aussitôt des Filles de l'Été et partageaient son lit. Car rares étaient celles qui prenaient ce risque. *Je l'aime... non, je l'aimais suffisamment pour accepter d'affronter l'épreuve du bâton. Mais pas les autres. Et pourtant, elles l'ont.*

– Ash ? dit soudain le mortel en indiquant un groupe de gens tout aussi percés que lui et qui venaient de l'appeler.

– Vas-y, murmura Aislinn avec un petit sourire, je ne bouge pas d'ici.

Elle croisa fermement les bras autour de sa poitrine.

– Quand tu seras prête à repartir...

Il paraissait vouloir rester près d'elle, mais la jeune fille lui fit signe de s'éloigner et le regarda partir, puis passer devant la fontaine, où s'ébattaient de jeunes esprits aquatiques. Comme la plupart des créatures des eaux, ils portaient peu d'intérêt aux autres fés qui erraient dans le parc. Contrairement à ces derniers, les comportements des esprits des eaux perturbaient encore Donia, alors qu'elle aurait dû y être habituée – ils s'en prenaient aux humains à la moindre occasion et aspiraient leur dernier souffle. Même les créatures de la Cour des Ténèbres ne l'effrayaient pas autant.

Seth, évidemment, ne les vit pas, mais quand il passa devant eux, ils s'immobilisèrent et l'observèrent d'un air affamé. Ils avaient dû percevoir ou sentir la passion que le jeune homme portait en lui, sinon, ils ne l'auraient pas regardé ainsi.

Aislinn suivait elle aussi Seth du regard. Sa respiration s'accéléra ; ses joues rougirent. Apparemment, elle aurait préféré qu'il ne la quitte pas, mais elle n'avait pas voulu le lui montrer.

Quelques minutes passèrent, durant lesquelles la jeune fille, toujours aussi tendue, demeura silencieuse.

– Je ne peux pas rester ici, dit soudain Aislinn.

– Tu te sens encore mal à cause de l'agression ?

Donia était plutôt déstabilisée elle aussi, mais pour d'autres raisons. Que ferait-elle si Beira apprenait que Donia la soupçonnait d'agir en sous-main ? Et si Keenan comprenait que selon Donia, Aislinn était la mortelle destinée à devenir Reine de l'Été ? *Je suis de nouveau prise entre deux feux.* Plus rien n'était simple. Cela faisait longtemps que ça n'était plus arrivé.

Près d'elle, Aislinn frissonna. Ses yeux étaient braqués sur la fontaine, ou peut-être sur le mortel.

– Je crois que ça m'a fichu un peu la trouille. Ça m'a paru irréel, tu comprends ? Comme toutes ces choses qui sortent la nuit...

Donia tressaillit.

– Des choses ?

Pourquoi avait-elle choisi ce terme ? Bizarre. Le ton de sa voix était tout aussi étrange, alors qu'elle regardait toujours en direction des esprits des eaux. *Est-ce qu'elle les voit ?* se demanda Donia. Ce serait vraiment inattendu. Des rumeurs circulaient au sujet de mortels dotés de la Vue, mais Donia n'en avait jamais croisé.

– Ce n'est pas seulement les types d'aujourd'hui, répondit Aislinn d'une voix légèrement moqueuse. Même les mecs mignons peuvent être atroces. Ce n'est pas parce qu'ils sont beaux qu'il faut leur faire confiance.

Donia eut un rire froid, semblable à celui des créatures de Beira.

– Où étais-tu à l'époque où j'aurais eu besoin d'un tel conseil ? J'ai déjà commis la plus grosse erreur qu'une fille puisse faire avec un garçon...

– Ne te prive pas de signaler sa présence si tu le vois dans les parages... répondit Aislinn.

Elle se leva et passa son sac par-dessus son épaule. Seth revenait déjà, attentif à chacun des gestes de son amie. Donia les regarda en souriant, tout en regrettant que personne ne se soucie d'elle de cette façon – comme Keenan avait pu le faire par le passé.

– Encore merci de m'avoir secourue, lui dit Aislinn avant de s'éloigner.

Elle se dirigeait droit sur les cadavériques sœurs Scrimshaw, qui, d'une beauté macabre, se déplaçaient en glissant au-dessus du sol.

Si elle les voit, elle va les contourner, se dit alors Donia.

Mais Aislinn continua d'avancer jusqu'à ce qu'une des sœurs s'écarte de son chemin à la dernière seconde.

Évidemment, les mortels ne peuvent voir les fés.

Donia eut un sourire désabusé. Si ça avait été le cas, Keenan n'aurait jamais pu persuader une seule jeune fille de lui faire confiance.

10

« Parfois, grâce à leur beauté et à leurs manières charmantes, les fés parvenaient à convaincre des hommes et des femmes imprudents de les suivre. »
(*Notes sur le folklore du nord-est de l'Écosse* de Walter Gregor, 1881)

Aislinn, envahie par la nausée, attendit d'être suffisamment loin de la fontaine pour s'arrêter. Elle s'appuya contre Seth, sachant qu'il allait la reprendre dans ses bras.

– Tu penses que cette Donia cache des choses, n'est-ce pas ? lui chuchota-t-il à l'oreille.

– Oui.

Seth la serra contre lui.

– Que ferais-je sans toi ? soupira-t-elle.

Elle ferma les yeux. Elle ne voulait plus voir les fées dont la peau était couverte de plantes, ni aucune des autres créatures qui les observaient.

– Tu n'as pas à te le demander, puisque je suis là, répondit le jeune homme.

Seth garda un bras autour des épaules d'Aislinn et ils se

remirent en marche. Ils passèrent devant le lieu où elle avait été agressée, puis devant des fées à la peau craquelée, omniprésentes dans le parc. Depuis que des fés la suivaient, Aislinn tâchait de s'affirmer et elle savait que c'était une bonne chose. En théorie. Car il lui fallait aussi apprendre à être plus détendue en présence de ces créatures. Donia lui avait porté secours, c'était un fait, mais cela ne changeait rien à sa nature.

En arrivant devant l'immeuble de la jeune fille, Seth lui glissa de l'argent dans la main.

– Prends un taxi demain matin.

Elle n'aimait pas accepter d'argent de sa part, mais elle ne pouvait pas en demander à sa grand-mère, qui se serait montrée suspicieuse.

– Tu veux monter un moment ?

Il haussa les sourcils.

– Laisse tomber.

Aislinn rentra chez elle en espérant que sa grand-mère serait endormie. Pour l'instant, mieux valait éviter ses yeux beaucoup trop observateurs. Elle ouvrit la porte de l'appartement et essaya de passer devant le salon sans se faire remarquer.

– Encore un dîner sans toi, fit remarquer sa grand-mère sans quitter des yeux l'écran de télévision. Que de choses terribles, dans le monde...

– Je sais.

La jeune fille s'arrêta sur le seuil de la pièce. Sa grand-mère était installée dans son fauteuil d'un violet vif, les pieds posés sur la table basse en pierre et en acier. Ses lunettes pendaient au bout d'une chaîne accrochée à son cou. Elle n'était plus aussi jeune que dans les souvenirs d'enfance d'Aislinn, mais elle avait conservé son air déterminé, et elle avait gardé sa silhouette et sa santé, contrairement à nombre de femmes de son âge. Même lorsqu'elle restait à la maison, elle s'habillait toujours soigneusement, « en cas de visite » – ses longs cheveux gris relevés en un simple chignon ou bien impeccablement tressés, une jupe et un chemisier très sobres.

Pourtant, elle n'était ni calme ni posée. Singulièrement vive d'esprit, elle se montrait vraiment trop futée dès qu'elle prêtait attention à ce qui l'entourait.

– Il t'est arrivé quelque chose ?

Une question parfaitement normale. Énoncée sur un ton égal. *Elle est sans cesse sur ses gardes... La prudence est la clé de la survie parmi les fés.* Pourtant, Aislinn décela de l'inquiétude, voire davantage, dans la voix sonore de sa grand-mère.

– Je vais bien, grand-mère, je suis juste fatiguée.

La jeune fille entra, se pencha vers elle et l'embrassa.

Il faut que je lui dise. Mais pas tout de suite. Elle se fait déjà suffisamment de souci pour moi.

– Tu portes un nouveau bijou en acier ? demanda la vieille femme en apercevant le collier que Seth lui avait donné.

Aislinn hésitait. *Est-ce que je lui raconte tout ?* Sa grand-mère avait une devise : se cacher et détourner les yeux. Elle ne comprendrait pas et s'opposerait à l'intention de la jeune fille d'aborder directement les fés afin de savoir ce qu'ils lui voulaient.

– Aislinn ?

Sa grand-mère monta le volume de la télévision et attrapa une feuille de papier, sur laquelle elle écrivit : « Ils t'ont fait quelque chose ? Tu es blessée ? », avant de le tendre à sa petite-fille.

– Non.

D'un air sévère, sa grand-mère lui désigna le papier.

Aislinn le prit en soupirant et répondit : « Deux d'entre eux me suivent. »

Sa grand-mère, le souffle coupé, réprima un cri et lui arracha le papier des mains.

« Je vais appeler le lycée, et demander une autorisation afin que tu étudies à la maison, et... »

– Non, s'il te plaît, chuchota Aislinn.

Elle posa la main sur celle de sa grand-mère, prit le papier et le stylo.

« Je ne sais pas ce qu'ils veulent exactement, mais moi, je ne veux plus avoir à me cacher. »

La vieille femme se contenta d'abord de scruter le visage de la jeune fille, comme si des réponses s'y dissimulaient et qu'il lui suffisait de chercher attentivement pour les trouver.

Aislinn fit de son mieux pour paraître le plus sereine possible. Sa grand-mère finit par écrire : « Évite-les autant que tu peux et n'oublie pas les règles. »

La jeune fille acquiesça. Il était rare qu'elle lui cache des choses, mais elle n'avait pas l'intention d'avouer qu'elle avait essayé de les suivre et que Seth faisait des recherches sur les fés. Sa grand-mère ne démordait jamais de sa stratégie d'évitement, la seule possible selon elle. Désormais, Aislinn estimait que ce n'était plus la bonne réponse – pour tout dire, elle n'en avait jamais été convaincue.

– Je fais attention, et je sais de quoi ils sont capables.

Sa grand-mère lui agrippa brièvement le poignet.

– Garde ton portable sur toi, je veux pouvoir te joindre facilement.

– Oui.

– Et tiens-moi au courant de ton emploi du temps, au cas où...

Sa voix se brisa.

Elle écrivit alors : « On va essayer de faire à ton idée pendant quelques jours. Vois s'ils se lassent. Et pas d'erreurs. » Elle lui fit lire puis déchira le papier en tout petits morceaux.

– Allez, va manger quelque chose. Vu la situation, il faut que tu gardes ta présence d'esprit.

– Pas de souci, murmura Aislinn en serrant rapidement sa grand-mère dans ses bras.

Voir s'ils allaient se lasser ? Aislinn était persuadée du contraire. Il s'agissait de fés appartenant à une cour royale, et si sa grand-mère l'apprenait, la jeune fille se retrouverait cloî-trée à la maison. Elle avait gagné un peu de temps, mais ça ne durerait pas. *Il me faut des réponses, et vite.* Se cacher n'en était pas une. Fuir non plus.

Elle voulait mener une vie simple et normale, pouvoir aller à l'université, trouver un amoureux. Elle en avait assez que chacune de ses décisions dépende des humeurs des fés. Sa grand-mère avait vécu ainsi, et elle n'était pas heureuse. Quant à sa mère, le destin ne lui avait pas laissé le temps d'envisager une alternative. Aislinn ne voulait pas marcher sur leurs traces. Mais elle ignorait comment changer les choses.

Les fés ne prenaient pas quelqu'un en filature sans raison. Elle devait découvrir ce qu'ils voulaient puis trouver un moyen de déjouer leurs plans, car ils ne la lâcheraient pas de sitôt, elle le savait. Et si cela continuait, Aislinn n'aurait plus de liberté. Et cette idée ne lui plaisait pas. *Pas du tout.*

127

Elle mangea un morceau puis alla s'enfermer dans sa chambre. Loin d'être un sanctuaire, le lieu ne reflétait pas sa personnalité, à l'inverse du train de Seth ou de la chambre rose bonbon de Rianne. C'était juste une chambre, un endroit où dormir.

C'est chez Seth que je me sens chez moi. Avec lui, je me sens à ma place.

Elle possédait pourtant quelques objets auxquels elle accordait de l'importance et qui lui donnaient l'impression d'avoir des repères. Un recueil de poésie qui avait appartenu à sa mère, des photos en noir et blanc d'une exposition qu'elle avait vue à Pittsburgh. Ce jour-là, sa grand-mère l'avait surprise : elle l'avait autorisée à sécher les cours et l'avait emmenée au musée Carnegie. Un bon souvenir.

Près de ces photos, elle en avait accroché d'autres qu'elle avait prises et que sa grand-mère avait fait agrandir pour l'un de ses anniversaires. L'une d'elles montrait la voie de garage de Seth et la faisait encore sourire. Elle s'était mise à prendre des photos pour voir si les fés apparaîtraient sur la pellicule – car elle les voyait à travers l'objectif. Ils restaient invisibles une fois les clichés développés, mais elle appréciait suffisamment la photographie pour se satisfaire de cette expérience.

Pourtant, il y avait peu d'autres traces de sa personnalité dans cette chambre. *Seulement des aperçus.* Sa vie ressemblait parfois à ça, comme si tout ce qu'elle faisait ou révélait devait être préparé longtemps à l'avance. *Mesuré. Contrôlé.*

Elle éteignit les lumières, se glissa dans son lit et sortit son téléphone. Seth répondit à la première sonnerie.

– Je te manque déjà ?

– Peut-être.

Elle ferma les yeux et s'étira.

– Tout va bien ?

Il semblait tendu, mais elle ne lui demanda pas pourquoi. Elle ne voulait pas parler de choses désagréables ou inquiétantes.

– Raconte-moi une histoire, chuchota-t-elle.

Grâce à Seth, tout ce qui pouvait d'abord lui sembler horrible le devenait moins.

– Quel genre d'histoire ?

– Une qui m'aide à faire de beaux rêves.

Il laissa échapper un rire grave qu'elle trouva sexy.

– Dans ce cas, tu ferais bien de me dire jusqu'où je peux aller...

– Surprends-moi.

Elle se mordit la lèvre. *J'aurais mieux fait de me taire.* Il fallait absolument qu'elle arrête de jouer à ce petit jeu de séduction avec lui, sinon, elle risquait de s'y laisser entraîner sans plus pouvoir faire marche arrière.

Il se tut un instant, mais elle entendait sa respiration.

– Seth ?

– Je suis là, répondit-il d'une voix douce et hésitante. Il était une fois une fille...

– Pas une princesse ?

– Non. Franchement non. Elle était trop intelligente pour en être une. Intelligente et sans concession.

– Ah oui ?

– Oui. Plus forte qu'il n'y paraissait.

– Est-ce qu'elle a vécu heureuse ensuite ?

– Tu ne veux pas le milieu de l'histoire ?

– J'aime bien lire la fin d'abord.

Elle attendit la suite, blottie dans son lit, avec l'espoir qu'il la rassure ; elle voulait se convaincre, ne serait-ce que quelques minutes, que tout allait bien se passer.

– Alors, elle a été heureuse ?

– Oui, répondit-il sans hésiter.

Ils restèrent silencieux un long moment. Elle entendait les bruits de la circulation, sa respiration. Il lui était déjà arrivé de s'endormir ainsi, au téléphone, tandis qu'il rentrait chez lui, et de sentir qu'ils étaient liés.

– Est-ce que j'ai dit à quel point elle était sexy ? finit-il par dire.

Elle se mit à rire.

– Si belle qu'on avait peine à le croire et que...

Il marqua une pause et elle entendit le grincement familier de sa porte.

– Et c'est à partir de là que ça n'est plus une histoire pour enfants...

– Tu es arrivé chez toi ?

Elle entendait la porte se refermer, le tintement des clés sur le plan de travail, le craquement de son blouson qu'il enlevait.

– Je vais te laisser, dans ce cas, ajouta-t-elle.

– Et si je n'ai pas envie que tu raccroches ?

Il avait mis de la musique, un air de jazz, apparemment. Son cœur battit plus vite. Elle l'imaginait étendu sur son lit.

– Bonne nuit, Seth, dit-elle d'une voix un peu détachée.

– Tu fuis de nouveau, hein ?

Une botte tomba sur le sol.

– Je ne fuis pas.

L'autre botte, à présent.

– T'en es certaine ?

– Vraiment, seulement, j'ai...

Elle s'interrompit, ne sachant comment finir sa phrase sans lui mentir.

– Tu devrais peut-être ralentir, que je puisse te rattraper.

Il se tut et attendit. Il lui parlait de plus en plus souvent de cette façon, en tenant des propos qui invitaient Aislinn à avouer quelque chose qui mettrait leur amitié en péril. Voyant qu'elle ne répondait pas, il se résigna :

– Fais de beaux rêves, Aislinn.

Une fois qu'ils eurent raccroché, elle garda le téléphone à la main en pensant à Seth. *Ce serait une mauvaise idée. Une très très mauvaise idée. Il me trouve intelligente et sexy...* elle sourit.

Quand elle trouva enfin le sommeil, elle souriait toujours.

11

« Les Sidhe[1] peuvent se métamorphoser, rapetisser ou grandir, prendre la forme qu'ils souhaitent… ils sont aussi nombreux que les brins d'herbe. Ils sont partout présents. »
(*Visions et croyances dans l'est de l'Irlande* de Lady Augusta Gregory, 1920)

Le lendemain matin, dès qu'Aislinn grimpa les marches qui menaient au hall du lycée, elle les vit : des créatures à l'air étrangement sérieux, qui rôdaient près de la porte et observaient tous ceux qui passaient devant eux.

À l'intérieur du bâtiment, d'autres fés s'étaient agglutinés devant le bureau du directeur. *Que se passe-t-il ?* D'habitude, ils évitaient d'entrer dans le lycée, peut-être à cause des rangées de casiers métalliques ou bien du grand nombre d'objets religieux.

Alors qu'elle venait de rejoindre son casier, la présence des fés l'oppressait déjà. Ils n'étaient pas censés se trouver là. Il y avait des règles. Le lycée, jusqu'à présent, était un lieu sûr.

---

1. Dans la mythologie irlandaise, les Sidhe sont apparentés aux fés et aux elfes, et vivent dans un monde invisible, parallèle à celui des humains.

– Mademoiselle Foy ?

Aislinn se retourna.

Debout près du père Myers, se tenait le seul fé qu'elle n'était nullement prête à affronter.

– Keenan... murmura-t-elle.

– Vous vous connaissez déjà ? demanda le père Myers avec un sourire radieux. Bien. C'est très bien.

Il se tourna vers deux autres fés, eux aussi visibles. Elle leur jeta un bref regard. Ils paraissaient à peine plus vieux qu'elle, mais le plus grand des deux affichait une solennité peu commune, et Aislinn devina qu'il devait être plus âgé. Sa chevelure argentée, impeccablement tressée, était singulièrement longue, en décalage avec son allure sérieuse, et, sous le charme qu'il avait revêtu, elle étincelait. Dans son cou, elle remarqua un petit tatouage représentant un soleil. L'autre fé avait des cheveux châtains presque rasés, et un visage assez quelconque, s'il n'avait pas été traversé par une cicatrice, de la tempe à la commissure des lèvres.

– Aislinn est une excellente élève, leur déclara le père Myers, et son emploi du temps est le même que celui de votre neveu. Elle l'aidera à rattraper les cours.

Elle aurait voulu déguerpir, mais elle se retint ; Keenan la dévisageait avec l'air d'attendre quelque chose, mais elle refusa de le regarder, tandis que d'autres fés arrivaient derrière le père Myers. L'un d'eux, dont la peau craquelée et grisâtre ressemblait à de l'écorce, comprit le regard de Keenan. Il fit un signe aux créatures qui s'étaient déployées près de l'entrée.

– La voie est libre, leur dit-il.

Le père Myers s'éclaircit la voix.

– Mademoiselle Foy ? Aislinn ?

La jeune fille détourna le regard du cortège de fés qui avait envahi le lycée.

– Pardon, mon père. Vous m'avez parlé ?

– Pouvez-vous conduire Keenan en cours de mathématiques ?

Un sac en cuir bosselé sur l'épaule, celui-ci attendait, les yeux rivés sur Aislinn. Ses « oncles » et le directeur la dévisageaient eux aussi.

Elle n'avait pas d'autre choix que de surmonter sa peur.

– Bien sûr.

Et grand-mère s'imagine qu'ils vont se lasser ? C'était fort peu probable. Désormais, les règles qu'elle avait suivies et qui la maintenaient en sécurité s'effondraient une à une autour d'elle.

À midi, Aislinn avait beau se contrôler, le rôle que Keenan jouait commençait à sérieusement l'agacer. Il ne cessait de la suivre, de lui parler et de se comporter comme s'il était réel, humain et inoffensif.

Il n'est rien de tout cela.

Elle fourra ses manuels dans son casier et, au passage, s'égratigna les doigts. Keenan était toujours près d'elle, une ombre indésirable dont elle ne pouvait pas se débarrasser.

Ils échangèrent un regard, et Aislinn se demanda si le contact de ses cheveux métalliques sur sa peau serait douloureux. Les mèches cuivrées étincelaient sous le charme qu'il avait revêtu, attirant irrésistiblement l'attention de la jeune fille. Bien malgré elle.

Rianne vint s'appuyer contre la rangée de casiers, assez

bruyamment pour que plusieurs personnes se tournent vers elle.

– J'ai entendu dire qu'il était comestible, mais...

Elle porta la main à sa poitrine, donnant l'impression d'avoir du mal à respirer, puis elle jaugea Keenan.

– ... Bon sang... certaine qu'il doit être très adroit.

– C'est toi qui le dis, je n'en sais rien, répliqua Aislinn en rougissant.

Et je n'ai pas l'intention d'en savoir davantage, songea-t-elle. Elle avait beau avoir une bizarre envie de le toucher, elle ne céderait pas à son instinct : elle était plus forte que ça. *Concentration, rien d'autre.*

Leslie et Carla les rejoignirent tandis que Rianne s'écartait des casiers et s'approchait de Keenan. Elle l'examina, comme si le garçon avait été un gâteau posé sur un plateau.

– Je parie que tu pourrais le savoir, répondit-elle à Aislinn. Suffirait d'y goûter...

Carla, de son côté, tapota le bras du fé et désigna Rianne.

– Ne crains rien, elle est inoffensive.

Aislinn prit les manuels dont elle aurait besoin dans l'après-midi. *Mes amies ne devraient pas lui parler.* Et lui n'aurait pas dû se retrouver là, dans son monde à elle. Et il n'aurait pas dû dégager une chaleur aussi tentante, qui évoquait des journées passées à paresser, lui donnait envie de fermer les yeux, de se détendre... *Non. Je dois me contrôler. Je vais y arriver. Il le faut.*

Elle se mit à trier ses affaires et à poser sur le haut de la pile ce qu'elle aurait besoin de rapporter chez elle en fin de journée, en se disant qu'ainsi, elle pourrait filer très vite après le dernier cours. Elle se força à sourire et fit signe à ses amies de la laisser.

– Je vous rejoins. Gardez-moi une place.

– On t'en garde deux, rétorqua Rianne en agitant la main en direction de Keenan. Pas question de laisser ce morceau de choix errer sans surveillance.

– Une seule place, Rianne, seulement une ! lança vainement Aislinn.

Ses amies, qui s'éloignaient déjà, firent mine de ne pas l'entendre.

Rianne se contenta de lui faire un geste dédaigneux par-dessus son épaule. Passablement irritée, Aislinn prit une inspiration et se tourna vers Keenan.

– Tu vas pouvoir déjeuner sans mon aide, j'en suis certaine. Alors débrouille-toi, essaie de te faire des amis, ajouta-t-elle en le quittant.

Il s'empressa de la rattraper et ils entrèrent ensemble dans la cafétéria.

– Je peux rester avec toi ?

– Non.

Il se mit en travers de son chemin.

– S'il te plaît ?

– Non.

Elle le contourna et posa son sac sur une chaise, près des affaires de Rianne. Elle l'ignora, tout comme elle tâcha d'oublier les regards qui se posaient sur eux, et ouvrit son sac.

– La queue est de ce côté, lui indiqua-t-elle, voyant qu'il n'avait pas bougé.

Il jeta un coup d'œil à la foule qui progressait lentement vers les bacs de nourriture.

– Tu as besoin de quelque chose ?

– D'un peu d'espace ?

Une lueur de colère troubla son trop beau visage, mais il ne lui répondit pas. Il se contenta de s'éloigner.

Elle voulut se persuader qu'elle s'était enfin débarrassée de lui en refusant de lui prêter attention. *Il n'est pas interdit d'espérer.* Car elle ne savait plus comment se comporter. Il était envoûtant et la détournait de tout ce qui était bon et raisonnable.

À l'autre bout de la cafétéria, elle vit Rianne quitter la file pour aller parler au fé. Tous deux se retournèrent et regardèrent Aislinn. La jeune fille souriait d'un air complice et Keenan semblait content.

Génial. Il a une nouvelle alliée. Aislinn, qui avait apporté de quoi manger, sortit un yaourt et une cuillère puis en profita pour appeler le chauffeur de taxi que Seth et elle avaient rencontré à la boutique de tatouage quelques mois plus tôt. Il leur avait expliqué comment le joindre directement en cas de besoin, et les avait assurés qu'il pourrait leur envoyer un autre chauffeur si lui n'était pas libre. Jusqu'à présent, il avait tenu parole.

Elle parla à voix basse, craignant que les gardes de Keenan ne l'entendent.

Justement, l'un d'eux se rapprochait déjà d'elle.

Trop tard. Alors qu'elle raccrochait, elle dissimula un sourire, ravie d'avoir remporté une petite victoire contre eux. Elle remua son yaourt en se demandant de nouveau pourquoi c'était elle que Keenan poursuivait. Elle savait que ça n'était pas à cause de la Vue. Elle avait toujours obéi aux règles et n'avait jamais fait un seul faux pas qui aurait pu révéler son don. *Dans ce cas, pourquoi moi ?*

138

Toute la matinée, des filles avaient essayé de lui parler ou avaient proposé de le guider dans le lycée. Il s'était montré poli, mais inflexible : c'était Aislinn et nulle autre qu'il voulait comme guide.

Les jolies filles, les premières de la classe, les sportives... toutes semblaient le convoiter. Pour une fois, Aislinn trouvait agréable d'être celle qu'on regardait avec envie. Mais elle aurait préféré qu'il s'agisse d'un garçon normal, comme Seth.

De même que la moitié des élèves, les fés de Keenan les surveillaient, imperturbables comme à leur habitude. Ils paraissaient fatigués, tandis qu'ils se relayaient par petits groupes à l'intérieur et à l'extérieur de l'établissement. Le métal omniprésent devait leur être douloureux ; malgré tout, ils demeuraient vigilants, aux aguets, ne quittaient *jamais* Keenan des yeux et le traitaient avec révérence. *Normal, s'il est leur roi.*

L'espace d'un battement de cœur, elle crut qu'elle allait se sentir mal tant d'innombrables peurs et d'atroces images la submergèrent à cette idée. *Un roi... et il me poursuit de ses assiduités...*

Mais Leslie et Carla s'approchaient et Aislinn parvint, non sans effort, à se ressaisir. Il ne servirait à rien de paniquer. C'était d'un plan dont elle avait besoin. De réponses. Si elle savait pourquoi il focalisait son attention sur elle, elle trouverait peut-être un moyen de s'en débarrasser pour de bon.

Elle regarda Keenan qui suivait Rianne et s'avançait vers leur table. Et soudain, une image fugace lui traversa l'esprit : la lumière du soleil qui étincelait à la surface de l'eau, rebondissait d'un immeuble à l'autre... des scintillements insolites, beaux et chaleureux, qui lui donnaient envie de courir vers

lui. Les yeux du fé croisèrent les siens et il lui adressa un sourire engageant.

Rianne bavardait avec lui d'un air animé, si bien qu'on
aurait pu croire qu'ils étaient les meilleurs amis du monde –
des amis qui ne se seraient pas vus depuis longtemps. Quant à
Leslie, elle riait à tout ce que le garçon disait. Aislinn comprit
alors que ses amies l'avaient toutes accepté.

Comment aurait-il pu en être autrement ? Elle regrettait
cette situation, mais elle ne pouvait s'y opposer, ne pouvait
expliquer pourquoi elle aurait préféré qu'il parte. Impossible
de leur dire qu'il était dangereux. Elle n'avait d'autre choix
que de se résigner. Et parfois, cette absence d'alternative lui
donnait l'impression d'étouffer, comme si son détestable
secret était un fardeau qu'elle devait supporter physiquement.

Après que ses amies, perfides sans en être conscientes,
l'eurent amené à leur table, Aislinn fit de son mieux pour
l'ignorer, même s'il était assis face à elle. Cela fonctionna un
moment, mais il ne cessait de la regarder, de lui poser des
questions, et de s'adresser à elle. Et durant tout ce temps, ses
yeux verts, inhumains, la fixaient.

À un moment, il fit une remarque stupide sur les haricots
verts trop cuits, et elle ne put se retenir plus longtemps.

– C'est quoi, ton problème ? C'est pas assez bien pour
quelqu'un comme toi ? lança-t-elle sèchement.

Elle regretta aussitôt de n'avoir pu réprimer son agacement.
Depuis toute petite, elle avait appris à contrôler ses émotions,
mais cette capacité commençait à lui faire défaut.

Le visage de Keenan s'était figé, ce qui la terrifia.

– Qu'est-ce que tu veux dire par là ? demanda-t-il.

Mieux valait ne pas provoquer un fé, surtout s'il s'agissait d'un roi, mais elle n'hésita pas un instant.

– Tu n'as aucune idée de tout ce que je sais de toi. Tu crois quoi ? Ça ne m'impressionne pas du tout ! Pas une seule seconde !

Il se mit à rire. Un rire libre et joyeux, comme si la colère qui avait enflammé ses yeux n'avait pas existé.

– Dans ce cas, je vais tâcher de mieux m'y prendre.

À ces mots, elle frissonna, mal à l'aise, partagée entre un mauvais pressentiment et un désir soudain et indéfinissable. C'était pire que l'envie irrépressible de le toucher. Elle avait éprouvé le même chaos émotionnel quand il l'avait abordée la première fois.

– Sois un peu gentille avec lui, lui chuchota alors Leslie.

– Laisse tomber, Leslie, rétorqua Aislinn, les poings serrés sous la table.

– C'est la faute à ses hormones, lança Rianne, avant de tapoter la main de Keenan. T'inquiète, mon chou, on va t'aider à la faire craquer.

– Oh, j'y compte bien, Rianne, murmura le fé.

Il était resplendissant. Comme si une lumière vive l'irradiait de l'intérieur. Au même instant, Aislinn se rendit compte que l'air était chargé d'un parfum de roses et elle ressentit la chaleur si tentante qu'il dégageait.

Ses amies ne pouvaient détacher leur regard de lui, comme s'il était l'être le plus étonnant qu'elles aient jamais rencontré. *Je suis vraiment fichue*, songea Aislinn.

Elle ne dit plus un mot et, tandis que ses ongles formaient de petites traces en demi-lune sur ses paumes (*pareilles à des éclats de soleil*, pensa-t-elle), elle attendit que les cours reprennent. Elle se concentra sur la douleur qu'elle s'infligeait en se demandant si elle avait la moindre chance d'échapper à Keenan.

À la fin de la journée, la présence de Keenan lui était devenue intolérable. Quand il se tenait près d'elle, une étrange chaleur semblait imprégner l'air et, au bout de quelques instants, il lui devenait douloureux de lui résister. Sa raison lui ordonnait de ne pas céder, mais ses yeux voulaient se fermer et ses mains le toucher.

J'ai besoin d'espace.

Elle avait appris à voir et à supporter l'omniprésence des fés. C'était atroce, mais elle en avait l'habitude. Elle surmonterait cette nouvelle épreuve, il le fallait.

C'est juste un fé, semblable aux autres.

Elle répétait les règles et les avertissements comme s'il s'était agi de prières, d'une litanie qui l'aidait à se contrôler.

Ne le regarde pas, ne lui parle pas, ne fuis pas, ne le touche pas. Ne réagis pas. N'attire pas son attention. Ne lui révèle jamais que tu peux le voir.

Ces mots lui étaient si familiers qu'ils l'aidaient à repousser en partie le désir qu'il lui inspirait, mais ils ne suffisaient pas à la mettre à l'aise chaque fois qu'il était près d'elle.

Aussi, quand ils entrèrent en cours de littérature et qu'une fille proposa à Keenan de s'asseoir près d'elle, très loin de la place habituelle d'Aislinn, cette dernière lui fit un grand sourire.

– Je t'embrasserais volontiers, merci ! lança Aislinn à la fille.

À ces mots, Keenan tressaillit. La fille la dévisagea, sans savoir si elle plaisantait ou non.

142

– Sérieux, je te remercie.

Puis elle tourna le dos à Keenan qui semblait plutôt mécontent, et s'assit à son bureau, heureuse de ce répit, si bref soit-il. Quelques minutes plus tard, sœur Mary Louise entra et leur distribua une pile de documents.

– J'ai pensé qu'on pourrait faire une petite pause aujourd'hui, et mettre Shakespeare de côté.

Des murmures approbateurs accueillirent cette annonce, bientôt suivis de grognements quand les élèves s'aperçurent qu'il s'agissait de poésie.

Indifférente à leurs protestations, sœur Mary Louise inscrivit un titre au tableau.

« La Belle Dame sans merci[1] ».

– De la poésie et du français, ô joie... marmonna un élève depuis le fond de la salle.

L'enseignante se mit à rire.

– Qui veut lire ce conte ?

Keenan se leva et lut l'histoire tragique d'un chevalier ensorcelé par une fée. Ce n'étaient pourtant pas les mots qui firent soupirer toutes les filles de la classe, mais sa voix mélodieuse, à se damner.

Quand il eut terminé sa lecture, sœur Mary Louise paraissait aussi abasourdie que ses élèves.

– Merveilleux... murmura-t-elle.

Puis elle se ressaisit et parcourut la classe du regard en s'arrêtant sur les élèves les plus loquaces.

---

1. La Belle Dame sans mercy est d'abord un poème (1424) d'Alain Chartier (1385-1435). Quatre siècles plus tard, le poète anglais John Keats composa un poème intitulé La Belle Dame sans merci.

– Eh bien ? Que pouvez-vous en dire ?

– Pas grand-chose, murmura Leslie.

Pleins d'espoir, les yeux de sœur Mary Louise s'arrêtèrent sur ceux d'Aislinn. La jeune fille prit une inspiration et se lança.

– Elle lui a fait croire qu'elle était une femme. Le chevalier a fait confiance à une créature qui n'était pas humaine, une fée ou un vampire ou autre chose, et il en est mort.

– Bien. Dans ce cas, quelle est la signification du conte ?

– Ne vous fiez pas aux fées ou aux femmes vampires... marmonna Leslie.

Toute la classe se mit à rire, à l'exception d'Aislinn et de Keenan. La voix de celui-ci mit fin à l'allégresse générale.

– La fée n'était peut-être pas en tort. D'autres facteurs entraient probablement en ligne de compte.

– En effet, rétorqua Aislinn. Que vaut la vie d'un être humain ? Il en est mort. Peu importe si la fée n'avait pas l'intention de lui faire de mal ou si elle regrette ce qui est arrivé. Ce n'est pas ce qui le fera revivre.

En apparence, elle était parvenue à garder son calme, mais son cœur battait à tout rompre. Elle savait que Keenan l'observait mais elle fixa sœur Mary Louise et ajouta :

– La créature maléfique a-t-elle souffert, dans cette histoire ? Il semble que non.

– Ce pourrait être une métaphore, intervint Leslie. Pour dire qu'on ne doit pas faire confiance à certaines personnes.

– Bien, dit la sœur avant de noter ces quelques idées au tableau. Quoi d'autre ?

La discussion dévia sur plusieurs sujets. Au bout d'un moment, l'enseignante proposa :

144

– Nous reviendrons sur cela plus tard, mais pour l'instant, jetons un coup d'œil au *Marché Gobelin* de Rossetti[1].

Aislinn ne fut pas étonnée quand Keenan se porta de nouveau volontaire pour lire. Il devait savoir quel effet sa voix produisait sur les autres. Cette fois, il lut sans la quitter des yeux, regardant à peine les mots sur la page.

– On dirait que Seth a de la concurrence... murmura Leslie en se penchant vers Aislinn.

– Non, répliqua celle-ci tout en soutenant le regard du fé. En aucun cas. Keenan n'a *rien* à m'offrir.

Elle avait parlé à voix basse, mais il l'avait entendue. Il trébucha sur un mot, tandis que le trouble envahissait son beau visage, et il s'interrompit.

Aislinn détourna les yeux avant qu'il ait le temps de voir combien elle était attirée par lui ; avant qu'elle ne s'avoue à elle-même à quel point elle avait envie d'abandonner toute raison.

– Continue, Cassandra, dit alors la sœur.

Je vous en prie. Faites qu'il parte.

Jusqu'à la fin du cours, Aislinn ne le regarda plus une seule fois. Dès que la sonnerie retentit, elle sortit de la salle aussi vite que possible, en espérant que le taxi l'attendait, comme prévu.

Elle avait peur de ce qu'elle pourrait faire si elle regardait Keenan une seconde de plus.

---

1. Poème composé en 1859 par Christina Rossetti (1830-1894), classique de la littérature enfantine anglaise qui se lit aussi comme un avertissement à la tentation sexuelle, incarnée par les gobelins.

12

« On dit que le seul moyen d'échapper à leur fureur est de trouver une branche de verveine et d'y nouer un trèfle à quatre feuilles. Il s'agit d'un talisman qui protège de tous les désastres. »
(*Contes populaires de Bretagne* d'Elsie Masson, 1929)

Quand Donia entra dans la bibliothèque, elle aperçut Seth. *L'ami d'Aislinn. Celui qui vit dans son refuge aux murs d'acier.* Il était encore trop tôt pour y croiser Aislinn, mais puisqu'il était là, la jeune fille n'allait peut-être pas tarder.

Il paraissait ne voir personne autour de lui, en dépit des fés et des mortels qui tous, le remarquaient. Rien d'étonnant à cela. Il était mignon et tentant, mais différemment de Keenan. Ténébreux et tranquille, il évoquait l'ombre et la pâleur. *Ne pense pas à Keenan. Pense au mortel. Souris-lui.*

Elle prit son temps et avança lentement, avec prudence, frôlant les tables vides ou s'arrêtant devant les étals de nouveaux livres afin de reprendre son souffle.

Elle se rendit bientôt compte qu'il l'observait.

Qu'il parle le premier. Son regard, caché derrière des lunettes

147

noires, s'attarda sur lui une seconde ou deux. Il était assis devant l'un des ordinateurs, une pile de photocopies posée près de lui.

Quand elle arriva devant son bureau, elle lui sourit. Il rangea ses documents, comme s'il cherchait à dissimuler l'objet de ses recherches. Donia inclina la tête et essaya de voir ce qui s'affichait sur son écran. Aussitôt, il cliqua sur un coin de la page puis éteignit le moniteur.

– Donia, c'est bien ça ? lui demanda-t-il. Ash ne nous a pas présentés hier soir. C'est toi qui l'as secourue ?

Elle acquiesça et lui tendit la main. Mais plutôt que de la lui serrer, Seth la souleva et lui fit un baisemain. *Il a ma main dans la sienne. Et pourtant, je ne ressens aucune brûlure. Pas comme avec le Roi de l'Été.* Elle se figea, comme une proie qui attend le chasseur, et se sentit idiote de se comporter ainsi. *Personne ne me touche jamais. À croire que j'appartiens encore à Keenan. Que je suis une intouchable.* Liseli lui promettait que sa situation changerait dès qu'une nouvelle Fille de l'Hiver prendrait sa place, mais elle avait parfois du mal à y croire. Cela faisait des décennies que personne ne l'avait prise dans ses bras.

– Moi, c'est Seth. Encore merci pour ce que tu as fait. S'il lui arrivait quoi que ce soit...

Un instant, il eut l'air si féroce qu'il aurait pu rivaliser avec les meilleurs gardes de Keenan.

Il n'avait pas encore lâché sa main et Donia la retira en tremblant. *Il est à elle. Tout comme Keenan l'est désormais.*

– Aislinn est ici ?

– Non, mais elle doit bientôt sortir du lycée, répondit-il en jetant un coup d'œil à l'horloge accrochée au mur, derrière Donia.

Celle-ci hésitait.

– Tu as besoin de quelque chose ?

Il la dévisageait fixement, donnant l'impression qu'il aurait voulu lui poser une tout autre question.

Donia réajusta ses lunettes. Plusieurs Filles de l'Été, qui se tenaient non loin, écoutaient leur conversation. Elle leur sourit d'un air ironique, avant de répondre au jeune homme.

– Est-ce que tu es son...

– Son quoi ? demanda Seth d'un air sombre.

– Son... soupirant ?

Elle grimaça. *Soupirant. Personne n'emploie plus ce mot...* Parfois, elle confondait les époques et tout se mélangeait dans son esprit, les vêtements, les musiques, les mots.

– Tu as bien dit « soupirant » ? répéta-t-il.

– Son petit copain ? rectifia-t-elle.

Du bout de la langue, il joua avec l'anneau de sa lèvre inférieure, puis il sourit.

– Non. Pas vraiment.

– Ah.

Une odeur inhabituelle intrigua soudain Donia. Elle huma légèrement l'air. *Non, c'est impossible.* Seth se leva, ramassa son sac et s'avança tout près d'elle, à quelques centimètres à peine, comme s'il cherchait à la faire reculer. *Ça, en revanche, ça n'a pas changé,* songea Donia.

Elle fit un pas en arrière – un seul. Mais elle avait eu le temps de détecter le parfum légèrement âcre d'une herbe qu'elle connaissait. Rien d'entêtant, non, mais c'était bien de la verveine. *Là. Dans son sac.* Plus ténues encore, elle perçut d'autres odeurs qui provenaient du même endroit. Celles de la camomille et du millepertuis.

– Je prends soin d'elle, tu vois ? Aislinn est une personne merveilleuse. Elle est douce et gentille, ajouta-t-il, les yeux braqués sur Donia. Si quelqu'un essayait de lui faire du mal...

Il s'interrompit, fronça les sourcils.

– Je ferais n'importe quoi pour la protéger.

– Parfait. Contente d'avoir pu rendre service l'autre soir, répondit-elle d'un air distrait.

De la verveine et du millepertuis. Qu'est-ce qu'il fabrique avec ça ? Elle savait qu'elles faisaient partie de la liste des plantes qui étaient censées donner la Vue aux mortels. *Et ce sont les plus puissantes.*

Il s'éloigna et plusieurs Filles de l'Été lui emboîtèrent le pas. *Je me demande si elles vont remarquer ce qu'il transporte dans son sac. Sûrement pas.*

Une fois que la porte se fut refermée derrière lui, Donia prit la place de Seth devant l'ordinateur et alla consulter l'historique du jeune homme.

Fés, charme, plantes donnant la Vue, Roi de l'Été.

– Oh... chuchota-t-elle.

Ça n'augurait rien de bon.

Quand Keenan arriva dans son loft situé dans la banlieue de la ville, Niall et Tavish l'attendaient. Ils se prélassaient, en apparence détendus, mais Keenan ne manqua pas de voir les regards critiques qu'ils lui lancèrent quand il entra.

– Eh bien ? demanda Tavish.

Il coupa le son de la télévision, où était diffusé un bulletin météorologique spécial au sujet d'une tempête de grêle très anormale.

Beira a dû apprendre que j'ai passé la journée avec Aislinn. Elle se montrait souvent hargneuse quand il était en bonne voie avec une jeune fille mortelle, mais les règles l'empêchaient d'attaquer son fils de front ; elle trouvait toujours d'autres moyens de se venger.

– Pas terrible. Elle n'a pas les réactions attendues.

Keenan avait du mal à l'admettre, mais l'attitude d'Aislinn commençait à le miner.

Niall se laissa tomber dans un fauteuil rembourré et s'empara de la télécommande d'un des jeux vidéo.

– Tu lui as proposé de sortir avec toi ?

Keenan prit une part de pizza à demi entamée dans le carton posé sur l'une des tables géodes dispersées à travers la pièce. Il la renifla et en croqua un morceau. *Encore mangeable.*

– Un peu tôt, non ? La fille précédente...

Niall détacha les yeux de l'écran de télévision et le dévisagea.

– Les habitudes des mortels changent plus vite que les nôtres. Tente une approche amicale un peu désinvolte.

– Il ne veut pas d'elle comme amie. Ce n'est pas à ça que servent les filles, insista Tavish avec sa froideur habituelle. Tu as besoin de protéines, pas de ça, ajouta-t-il en indiquant ce qui restait de pizza dans le carton. Je ne comprends pas pourquoi vous vous obstinez à manger comme les mortels, ça me dépasse.

Parce que ça fait trop longtemps que je suis obligé de vivre parmi eux ? songea Keenan, qui s'abstint pourtant de le formuler à haute voix. Il donna son morceau de pizza à Tavish et s'assit pour essayer de se détendre. Le loft était plus agréable que la plupart des lieux où ils avaient vécu. De grandes plantes vertes

151

ornaient les recoins vides et quelques oiseaux voletaient à travers la pièce en piaillant ou se réfugiaient dans les creux des colonnes qui soutenaient le haut plafond. Des éléments qui donnaient l'impression de se trouver dehors, comme dans un jardin.

– Les filles sont donc désinvoltes, à présent ? demanda Keenan.

– Ça vaut la peine d'essayer, dit Niall, qui regardait de nouveau l'écran.

Il marmonna un juron et pencha la tête d'un côté puis de l'autre, comme si cela pouvait faire bouger l'image. Difficile de croire qu'il parlait un grand nombre de langues, plus qu'il n'était besoin pour un fé. En revanche, il n'avait aucun sens pratique.

– Ou bien passe à l'attaque, poursuivit-il. Certaines aiment ça. Dis-lui que tu l'emmènes quelque part, c'est tout.

Tavish revint, avec l'une des décoctions vertes qu'il obligeait régulièrement Keenan à boire.

– Ça me semble plus approprié, fit-il observer d'un ton approbateur.

– Et voilà, un bon conseil pour commencer, lança Niall en faisant un grand sourire à Tavish. Sois désinvolte.

– En effet, dit Keenan en riant.

– Vous trouvez cela amusant ?

Tavish posa la boisson protéinée sur la table. Sa longue tresse argentée passa devant son épaule et il la repoussa d'un geste impatient – signe qui trahissait son agitation. Mais il y avait bien longtemps qu'il ne donnait plus libre cours à ses émotions.

– Quand es-tu sorti avec une fille pour la dernière fois ? demanda Niall.

– Les Filles de l'Été font très bien l'affaire... Elles sont de bonne compagnie.

– Tu vois ? lança Niall à Tavish. Il s'est encroûté...

– Je suis le plus vieux conseiller du roi et...

Tavish s'interrompit en soupirant – il réalisa qu'il était d'accord avec Niall.

– Suivez d'abord le conseil de ce garçon, Seigneur, conclut-il avant de se retirer dans le bureau, drapé dans son irréprochable dignité.

Non sans tristesse, Keenan le regarda s'éloigner.

– Un de ces jours, il risque de ne plus accepter ton agressivité, Niall. N'oublie pas qu'il est encore fé de l'été.

– Parfait. Il a besoin de retrouver un peu de passion au fond de lui.

Sa bonne humeur avait laissé place à la ruse qui faisait de lui un conseiller aussi important que Tavish depuis plusieurs siècles.

– Les fés de l'été doivent être guidés par de vives passions. S'il ne se montre pas moins sévère, nous risquons de le perdre et de le voir rejoindre la Haute Cour de Sorcha.

– Cette quête l'épuise. Il regrette l'époque où mon père était roi.

Se sentant tout aussi mélancolique que Tavish, Keenan laissa son regard errer sur le parc, de l'autre côté de la rue.

Un de ses hommes-sorbiers le salua.

– La cour a tellement changé, ajouta-t-il.

– Dans ce cas, séduis cette fille et règle cette affaire.

– Une approche désinvolte, selon toi ?

Niall le rejoignit près de la fenêtre et contempla les arbres dont les branches étaient déjà gelées, preuve supplémentaire

153

des pouvoirs grandissants de Beira. S'il ne l'arrêtait pas, les fés de l'été n'en avaient plus que pour quelques siècles avant de périr.

– Et propose-lui une soirée hors du commun, stimulante. Quelque chose de différent, d'inattendu.

– Si je ne la trouve pas très vite...

– Tu vas y arriver, l'encouragea Niall

Cela faisait près d'un millénaire qu'il répétait les mêmes mots.

– Il le faut, répondit Keenan. Je ne sais pas si... je vais la trouver. Peut-être que celle-ci...

Niall se contenta de sourire.

Mais le Roi de l'Été se demandait s'ils y croyaient encore. Il *voulait* y croire, mais cela devenait de plus en plus difficile avec le temps.

Quand la Reine de l'Hiver avait réduit ses pouvoirs et l'avait privé de la force de l'été en faisant constamment geler la terre, elle avait brisé les espoirs de nombreux fés de Keenan. Il était plus fort que la plupart de ses semblables, mais il était loin d'être le roi dont ses fés avaient besoin. Il était loin d'avoir la puissance de son père.

Aislinn, je t'en prie. Sois celle que je cherche...

13

« Tout est capricieux chez ces créatures… Leurs occupations principales sont les banquets, les combats et l'amour. »
(*Contes féeriques et populaires de la paysannerie irlandaise* de William Butler Yeats, 1888)

Le taxi déposa Aislinn devant chez Seth, où elle se mit à faire les cent pas. Quelques fés qui se tenaient non loin l'observaient et parlaient entre eux. Ils ne restaient jamais longtemps près des vieux wagons et des rails, mais d'autres venaient les remplacer. Depuis que Keenan l'avait abordée dans la boutique de bandes dessinées, des fés paraissaient se rassembler où qu'elle aille.

– Elle est trop intéressée par ce mortel, dit l'une des fées.

Sa peau était elle aussi décorée de plantes rampantes, mais contrairement aux autres fées, qui semblaient préférer des tenues légères et féminines, celle-ci portait un costume gris ardoise. Les plantes partaient de son cou et s'enroulaient dans sa chevelure qui lui arrivait aux chevilles, ce qui lui donnait une allure à la fois sauvage et sophistiquée.

– Elle vient chez lui tous les jours, fit observer un fé aussi fluet qu'un petit oiseau, tout en tournant autour de la fée, pareil à un prédateur. Qu'est-ce qu'elle fabrique là-dedans ?

– Moi, je sais ce que j'y ferais, répliqua-t-elle. Je pourrais même tenter ma chance, au cas où elle finisse avec Keenan pour l'éternité, ajouta-t-elle avec un sourire sournois, avant d'attraper le visage du fé à deux mains.

L'éternité ?

Aislinn se retourna afin qu'ils ne puissent pas voir son étonnement. Elle revint sur ses pas dans l'herbe morte, suffisamment près pour les entendre, mais pas trop afin qu'ils ne trouvent pas son comportement bizarre.

L'éternité avec... Keenan ?

La fée souleva son compagnon et l'attira vers elle jusqu'à ce qu'ils se retrouvent nez à nez.

– On se fiche bien de ce qu'elle fait, puisqu'elle est déjà en train de changer et qu'elle appartiendra bientôt à notre cour, dit-elle avant de lui lécher le nez et les yeux. Qu'elle s'amuse avec son mortel tant qu'elle en a le temps. D'ici peu, ça n'aura plus d'importance.

Bon sang, où est Seth ?

Pour la énième fois, elle composa le numéro de Seth sur son portable.

Elle entendit sa sonnerie juste derrière elle. Elle éteignit son téléphone et se retourna.

– Du calme, Ash, conseilla-t-il en se dirigeant vers elle.

Il passa devant les fés sans les voir.

– Où étais-tu ? Je m'inquiétais... je pensais qu'il t'était arrivé...

Il leva un sourcil.

– … Non, que tu avais oublié, termina-t-elle sans conviction.

– T'oublier ?

Il passa un bras autour de la taille d'Aislinn et la guida jusqu'à la porte du train ; il ouvrit et la fit entrer.

– Je ne pourrais jamais t'oublier.

Le fé arriva en trottinant, renifla Seth et fronça le nez.

– La prochaine fois, réponds au téléphone, d'accord ? dit-elle en lui donnant un coup de coude dans la poitrine. Où t'étais ?

Il fit oui de la tête, la suivit dans le wagon, puis referma la porte d'acier à la face du fé.

– J'ai parlé à Donia.

– Quoi ? s'exclama Aislinn, la gorge soudain nouée.

– Pas vraiment sympa, mais plus mignonne que je le pensais.

Seth souriait calmement, alors qu'il venait d'annoncer à Aislinn qu'il avait bavardé avec une *fée*.

– Ce qui ne m'a pas empêché de l'avertir. Pourtant, elle est presque aussi mignonne que toi.

– Tu l'as *quoi* ? s'exclama la jeune fille.

Elle lui donna un petit coup, plutôt gentiment ; malgré tout, il fit la grimace.

– Je lui ai parlé.

Il posa la main sur sa poitrine, là où Aislinn l'avait touché. Il releva sa chemise et parut intrigué.

– Ça m'a piqué.

– Elle a peut-être l'air gentil, mais elle n'est pas des nôtres. Tu ne dois pas leur faire confiance.

Aislinn se tourna vers la fenêtre pour regarder les créatures qui erraient près du train. La fée en costume était occupée à plier des feuilles, comme pour faire un origami.

Seth surgit derrière elle et posa son menton sur le haut de la tête de la jeune fille.

– Ils sont nombreux, là-dehors ?

– Oui, trop.

Elle se retourna mais se retrouva si près de lui qu'elle ne put lui lancer un regard réprobateur.

– Tu ne peux pas faire ce genre de trucs. Tu ne dois pas prendre de risques...

– Du calme, l'interrompit-il en attrapant une mèche de ses cheveux et en la laissant lentement glisser entre ses doigts. Je suis pas idiot, Ash. Je lui ai pas dit « Vilaine fée, va-t'en ! ». Je l'ai remerciée pour l'autre soir et lui ai simplement expliqué que rien de fâcheux ne devait t'arriver. Voilà, c'est tout.

Il recula d'un pas pour mieux la dévisager. Elle s'aperçut que son regard était cerné et paraissait las.

– Fais-moi confiance, d'accord ? Je ne ferai rien qui puisse te mettre encore plus en danger.

– Excuse-moi. Assieds-toi, je vais faire du thé.

Elle s'en voulait d'avoir crié, d'avoir douté de lui, de le voir si fatigué. Elle lui prit la main et la pressa dans la sienne.

Il s'installa dans son fauteuil préféré et sortit une liasse de documents.

– J'ai avancé dans mes recherches. Un peu. J'ai découvert quelques moyens de se protéger des fés, et j'ai aussi des informations sur ce qui permet de les voir. Ou bien veux-tu d'abord me raconter ce qui t'a fichu la trouille ? demanda-t-il, voyant qu'elle ne répondait pas.

– Non. Pas maintenant.

Toutes ces discussions à propos des fés, ses recherches, les moyens d'éviter ces créatures... Comment pouvait-elle se permettre de lui imposer tout cela ?

– Je me disais... qu'on pourrait parler d'autre chose pour l'instant. J'en sais rien...

– Comme tu veux, répondit-il en se frottant les yeux. Tu me racontes ta journée au lycée ?

– Hum. Vaut mieux pas si on veut éviter le sujet des fés.

Elle remplit d'eau la bouilloire et ouvrit le sachet de camomille qu'il avait laissé sur le plan de travail.

– Ç'a vraiment un sale goût ? demanda-t-elle.

– Je crois pas, mais il y a du miel dans le placard du bas si tu préfères.

Il s'étira. Sa chemise se releva légèrement. Aislinn aperçut son ventre nu et l'anneau noir qui ornait son nombril.

– On pourrait parler de l'après. Quand la vie aura repris son cours normal. Je me disais qu'on pourrait aller dîner ensemble un de ces soirs... quand tout ça sera terminé.

Elle l'avait déjà vu torse nu ou en caleçon. Cela faisait un bout de temps qu'ils étaient amis. Et lui parlait de dîner ensemble ? *Un dîner avec Seth ?* Debout au milieu de sa cuisine, elle le regardait jouer avec l'anneau qui perçait sa lèvre. Il ne le mordillait pas ; il l'aspirait, plutôt. Ce qu'il faisait quand quelque chose l'absorbait.

Non, ça n'a rien de sexy. Il n'est pas sexy du tout.

Elle avait beau se le répéter, elle savait qu'il l'était. *Et je suis là, plantée devant lui comme une idiote.*

– Waouh... murmura-t-elle.

Elle détourna aussitôt les yeux, se sentant plus bête encore. *On est amis. Les amis eux aussi vont au restau ensemble. Ça ne veut rien dire.*

Elle ouvrit le placard. Le flacon de miel était là, près de tout un assortiment d'épices et d'huiles.

– On ira dîner, bonne idée, dit Aislinn. Carla a envie de tester ce nouveau restau, dans la rue Vine. Tu pourrais...

– Waouh... répéta-t-il d'une voix grave et voilée.

Aislinn entendit son fauteuil craquer. Il s'était levé. Le son de ses pas lui parut étrangement bruyant tandis qu'il couvrait les deux ou trois mètres qui les séparaient. Et soudain, il fut tout près d'elle.

– Ce « waouh » me convient, je crois.

Elle lui tourna vivement le dos, sa main se serra autour du flacon. Du miel gicla sur le plan de travail.

– J'ai dit ça comme ça, sans raison. On s'est trop cherchés ces derniers temps, et j'étais inquiète pour toi ce soir, c'est tout... Et puis je sais qu'il doit y avoir une bonne dizaine de filles qui t'attendent. Je suis fatiguée...

– Hé, la coupa-t-il en posant une main sur son épaule. Il n'y a personne d'autre. Que toi. Ça fait sept mois que tu es la seule.

Il la tira gentiment par l'épaule afin qu'elle se tourne vers lui.

– Il n'y a que toi dans ma vie.

Elle lui fit face. Riva les yeux sur sa chemise. Il y manquait un bouton. Elle serra de nouveau le flacon de miel, mais il le lui ôta de la main pour le poser sur le plan de travail.

Et là, il l'embrassa.

Elle se dressa sur la pointe des pieds, leva la tête pour

s'approcher encore plus de lui. Seth glissa une main derrière sa taille et l'embrassa comme si elle avait été l'air dont il avait besoin pour ne pas suffoquer. Soudain, elle oublia les fés et tout le reste. Il n'y avait plus rien, sauf eux deux.

Le jeune homme la souleva et l'assit sur le plan de travail où elle s'était tenue tant de fois quand ils bavardaient. Mais ce soir-là, les mains d'Aislinn étaient dans les cheveux du jeune homme, ses doigts s'y emmêlaient pour l'attirer plus près encore.

C'était le baiser le plus parfait qu'elle ait jamais connu, se dit-elle avant de prendre conscience qu'il s'agissait de Seth. *Oui, c'est bien Seth.*

Elle s'écarta légèrement de lui.

– Ça valait vraiment la peine d'attendre, chuchota le garçon, qui la tenait toujours dans ses bras.

Aislinn avait passé ses jambes de chaque côté de Seth et avait croisé les chevilles derrière lui. Elle posa son front contre son épaule.

Tous deux se taisaient à présent.

Seth n'a jamais eu de relation suivie avec une fille. Tout ça est une erreur. Ça va nous laisser une étrange impression quand ce sera terminé.

Cela faisait des mois qu'elle se répétait cela. Ça ne l'avait pourtant pas empêchée de désirer le contraire et de s'imaginer avec lui, comme si elle s'était trahie elle-même.

Elle leva les yeux vers lui.

– Sept mois... ?

– Ouais, dit-il avant de s'éclaircir la gorge. Je me suis dit que si j'étais patient... j'en sais rien... hésita-t-il, un sourire nerveux

aux lèvres, ce qui ne lui ressemblait pas. J'espérais que tu arrê-
terais de fuir... qu'en prenant du temps, on...

– Je n'ai pas... je... il faut que je règle cette histoire avec les
fés et... Sept mois ? répéta-t-elle de nouveau.

Elle s'en voulait terriblement.

Seth a passé son temps à m'attendre... moi ?

– Oui, sept mois.

Il déposa un baiser sur son nez, comme si tout était normal,
comme si rien ne venait de changer. Puis il la souleva délicatement du plan de travail et s'écarta d'elle.

– Et je peux encore attendre. Je reste là, près de toi, et je n'ai
pas l'intention de les laisser t'enlever.

– Je... ne savais pas...

Tant de questions se bousculaient dans la tête d'Aislinn. *Que
veut-il exactement ? Que veut dire « attendre » ?* Et elle, que désirait-
elle ? Elle ne pouvait pas se permettre de lui imposer tout cela.

Pour la première fois de sa vie, penser aux fés ne la mettait
plus aussi mal à l'aise.

– Je dois m'occuper de... des fés. Et très vite. Sans quoi...

– Je sais. Seulement, je suis là moi aussi, dit-il en ramenant
les cheveux d'Aislinn vers l'arrière puis en laissant ses doigts
s'attarder sur sa joue. Cela fait des siècles qu'ils enlèvent des
mortels, mais ils ne t'auront pas.

– Il y a peut-être une autre raison...

– Je n'en vois pas d'autre. Et une fois qu'ils ont trouvé un
être humain qui leur plaît, rien ne laisse supposer qu'ils aban-
donnent, expliqua-t-il avant de l'attirer tendrement à lui.
Nous avons un avantage puisque tu peux les voir, mais si ce
type est vraiment un roi, j'imagine qu'il n'apprécie guère
qu'on lui refuse quoi que ce soit.

Aislinn demeura silencieuse. Elle n'arrivait plus à parler. Elle se contenta de rester dans les bras de Seth, tout en l'écoutant formuler à haute voix des peurs qui ne cessaient de grandir en elle.

14

« Les fés semblent tout particulièrement aimer prendre quelqu'un
en chasse. »
(*Le Folklore de l'île de Man* d'A.W. Moore, 1891)

Au bout de quelques jours, Aislinn avait compris que deux
choses lui étaient désormais impossibles : résister à Seth et éviter Keenan. Il fallait à tout prix régler ces deux situations.

Le fé n'avait plus besoin d'être guidé dans le lycée, mais il
continuait de la suivre à la trace, en admirateur dévoué. À
l'évidence, il ne se lasserait pas, et Aislinn avait beau se montrer inflexible et indifférente, toutes ses tentatives pour le
repousser restaient vaines. À la fin de la journée, elle tenait à
peine debout, épuisée par les efforts qu'il lui fallait déployer
pour *ne pas* le toucher. Elle avait besoin de trouver un autre
moyen de défense.

Les fés poursuivent les humains. Au moins, cette règle paraissait
intacte. Comme la fée-louve qui rôdait dans les rues de la ville,
Keenan l'avait prise en chasse. Elle ne courait pas, littéralement. Mais cela revenait au même. Aussi, malgré sa terreur, la

165

jeune fille avait décidé qu'il était temps d'arrêter de fuir et de laisser le fé croire qu'elle était une proie facile.

Dans son enfance, cela avait été une des leçons les plus difficiles à apprendre. Sa grand-mère avait pris l'habitude de lui faire faire de courtes promenades dans le parc afin qu'elle s'entraîne à *ne pas* courir quand des créatures la reniflaient ou la traquaient. Elle avait compris qu'il fallait que ses nombreuses pauses paraissent parfaitement normales et qu'elles n'avaient rien à voir avec le comportement des fés. Aislinn avait détesté ces sorties. Tout en elle hurlait « cours, cours plus vite », mais c'était la peur qui la dominait et non la raison. En fin de compte, si elle s'arrêtait de courir, les fés se désintéressaient soudain d'elle. Par conséquent, elle allait cesser de fuir Keenan, une fois qu'elle aurait trouvé comment ce revirement pouvait paraître naturel.

Alors qu'ils se dirigeaient vers la salle de biologie, elle tenta de lui faire quelques sourires indécis. Il lui rendit aussitôt la pareille, et la regarda avec tant d'intensité et de bonheur qu'elle trébucha.

Mais quand il tendit la main pour la rattraper, elle eut un mouvement de recul et Keenan, frustré, s'assombrit de nouveau.

Elle essaya encore, alors qu'ils sortaient du cours de religion.

– Dis-moi, tu as prévu des sorties sympas ce week-end ?

Partagé entre l'amusement et la surprise, il afficha une expression étrange.

– J'avais espéré en avoir, mais...

Il s'interrompit et braqua les yeux sur Aislinn, qui sentit la panique monter en elle, ainsi que la même irrépressible envie.

– ... Je ne comptais pas vraiment sur la chance.

Ne fuis pas.

Trop oppressée pour répondre, elle se contenta d'acquiescer et de prononcer un petit « Oh ».

Il n'ajouta rien et détourna le regard ; pourtant, il souriait, comme apaisé. Il se fraya un passage dans la foule sans plus lui parler. Il resta néanmoins tout près d'elle, mais son mutisme était un changement agréable. Il ne dégageait plus la chaleur qui séduisait tant Aislinn ; désormais, il irradiait un calme étrange. Quand ils entrèrent en cours d'éducation civique, il souriait toujours.

– Je peux me joindre à toi pour le déjeuner ?

– C'est ce que tu as fait tous les jours...

Il éclata de rire ; un son aussi mélodieux que le chant carillonnant de la fée-louve en pleine course.

– Oui, mais les autres jours, ma présence t'importunait.

– Et qu'est-ce qui te fait croire que ce sera différent aujourd'hui ?

– L'espoir. C'est ce qui me fait vivre...

Elle se mordit la lèvre et réfléchit. Un ou deux sourires, quelques remarques amicales avaient suffi à l'encourager, mais quand il n'essayait pas de la séduire, Aislinn avait de nouveau l'impression de pouvoir respirer et n'était plus submergée par le désir irrépressible de le toucher.

– Je t'apprécie pas vraiment, tu sais, dit-elle d'un ton hésitant.

– Tu changeras peut-être d'avis si tu passes plus de temps avec moi.

Il tendit la main vers sa joue, comme s'il s'apprêtait à la toucher.

167

Elle se crispa mais parvint à ne pas tressaillir.

Tous deux étaient comme pétrifiés.

– Je ne suis pas quelqu'un de méchant, Aislinn. Je veux juste... dit-il avant de s'interrompre.

Elle se savait en terrain miné, mais depuis qu'il était arrivé au lycée, c'était la première fois qu'il paraissait presque sincère. Et qu'elle se sentait pratiquement en paix.

– Oui, quoi ? l'encouragea-t-elle.

– J'ai seulement envie de mieux te connaître. Ça te paraît si bizarre ?

– Mais pourquoi ? Pourquoi moi et pas une autre ?

Le cœur battant, Aislinn attendit qu'il réponde, sachant très bien qu'il allait lui mentir.

Il s'approcha d'elle et l'observa d'un œil de prédateur – son humeur une fois de plus changeante.

– Sincèrement ? Je n'en sais rien. Il y a quelque chose en toi. Dès que je t'ai vue, j'ai su, c'est tout.

Il lui prit la main.

Elle le laissa faire. *Joue le jeu.* Pourtant, cela n'était pas qu'un jeu : depuis leur première rencontre, elle résistait au désir de le toucher, d'être contre lui. Rien de logique là-dedans, mais c'était ainsi.

Au contact de sa main, sa Vue s'aiguisa. Elle eut l'impression que tous les fés qui les entouraient avaient soudain revêtu un charme qui les faisait passer pour humains.

Dans la classe, personne ne réagit. Aucun élève ne se mit à hurler. À l'évidence, les fés n'étaient pas devenus visibles.

Que se passe-t-il ? se demanda-t-elle en tremblant.

Keenan la dévisageait avec une telle intensité dans le regard qu'elle se sentit mal à l'aise.

– Je ne sais pas pourquoi certaines personnes ont un éclat singulier pour les autres. Mais c'est ainsi : c'est toi et nulle autre, ajouta-t-il en l'attirant contre lui. C'est à toi que je pense quand je me réveille le matin, chuchota-t-il. C'est ton visage qui m'apparaît en rêve.

La jeune fille, la gorge nouée, resta muette. Ces mots lui auraient semblé insolites, même s'il avait été humain. Ce qu'il n'était pas. Et, malheureusement, il était très sérieux. Elle frissonna.

Keenan lui caressa la main.

– Donne-moi une chance. Reprenons depuis le début.

Aislinn se figea. Les avertissements que sa grand-mère lui répétait depuis des années s'effondraient dans son esprit, en une symphonie de paroles sages et inquiètes à la fois. Elle s'entendit expliquer à Seth que les choses ne se déroulaient pas comme prévu. *Essaie autre chose*, lui avait conseillé le jeune homme.

– Depuis le début. D'accord.

Il lui sourit. Un vrai sourire, cette fois : beau et malicieux, et si tentant que tous les récits dans lesquels les fés enlevaient des humains lui revinrent brutalement en mémoire. *Des enlèvements, vraiment ? Non, les humains doivent suivre leurs ravisseurs de leur plein gré.* À cette idée, Aislinn manqua de s'effondrer sur sa chaise. *Keenan est un fé. Les fés sont des êtres maléfiques. Mais si je découvre ce qu'ils me veulent...*

Une demi-heure de cours était déjà passée ; elle s'aperçut qu'elle n'en avait pas entendu un mot et, baissant les yeux vers son cahier, qu'elle n'avait pas pris une seule note. À la fin de l'heure, toujours abasourdie, elle alla jusqu'à son casier en compagnie de Keenan. Il lui parlait, lui demandait quelque chose...

169

– ... la fête foraine ? Je pourrais passer te prendre ou te rejoindre quelque part. À toi de me dire.

– Bien sûr.

Elle cligna des yeux, avec l'impression d'errer dans un rêve qui n'était pas le sien.

– Quoi donc ? demanda-t-elle.

Les gardes de Keenan échangèrent des regards entendus.

– Il y a une fête foraine, ce soir, répéta-t-il en tendant la main vers les livres de classe de la jeune fille.

Elle s'apprêtait étourdiment à les lui donner, mais se ressaisit aussitôt.

– C'est ce que tu as prévu de faire ?

– Dis-moi simplement oui.

Il attendit, sans rien cacher de son impatience.

– Comme des amis, dans ce cas, finit-elle par dire.

Il recula tandis qu'elle fermait son casier.

– Évidemment, comme des amis.

Rianne, Leslie et Carla arrivèrent au même instant.

– Alors ? demanda la première. Elle a dit oui ?

– Elle a refusé ton invitation, pas vrai, Aislinn ? lança Leslie en tapotant le bras de Keenan, comme pour le consoler. T'inquiète, tu n'es pas le seul. Elle refuse toutes les invits.

– Pas toutes, non, rétorqua le fé d'un air beaucoup trop content de lui. Je l'emmène à la fête foraine.

– Quoi ? s'exclama Aislinn en regardant tour à tour Rianne et Keenan.

Elles étaient donc au courant ?

– J'ai gagné, déclara Rianne en tendant la main vers Leslie.

À contrecœur, celle-ci tira un billet froissé de sa poche. Puis Rianne se tourna vers Carla.

170

– Toi aussi, dit-elle, la main tendue.

– Elle a... *gagné*... ? répéta Aislinn en les suivant vers la cafétéria. Derrière elle, elle entendit plusieurs gardes éclater de rire.

– J'ai parié qu'il réussirait à t'inviter, répliqua Rianne en glissant ses gains dans la poche de sa veste. Regarde-le...

– Il est tout près, Rianne, chuchota Carla, tout en décochant à Keenan un coup d'œil contrit. On a bien essayé de lui enseigner les bonnes manières, à cette idiote, mais c'est comme apprendre à un chien à obéir. Si on l'avait eue toute petite, on aurait peut-être réussi à en faire quelque chose...

Rianne lui donna une petite claque sur le bras, mais elle souriait.

– Wouf, wouf ! imita-t-elle.

Carla se tourna vers Aislinn et baissa la voix.

– Quand on vous a vus bavarder tous les deux, elle nous a empêchées d'approcher. Elle voulait être sûre qu'il allait te proposer de sortir avec lui. Elle a même retenu Leslie... physiquement.

– Rien à voir avec un rendez-vous amoureux, marmonna Aislinn.

– En effet, intervint Keenan. On va seulement bavarder, apprendre à se connaître.

Il s'interrompit et dévisagea chacune des jeunes filles. Sa peau se mit à scintiller, juste un petit peu.

– Justement, vous pouvez nous y rejoindre si ça vous fait envie. Histoire de rencontrer quelques vieux amis à moi.

Aislinn sentit son cœur s'emballer.

– Non...

– Ça ressemble plutôt à un vrai rendez-vous, dit Rianne en soupirant. Pas de souci, Aislinn, je ne viendrai pas te déranger. Qu'en penses-tu ? demanda-t-elle à Carla.

– Oui, pas de doute, c'est un vrai rendez-vous.

– Aislinn m'y accompagne en tant qu'amie, précisa le fé d'un air satisfait. Je suis honoré qu'elle accepte de venir, c'est tout.

La jeune fille le regarda, puis s'aperçut que ses amies le contemplaient, en adoration devant lui. Keenan croisa son regard et il sourit.

Elle n'accéléra pas le pas et Keenan entra à ses côtés dans le réfectoire. Maintenant qu'il semblait content, l'attirance qu'elle éprouvait pour lui s'était estompée, comme un cri qui se serait éteint dans un soupir.

Je suis capable de gérer cette situation, se dit-elle.

Mais lorsqu'il tira sa chaise pour lui permettre de s'asseoir, un geste galant peu habituel, Aislinn vit son propre visage se refléter dans ses yeux, nimbé d'un minuscule halo solaire.

Pourvu que je ne fasse pas erreur...

15

« Ils vivent plus longtemps que nous ; pourtant, ils finissent par mourir, ou, du moins, par disparaître et renaître sous une autre forme. »
(*La République mystérieuse : Des elfes, faunes, fées et autres semblables* de Robert Kirk et Andrew Lang, 1893)

Quand Donia rentra chez elle après sa promenade du soir, Beira l'attendait sur la véranda, étendue sur un siège de glace.

Presque négligemment, la Reine de l'Hiver sculptait des visages déformés sur une plaque de glace posée près d'elle. On aurait dit que les fés qui s'y tordaient de douleur y avaient été emmurés vivants.

– Donia chérie, lança Beira avec exubérance, tout en se levant si gracieusement qu'on aurait pu croire que des fils invisibles l'avaient soulevée de son siège. Tu rentres tard, j'envisageais même d'envoyer Agatha te chercher.

La harpie en question lui fit un grand sourire, qui dévoila une bouche édentée.

– Beira. Quelle...

Donia cherchait une formule qui ne soit pas un mensonge. *Quelle surprise ? Quel plaisir ? Non. Ni l'un ni l'autre.*

– Que puis-je pour vous ?

– Excellente question... si seulement mon fils avait suffisamment de bonnes manières pour me la poser. Mais il n'en a pas, ajouta-t-elle avec mauvaise humeur, les sourcils froncés.

À l'autre bout du jardin, à la lisière des arbres, plusieurs gardes saluèrent Donia de loin. L'homme-sorbier se contenta de lui faire un petit signe de la main.

– Sais-tu ce que ce garçon a fait ?

Donia ne prit pas la peine de répondre – ça n'était pas vraiment une question. *Keenan est son portrait craché. Quel soulagement quand je ne serai plus coincée entre eux.*

– Il s'est rendu dans l'école de la fille et il s'y est inscrit, comme un mortel. Tu imagines un peu ? s'exclama Beira qui se mit à marcher de long en large sur un rythme saccadé, ses pas grinçant comme sur du verglas sur le plancher de la véranda délabrée. Il a passé la semaine avec elle, en la suivant à la trace comme l'aurait fait ton chien.

– Mon loup. Sasha est un loup.

– Loup, chien, coyote, peu importe, rétorqua Beira avant de s'immobiliser et de se figer, comme sculptée dans la glace. Le souci, Donia, c'est qu'il a trouvé un moyen d'être en contact avec elle. Tu comprends ? Il progresse, et pas toi. Tu me déçois.

Agatha gloussa.

Beira se tourna lentement. Le doigt recourbé, elle fit signe à la harpie d'approcher. Celle-ci, qui n'avait pas encore pris conscience de son erreur, s'avança sur la véranda, un grand sourire aux lèvres.

– Cela t'amuse donc que mon fils puisse l'emporter ? Qu'il

puisse détruire tout ce que j'ai bâti ? Ça n'a pourtant rien de drôle, chère Agatha.

Beira plaça un doigt sous son menton et son ongle, long et manucuré, griffa sa peau. Un filet de sang se mit à couler dans le cou de la harpie.

– Ce... ce n'est pas ce que je voulais dire, ma Reine... bredouilla Agatha, les yeux écarquillés, avant de lancer un coup d'œil implorant à Donia.

– Tss tss... Agatha, chère, très chère Agatha, Donia n'a pas l'intention de t'aider. Et même si elle le voulait, elle en serait incapable.

La Fille de l'Hiver détourna le regard et dévisagea l'homme-sorbier, qui ne semblait jamais quitter son poste. Il frissonna, par solidarité. Tous connaissaient l'irascibilité de la reine, mais chacune de ses colères était un spectacle horrible.

Beira, qui avait pris la harpie dans ses bras, posa ses lèvres sur la bouche fripée d'Agatha et souffla. La victime essaya de s'échapper : ses mains s'appuyèrent sur l'épaule de la reine et s'agrippèrent à ses poignets.

Parfois, Beira se laissait fléchir, parfois non.

Ce jour-là, elle ne céda pas.

Agatha lutta, mais ce fut peine perdue. Seul un autre monarque aurait pu s'opposer à la Reine de l'Hiver.

– Eh bien voilà, murmura celle-ci tandis que le corps de la harpie, toujours dans ses bras, s'affaissait vers l'avant.

L'esprit d'Agatha, devenue une ombre fantomatique, se tordait les mains et pleurait en silence.

Beira passa sa langue sur ses lèvres.

– Je me sens beaucoup mieux.

Elle lâcha le corps de la harpie, qui s'écroula à terre. L'esprit de cette dernière s'agenouilla près de son corps sans vie. Des cristaux de glace s'échappèrent de la bouche ouverte du cadavre et s'écoulèrent sur ses joues creuses.

– Va-t'en, maintenant, lança Beira en chassant d'un geste l'ombre éplorée, comme elle aurait écarté un insecte de la main. Et toi, démène-toi un peu, ajouta-t-elle à l'attention de Donia. Ma patience a des limites.

Sans attendre de réponse, la Reine de l'Hiver s'éloigna. L'esprit d'Agatha la suivit ; à Donia maintenant de se débrouiller avec le cadavre.

La Fille de l'Hiver scruta Agatha – ou plutôt ce corps vide qui n'était plus Agatha. La glace avait fondu et une flaque se formait sous la chevelure de la harpie. *Ça aurait pu être moi. Ce sera peut-être moi un jour, si je déçois encore Beira.*

– Puis-je vous aider ?

L'homme-sorbier était tout près d'elle. Elle ne l'avait pas vu approcher, ce qui avait dû lui prendre quelques minutes. Elle leva les yeux vers lui. Avec sa peau d'un brun grisâtre et ses cheveux vert foncé, il se serait fondu dans les ténèbres qui s'épaississaient, s'il n'y avait eu ses yeux d'un rouge vif.

La nuit est tombée ? Déjà ? Depuis combien de temps suis-je plantée là ? Elle soupira. Il lui montra les autres gardes, restés à la lisière des arbres.

– On pourrait l'emporter avec nous. Le sol est humide et son enveloppe, une fois enfouie sous le terreau, disparaîtrait rapidement.

Donia ravala la nausée qui la menaçait.

– Keenan est-il déjà au courant ? chuchota-t-elle, embarrassée d'éprouver encore des inquiétudes à son sujet.

– Skelley est parti l'informer.

176

Donia hocha la tête. *Skelley ? Lequel est-ce ?* Elle essaya de reprendre ses esprits, de penser aux gardes. *Plutôt que de penser à Agatha.*

Skelley appartenait à la garde royale. Aussi frêle que les sœurs Scrimshaw, il était très doux. Lorsque Donia avait gelé certains de ses camarades, il les avait pleurés. Pourtant, il était resté à son poste et continuait de la surveiller en alternance avec les autres hommes-sorbiers, suivant les ordres de Keenan.

– Avez-vous besoin de renfort supplémentaire ? suggéra le garde, impassible. Sinon, laissez-nous nous rapprocher de la maison.

Autrefois, ce genre de proposition avait rendu Donia folle de rage. Il s'en souvenait certainement, et elle le savait.

Des larmes gelées coulèrent sur son visage et atterrirent dans la flaque. *Ce n'est pas Agatha que je pleure, bien que son cadavre soit là, à mes pieds. Serait-il aussi gentil avec moi s'il savait que c'est sur mon propre sort que je pleure ?*

Elle détourna les yeux et vit les autres gardes. Ils veillaient sur elle, disposés à la protéger alors qu'elle ne s'était jamais montrée aimable avec eux. *Ils me défendraient malgré tout puisque Keenan le veut.*

– Donia ?

Elle dévisagea l'homme-sorbier.

– C'est la première fois que tu prononces mon nom.

Il s'avança sur la véranda, accompagné par un doux bruissement de feuilles.

– Nous allons vous débarrasser de ce cadavre.

Sans le quitter du regard, Donia acquiesça.

Il fit signe à ses camarades d'approcher ; en un clin d'œil, la harpie disparut. Ne restait plus qu'une trace humide sur le plancher de la véranda.

Donia ferma les yeux, comme si cela pouvait suffire à effacer de son esprit les atrocités dont elle avait été témoin, et prit quelques profondes inspirations.

– Souhaitez-vous que je me poste plus près de la maison ? murmura l'homme-sorbier. Un seul garde près de vous... Si elle revenait...

– Comment t'appelles-tu ? demanda Donia, les yeux clos.

– Evan.

– Evan, chuchota-t-elle. Elle a l'intention de me tuer. Mais pas ce soir. Plus tard. Si je laisse la nouvelle fille s'emparer du bâton, elle me tuera. Je connaîtrai le même sort qu'Agatha, dit-elle en rouvrant les paupières et en soutenant le regard du garde. J'ai peur.

– Donia, je vous en prie...

– Inutile. Elle ne reviendra pas ce soir.

– Rien qu'un seul garde ? insista-t-il en s'avançant vers elle, comme s'il s'apprêtait à la prendre dans ses bras. Si quelqu'un vous faisait du mal...

– Keenan s'en remettrait. Il a une nouvelle fille sous la main. Elle lui cédera. Comme nous toutes avant elle.

Elle croisa les bras et se retourna pour rentrer chez elle.

– Je vais y réfléchir, ajouta-t-elle pourtant à voix basse. Demain, je trouverai comment faire.

Une fois à l'intérieur, elle appela Sasha et enfouit son visage dans la douce fourrure de l'animal.

En rentrant chez lui, Keenan était de très bonne humeur. Les gardes avaient déjà transmis la nouvelle à Niall et à Tavish, aussi ne fut-il pas surpris de les trouver tout sourire.

– Tu as presque battu un record, fit observer Tavish d'un air approbateur, tout en levant un verre rempli de vin d'été. Je te le dis : nulle inquiétude à avoir. Les mortelles sont faciles, surtout par les temps qui courent. Mets-la au pas et reprends les rênes du pouvoir.

– La mettre au pas ? s'exclama Niall en riant et en se servant lui aussi du vin. J'aimerais bien te voir dire ça à une mortelle !

Tavish, les sourcils froncés, porta la carafe dans le salon. Des perruches étaient perchées sur une branche d'arbre qui traversait en partie la pièce.

– Cela fait des siècles que je vis aux côtés des Filles de l'Été, qui ne sont pas si compliquées que ça. Elles ont été mortelles, pourtant.

Niall se tourna vers Tavish et lui parla lentement, comme si le vieux fé était un très jeune enfant.

– Une fois qu'elles deviennent des fées, elles perdent toute inhibition. Tu te rappelles Eliza, quand elle était mortelle ? Pas le moins du monde affectueuse, précisa-t-il en soupirant. À présent, elle est beaucoup plus réceptive...

– Aislinn est différente, l'interrompit Keenan. Elle est certainement celle que je cherche, je le sens.

Il était infiniment furieux à l'idée qu'Aislinn soit comparée à Eliza et qu'elle puisse rejoindre les Filles de l'Été et réchauffer le lit d'autres fés.

Les deux conseillers échangèrent un regard. Ils l'avaient déjà entendu prononcer ces mots, à plusieurs reprises, et Keenan en était conscient.

Elle l'est peut-être, différente. C'est une possibilité.

Il se laissa tomber sur le canapé et ferma les yeux. *Je déteste cette satanée situation.*

– Je vais prendre une douche. Ça va me remettre les idées en place, annonça-t-il.

– Repose-toi, lui suggéra Tavish avant de remplir son verre à ras bord et de le lui tendre d'un air solennel. Il se peut que ce soit elle. L'une d'elles le sera. Tôt ou tard.

– Oui, répondit Keenan en prenant le verre.

Et si ça n'est pas le cas, je vais passer l'éternité à reproduire les mêmes gestes et à répéter les mêmes mots.

– Envoie-moi deux filles, ajouta-t-il. Ça m'aidera à me détendre.

Deux heures plus tard, Keenan consultait l'horloge de sa chambre pour la troisième fois en moins de trente minutes. L'heure approchait. Ce serait la première fois que ses sujets les verraient ensemble, Aislinn et lui. La première fois qu'ils auraient l'occasion de le voir parler avec la fille qui deviendrait peut-être la Reine de l'Été. Celle grâce à qui tout allait peut-être changer. Il y en avait eu d'autres avant elles ? Peu importait. L'histoire se répétait et, avec elle, l'infime espoir de l'avoir enfin trouvée.

Niall s'appuya au chambranle de la porte.

– Keenan ?

Celui-ci examinait un pantalon gris. *Trop habillé.* Il se mit à fouiller dans son placard. *Un jean. Noir. Elle va aimer.* Il était plus simple de devenir ce qu'elles voulaient, de s'adapter à leurs goûts.

– J'ai besoin d'un jean noir, qui n'ait pas l'air neuf, mais pas trop délavé non plus.

– Très bien.

Niall transmit sa demande à l'une des Filles de l'Été. Quand elle eut quitté la pièce, il rejoignit son maître.

– Keenan ?

– Quoi ?

Il venait de trouver un tee-shirt qu'il ne se souvenait pas d'avoir déjà mis. Il sortit une chemise bleu foncé en soie tissée par les araignées du désert. *Plus joli.* Il voulait bien faire des compromis, mais il avait ses limites.

– Le mortel qu'Aislinn... reprit Niall.

– Il aura bientôt disparu de la scène.

Il se mit torse nu, enfila la chemise bleue. Puis il jeta un coup d'œil aux bijoux que les filles avaient apportés un peu plus tôt. Mieux valait avoir un cadeau sous la main si tout se déroulait comme il le souhaitait. Qu'elles soient mortelles ou fées, elles aimaient toutes ce genre de choses.

– Oui, j'en suis certain, mais en attendant...

Keenan trouva un minuscule cœur. *Très approprié.* Mais ne serait-ce pas trop personnel ? Trop rapide ? Il le mit de côté.

– À partir de ce soir, il sera occupé ailleurs.

– Comment ça ?

– J'ai demandé aux filles de lui trouver quelqu'un qui puisse le distraire. C'est un gêneur.

Sur ce, Keenan prit une broche dorée en forme de soleil. *Si Aislinn est vraiment l'Élue, cela aura du sens pour elle.* Il glissa le bijou dans sa poche. *Va pour la broche.*

16

« Ils transgressent les lois, commettent des Actes Injustes et des péchés… leurs Succubes rencontrent des Hommes, et cela est abominable. »
(*La République mystérieuse : Des elfes, faunes, fées et autres semblables* de Robert Kirk et Andrew Lang, 1893)

L'air absent, Seth remuait les pâtes dans la casserole. Il jeta un coup d'œil à Aislinn.

– Tu as envie de me dire ce qui te tracasse ?

Il n'ajouta rien d'autre. Il se contenta d'attendre patiemment, en silence. Depuis leur baiser et la conversation qui avait suivi, il avait tenu parole et attendait qu'elle se décide à aller plus loin.

Elle le rejoignit et le dévisagea, tout en se demandant comment elle allait lui parler de la fête foraine. Elle avait déjà essayé plusieurs fois depuis son arrivée mais n'y était pas parvenue. Cette fois, elle laissa échapper :

– J'ai rendez-vous avec Keenan ce soir.

– Tu sors avec le roi des fés ? demanda-t-il sans quitter la casserole du regard. Le type qui te suit depuis des jours ?

– Rien à voir avec un rendez-vous amoureux, répliqua-t-elle tout en songeant qu'elle avait très envie de toucher Seth. Il m'a proposé d'aller à une fête foraine...

– Il est dangereux, répondit Seth en braquant les yeux sur elle.

Elle lui prit la cuillère des mains et le tira doucement par le bras afin qu'il se tourne vers elle.

– Il faut que je sache ce qu'il me veut vraiment. Sinon, ma grand-mère va me priver du peu de liberté que j'ai encore. Il faut que je l'oblige à me laisser tranquille.

Seth avait dans les yeux la même lueur de panique qu'il avait eue quand il avait appris l'agression d'Aislinn dans le parc, par des *humains*. Pensif, il hocha lentement la tête, comme s'il essayait de comprendre les implications de ce qu'elle venait de lui dire.

– Il y a peut-être quelque chose à faire, poursuivit-elle, et je surprendrai peut-être des conversations...

Elle s'appuya contre lui. Elle avait besoin qu'il la réconforte, qu'il la soutienne. Elle avait peur, mais elle ne pouvait pas rester les bras croisés en attendant que quelqu'un vienne lui porter secours.

Il n'avait toujours pas répondu. Elle reprit d'une voix douce :

– Tu as une meilleure idée ?

– Non.

Il soupira, l'attira contre lui et la serra fort.

– Il a vraiment mal choisi son moment, ce type. Ça craint.

Elle choisit d'en rire plutôt que d'en pleurer.

L'eau des pâtes se mit à bouillir en sifflant et en éclaboussant tout. Elle entreprit de les remuer. Seth avait toujours les mains sur ses hanches.

– Après le repas, je consulterai certaines recettes pour préparer des onguents. Et comme ça, je pourrai les voir moi aussi.

– D'accord, dit-elle en le regardant par-dessus son épaule.

Il déposa un baiser rapide sur sa joue, tendre et doux. Cependant, sa remarque suivante n'eut rien d'agréable.

– Pousse-toi un peu de là.

– Quoi ?

– Tes talents culinaires font peine à voir, précisa-t-il en l'écartant.

Elle rit de bon cœur, contente qu'il la taquine de nouveau et que son rendez-vous avec Keenan ne gâche pas le peu de temps qui leur restait ce soir-là. Elle lui donna une tape légère sur le bras.

– Je suis capable de remuer les pâtes, ça ne demande pas de compétence particulière !

– Elles vont coller au fond de la casserole si tu t'obstines. Allez, pousse-toi.

Un sourire aux lèvres, elle alla ouvrir le petit frigo. Elle y découvrit un pack de bières artisanales – côté boisson, Seth ne se refusait rien. Cependant, il n'était pas partageur. Quand des amis venaient passer la soirée chez lui, ils se devaient de connaître sa devise : chacun apporte sa propre bière. *Ça coûte rien de lui demander.* Elle en sortit une du frigo.

– Je peux ?

– Tu ne tiens pas l'alcool, Ash, tu le sais, dit-il d'un ton soucieux. Tu ne préfères pas avoir les idées claires pour ce soir ?

Elle faillit lui avouer à quel point elle avait peur, mais se retint. Elle garda la bouteille à la main et referma le frigo.

– On partage ?

185

Le regard désapprobateur, il lui passa une assiette avec quelques tranches de pain.

– Tu sais où elle a lieu, cette fête foraine ?

– Près de la rivière, dit-elle en lui tendant la bouteille.

Il l'ouvrit, but une gorgée puis la lui rendit.

– Il y a des dizaines et des dizaines d'histoires d'enlèvements d'humains par les fés. Tu le sais ? Tu en es bien consciente ?

– Oui, je le sais.

Elle prit une gorgée de bière, le dévisagea, puis but de nouveau. Seth lui ôta la bouteille des mains.

– Mange quelque chose. Ensuite, on regardera ces recettes.

Il leva les yeux vers l'horloge et se remit à remuer les pâtes.

– Il faut que je puisse les voir. Si les choses tournent mal, je veux pouvoir te retrouver.

Après le dîner, Aislinn appela sa grand-mère et l'assura qu'elle était en lieu sûr.

– Je suis avec Seth. Je vais rester chez lui un bon moment...

Toutefois, la jeune fille ne lui dit pas qu'elle comptait sortir ensuite. Elle se sentait un peu coupable, mais la vieille dame s'inquiétait déjà beaucoup trop pour elle. Après avoir murmuré quelques paroles rassurantes, elle raccrocha.

Si seulement je pouvais passer la soirée ici. En prenant garde de ne pas déranger Boomer, elle s'allongea sur le canapé et ferma les yeux. Seth se pencha vers elle et l'embrassa sur le front. Il le faisait de plus en plus souvent, de petits gestes affectueux mais prudents, pour lui rappeler qu'il était là. Et puis il continuait de la taquiner et d'essayer de la séduire avec une intensité qu'elle trouvait grisante.

Et authentique. Rien à voir avec les ruses des fés. Seth est réel, lui. Elle ne lui avait pas demandé ce qu'il attendait d'elle, ne savait comment lui en parler, mais elle était presque certaine qu'il ne cherchait pas une simple aventure.

Elle ouvrit les yeux. Un instant, elle eut l'impression que sa peau scintillait. *Je suis simplement fatiguée.* Elle cligna des paupières. Seth s'installa à l'autre bout du canapé, prit les pieds d'Aislinn et les posa sur ses genoux. Puis il lui montra une liasse de documents.

– J'ai trouvé plusieurs recettes. Trois sortes d'infusions, deux baumes, quelques teintures ainsi qu'un cataplasme. Qu'en dis-tu ?

– Un cataplasme ? s'étonna-t-elle, se redressant pour se rapprocher de lui.

Sa main plongea dans la chevelure d'Aislinn. Il en tira une longue mèche qu'il se mit à enrouler autour de ses doigts.

– Une pâte que tu mets sur une blessure, un peu comme un steak sur un œil au beurre noir.

– Beurk...

Elle lui prit les papiers des mains et les parcourut du regard. *Seth joue avec mes cheveux.* Le bout de ses doigts effleurait sa nuque et elle se rendit compte qu'elle retenait son souffle.

Respire.

Elle expira lentement et tâcha de se concentrer sur les recettes. D'une certaine manière, la moindre chose prenait de l'importance quand elle pensait à la soirée à venir avec le fé.

– Cette préparation doit reposer trois jours avant de pouvoir être utilisée, fit-elle observer en montrant l'une des recettes à Seth.

– Oui, c'est le cas de certaines.

Il lui prit le document d'une main, tandis que de l'autre, il continuait à tracer des cercles sur la peau d'Aislinn.

– Les teintures doivent macérer entre sept et dix jours. J'en préparerai une ou deux ce soir quand tu seras partie. Simplement, je me demandais si tu reconnaissais l'une de ces recettes...

– Je suis née avec la Vue. Comme ma mère et ma grand-mère. C'est de famille... un truc dans les gènes.

– Je vois.

Il ne regardait plus les documents, mais la main d'Aislinn posée sur sa jambe. Il se leva brusquement et s'éloigna d'elle.

– Essayons de fabriquer un baume, ça m'a l'air assez rapide.

Elle le suivit jusqu'au plan de travail, où il avait préparé les herbes nécessaires, des bols, un couteau et un récipient en terre blanche avec un instrument assorti qui ressemblait à un bâton. Aislinn le prit entre ses mains.

– C'est un pilon. Regarde.

Il déposa des herbes à l'odeur bizarre dans le récipient et tendit la main. Elle lui donna l'instrument, en remarquant qu'il avait soudain instauré une certaine distance entre eux.

Il s'en servit pour broyer les herbes.

– Tu vois ? C'est du millepertuis. Continue et verse-le dans ce bol, dit-il en lui passant le pilon.

Ce qu'elle fit. Près d'elle, Seth remplit une casserole d'eau et la mit sur le feu, avant d'en sortir deux autres.

– À propos de l'autre jour, tu sais, nous deux... commença la jeune fille.

Plus inquiète qu'elle ne l'aurait pensé, elle lui jeta un coup d'œil. Elle voulait être sûre de ce que ce baiser signifiait pour lui, mais elle craignait de le blesser en le lui demandant.

– Ouais ?

Il ne semblait pas contrarié. Seulement nerveux lui aussi.

– Est-ce que tu... heu... tu as l'intention de me proposer de sortir avec toi ? Ou bien est-ce que c'était juste comme ça... ?

– Dis-moi ce que tu veux, toi.

Il lui prit le bol des mains et l'attira contre lui, hanche contre hanche.

– Une sortie au restau ? Au ciné ? Un week-end à la plage ?

– Un week-end ? Tu ne vas pas un peu vite en besogne ? s'étonna-t-elle en posant les mains sur son torse, histoire de conserver une légère distance avec lui.

– Non, pas aussi vite que je voudrais, dit-il en penchant son visage près du sien, si près que leurs lèvres se touchaient presque. Mais j'essaie d'être patient.

Sans réfléchir, elle mordilla la lèvre inférieure de Seth.

Ils s'embrassaient de nouveau, lentement, tendrement – un baiser plus exaltant encore que le premier. Entre le moment où elle lui avait parlé de la fête foraine et celui où elle lui avait demandé comment il voyait leur relation, tout avait basculé.

Les mains d'Aislinn trouvèrent le bas de la chemise du jeune homme, se glissèrent dessous, frôlèrent sa peau et les anneaux qui ornaient son torse. Toutes ses objections initiales s'étaient évaporées.

J'ai franchi la frontière qu'il ne fallait pas franchir, songea-t-elle. Une pensée qui faillit la faire rire.

– Seth ? T'es là ? lança soudain une voix.

La poignée de la porte bougea.

– Seth ! On sait que t'es chez toi, hurla Mitchell, un des ex de Leslie, avant de tambouriner sur la porte. Allez, ouvre !

– N'y fais pas attention, murmura Seth à l'oreille d'Aislinn. Il va peut-être partir.

La poignée s'agita de nouveau.

La jeune fille, tout étourdie, s'écarta légèrement de Seth.

– C'est probablement mieux comme ça, dit-elle. On n'a pas les idées très claires...

– Je ne pense qu'à ça depuis des mois, Ash... avoua-t-il en plaçant ses mains de chaque côté du visage d'Aislinn. Mais on arrête quand tu veux. C'est toi qui décides. Jamais je ne t'obligerai à quoi que ce soit.

– Je sais.

Elle rougit. Il était beaucoup plus facile de céder à la tentation que d'en parler. Si facile qu'elle en était la première surprise.

– Mais... je ne sais pas si on est allés trop loin ou pas...

Il la serra dans ses bras et lui caressa les cheveux.

– On va y aller doucement, d'accord ?

– D'accord, acquiesça-t-elle, en se sentant à la fois soulagée et déçue.

Mieux valait se montrer prudente. Pourtant, se laisser aller, perdre le contrôle et tout sens logique, ne plus réfléchir à ce qu'elle devait faire ou non... c'était tellement *tentant*, voire davantage.

– Quant à notre relation... commença-t-il. Je ne veux pas d'une simple aventure, tu sais.

Elle resta muette. Incapable de répondre.

– Ouvre cette satanée porte, Seth ! hurla Jimmy, qui devait accompagner Mitchell. Ça caille vraiment dehors !

Seth obligea Aislinn à relever la tête et à le regarder.

– Tu ne dis rien ? Tu m'inquiètes un peu, là... tu es sûre que ça va ?

Elle hocha la tête.

– Tu penses encore à fuir ?

Le cœur d'Aislinn battait à tout rompre. Elle rougit de nouveau.

– Non. Bien au contraire.

Il lui caressa la joue du bout des doigts, s'arrêta à la commissure des lèvres et la regarda fixement.

– Je ne te mets pas de pression.

Elle finit par poser la tête contre sa poitrine afin de cacher ce qu'il aurait pu lire sur son visage.

– J'ai besoin de réfléchir. Si on veut essayer de... d'être ensemble... je ne veux pas tout faire rater... ou que ça nous fiche en l'air.

– Pas de risque, ça marcherait... mais... on a tout notre temps. Je n'ai pas prévu de partir d'ici.

Les coups contre la porte redoublèrent et Seth finit par lâcher Aislinn. Il rajusta ses vêtements en lui tournant le dos. Puis il ouvrit brutalement la porte.

– Qu'est-ce que vous voulez ?

– Putain, mec, ça caille ! s'exclama Mitchell en entrant.

Jimmy, qui avait lui aussi quitté le lycée l'année précédente, se tenait sur le seuil. Trois filles qu'Aislinn ne connaissait pas les accompagnaient. Elle retourna vers le plan de travail et se remit à piler le millepertuis. Jimmy s'arrêta et la regarda avec un grand sourire.

– Hé, t'es là, Ash ? Salut !

Elle se contenta de lever le bol dans sa direction. Ses lèvres étaient douloureuses et elle avait l'impression d'avoir les cheveux en bataille. À l'évidence, les nouveaux arrivants avaient compris qu'ils avaient interrompu quelque chose. Il lui était plus simple de prêter attention au baume qu'à eux. Elle versa les herbes broyées dans un autre bol, en prit d'autres et recommença l'opération.

Jimmy donna un coup de coude à Seth.

– Tu as oublié ton règlement ? « Seulement les amis chez moi. »

– Ash est une amie, rétorqua Seth en le regardant avec animosité. Et c'est la seule pour qui la porte est toujours ouverte, ajouta-t-il.

Sans se départir de son sourire, Jimmy s'approcha d'elle et se pencha vers le bol qu'elle tenait.

– Ça m'a l'air intéressant. C'est quoi ce truc ? demanda-t-il en prenant l'autre bol rempli de millepertuis broyé, qu'il renifla. En tout cas, j'en ai jamais fumé.

Il était grande gueule. Et Mitchell, qui venait de poser un pack de bières sur le plan de travail, l'était plus encore, surtout depuis que Leslie avait crié sur tous les toits qu'il était un mauvais coup.

Les filles se contentaient d'observer Boomer le boa à une distance raisonnable. Toutes trois portaient des vêtements dans lesquels elles ne pouvaient manquer d'avoir froid dehors, même à l'automne – des jupes moulantes et des chemisiers décolletés. *Trois filles ?* Aislinn les regarda, puis jeta un coup d'œil à Jimmy. Celui-ci, qui grignotait le reste de pâtes, donnait l'impression d'être chez lui.

– Je croyais vous avoir demandé de me laisser seul pendant quelques jours... leur dit Seth en versant les herbes broyées dans l'eau bouillante, avant de mettre le minuteur en marche.

Ash, tu pourras me passer l'huile d'olive quand tu auras terminé ?

Elle acquiesça.

– Tu voulais qu'on te laisse tranquille, hein ? rétorqua Mitchell en souriant. Tu n'as pas l'air d'être tout seul, pourtant ?

– Nous étions seuls, avant votre arrivée, répliqua Seth en indiquant la porte du menton. Nous pourrions l'être de nouveau très vite...

– Pas question, dit Mitchell en ouvrant une cannette de bière.

Seth prit une profonde inspiration.

– Si vous pensez rester un moment, mettez au moins un peu de musique.

– En fait, intervint l'une des filles, qui avait enlacé Jimmy, on pensait que t'aurais envie de sortir.

Une autre fille, qui n'arrêtait pas de regarder Seth, s'écarta légèrement, et Aislinn entraperçut deux minuscules cornes qui pointaient dans ses cheveux et des ailes de cuir repliées derrière elle. *Comment a-t-elle pu entrer ici ?* Seuls les fés les plus coriaces pouvaient supporter d'être entourés d'autant d'acier. C'était l'une des règles qui avaient réconforté Aislinn des années durant.

La fille ailée avança lentement vers Seth, comme si chaque pas lui demandait une concentration extrême.

– On ne peut pas rester longtemps. Il paraît qu'un super groupe joue au *Crow's Nest* ce soir. Tu nous accompagnes ? demanda-t-elle au jeune homme avant de gratifier Aislinn d'un méchant sourire. Je t'inviterais bien toi aussi, mais ils sont très stricts, depuis la descente de police. Il faut avoir dix-huit ans, tu sais ?

193

Lentement, Aislinn posa le bol puis alla se placer devant Seth.

– Il n'est pas libre.

Seth plaça légèrement ses mains sur les hanches de la jeune fille, sans pourtant la retenir. Aislinn dévisagea la fée d'un air furieux et s'appuya contre lui. *Comment ose-t-elle venir ici ? Et qui l'envoie ?* L'idée que Seth puisse devenir vulnérable face à ces créatures la mettait dans une colère noire.

– Qu'est-ce qu'on s'amuse, fit observer Mitchell.

Jimmy approuva d'un signe de tête et s'assit, la casserole de pâtes froides dans une main, une fourchette dans l'autre.

– Je mise sur Aislinn.

La fée avançait toujours vers Seth. Aislinn tendit un bras vers elle.

– Vous feriez mieux de partir.

– Vraiment ? dit la fée en fronçant le nez.

– Oui, je ne plaisante pas.

Aislinn posa la main sur le poignet de la créature, sans le serrer. À ce contact, la Vue de la jeune fille s'intensifia. Elle la repoussa gentiment.

Le visage de la fée se crispa, elle trébucha et lança un regard étrange à Aislinn. Puis elle se ressaisit très vite et murmura :

– Un autre soir, dans ce cas.

– Non, rétorqua Seth en glissant ses bras autour de la taille d'Aislinn. Je suis très bien là où je suis et ne compte pas en bouger.

Jimmy et Mitchell échangèrent un sourire idiot.

– Mec, il faut que tu nous dévoiles tes secrets, lança Mitchell en se levant pour aller chercher sa bière.

194

Il jeta un bref coup d'œil à celle des fées qu'il s'était attribuée, et celle-ci le rejoignit aussitôt.

– Non pas qu'on ait des problèmes pour se faire... poursuivit-il.

Il s'éclaircit la gorge et la fée lui donna une petite tape sur le bras.

– Tout ce que je veux dire, c'est que ça marche toujours pour toi, reprit-il en désignant d'un signe de tête l'arrière du train, là où se trouvait la chambre de Seth. Ash ne dit quasiment jamais un mot. Et elle est prête à se battre pour toi.

La fée n'avait pas bougé. Lentement, elle passa la main sur son décolleté.

– Tu t'éclaterais, pourtant. Davantage qu'ici.

Aislinn s'écarta de Seth, s'empara du poignet de la fée et la tira jusqu'à la porte du wagon. Plutôt aisément. *La présence de l'acier a dû l'affaiblir.*

– Sors d'ici, ordonna-t-elle en ouvrant la porte et en la poussant dehors.

Les fés qui se tenaient à l'extérieur observaient la scène. La plupart gloussèrent joyeusement.

Il y avait de nouveau parmi eux cette fée revêtue d'un costume, et ses animaux en papier plié qui se déplaçaient comme s'ils avaient été vivants.

– Je te l'avais bien dit, Cerise, fit-elle en reprenant son ouvrage, ce genre d'approche ne fonctionne pas s'ils sont déjà amoureux.

Aislinn lâcha la fée.

– Ne t'approche plus de lui.

– Va pour ce soir, rétorqua la créature, dont les ailes s'ouvraient et se fermaient lentement, comme celles d'un

195

papillon au repos. Car franchement, je trouve qu'il mérite mieux, ajouta-t-elle en regardant vers l'intérieur du wagon.

Foutues fées, se dit Aislinn. Elle ouvrit la bouche, avec l'intention de répliquer différemment.

– Ça ne me dit rien du tout, lui lança Seth.

– Salope, dit une autre des filles en sortant du train d'un pas furieux, comme si elle avait été en droit d'être offensée. T'avais pas besoin de la mettre dehors comme ça. Elle draguait gentiment, c'est tout.

– Les mecs aiment pas les filles autoritaires, enchaîna la troisième. Ils préfèrent les vraies demoiselles.

Jimmy s'arrêta sur le seuil et afficha un air impassible.

– Ouais, je suis d'accord, ça n'a rien de vraiment excitant, lança-t-il avant d'éclater de rire. En tout cas, si t'en as marre de Seth...

– Tais-toi un peu, l'interrompit Mitchell en l'obligeant à sortir.

Invisibles aux yeux des autres, plusieurs fés détalèrent aussitôt. Aislinn referma la porte et s'y appuya. Seth était de nouveau occupé à touiller sa préparation, de plus en plus nauséabonde.

– Vu que tu n'es pas du genre à être jalouse, je suppose que cette fille était une fée.

– Oui, ailes y compris.

Elle le rejoignit, l'attira vers elle et l'embrassa.

– Mais il se peut que je sois plus jalouse que je le pensais...

– C'est pas un souci, répliqua le jeune homme en souriant, avant de poser sa cuillère. Je croyais que ces créatures étaient allergiques à l'acier.

– Elles le sont. Et c'est pour cette raison qu'elle voulait que tu quittes le train. Elle avait assez de force pour entrer ici, mais pas assez pour y rester. Elle avait aussi du mal à garder sa forme humaine. Je peux te demander quelque chose ?

– Tout ce que tu veux.

– Ne sors pas d'ici ce soir.

Aislinn prit une poignée d'herbes. Puis jeta un coup d'œil à la porte – une protection soudain bien précaire contre le nombre grandissant de fés qui se relayaient à l'extérieur du train.

– Je pourrais te demander la même chose, murmura Seth, en la serrant fort.

Elle ferma les yeux, appuya sa joue contre son torse.

– Il faut que j'aie des réponses à mes questions, sinon, ma grand-mère va me retirer du lycée. Je ne peux pas l'amadouer trop longtemps, et puis je n'ai pas envie de lui mentir en prétendant qu'ils me laissent tranquille.

– Et si je t'accompagnais... ?

– Si tu es là, il ne va pas vouloir me parler. Il doit croire que je lui fais confiance, ajouta-t-elle en l'embrassant. Et si ça ne marche pas, on essaiera autre chose.

Il paraissait inquiet, apeuré, un état dans lequel elle n'aimait pas le voir.

– Fais attention à toi, d'accord ? finit-il par lui dire.

– Je ferai de mon mieux...

Elle avait trop à perdre. Le lycée, les amis, Seth... Keenan allait forcément laisser échapper une information. Les fés allaient forcément parler de quelque chose qui l'aiderait à se débarrasser de lui. Il le fallait. Absolument.

17

« Une fois qu'ils vous ont enlevé et que vous avez goûté à leur nourriture… impossible de repartir. Vous êtes transformé et devez vivre
avec eux pour toujours. »
(*Les croyances féeriques dans les pays celtiques* de W.Y. Evans-Wentz, 1911)

Une demi-heure plus tard, Aislinn descendait la Sixième
Rue, à chaque pas plus inquiète. En repensant aux fées qui
étaient entrées chez Seth, elle se sentait encore plus mal. *Que
se serait-il passé si je n'avais pas été là ? Lui auraient-elles fait du
mal ?* Elle aurait préféré rester près de lui, ne pas aller retrouver Keenan, ne plus avoir à se soucier de cette situation désas-
treuse, mais elle avait besoin d'informations.

Le fé l'attendait à l'entrée de la fête foraine. Il avait l'air si
normal qu'elle eut du mal à se rappeler qu'il était l'un d'entre
eux. Et roi, de surcroît. Dès qu'il la vit, il s'approcha vivement
d'elle, comme s'il s'apprêtait à la prendre dans ses bras.

– Aislinn.

Elle recula d'un pas, l'esquivant aisément.

– Je suis tellement content de te voir, dit-il.

Ne sachant quoi répondre, elle haussa les épaules.

– Allons-y, d'accord ? suggéra-t-il en lui offrant son bras d'un air solennel, comme s'il s'agissait de lui proposer une danse.

– Bien sûr, répondit-elle en ignorant le bras tendu et le bref froncement de sourcil du fé.

Elle le suivit en direction d'un dédale de stands qui, apparemment, avaient surgi là du jour au lendemain. L'endroit grouillait d'une foule énorme ; de tous côtés, il y avait des familles et des couples qui jouaient à de nombreux jeux. La plupart d'entre eux buvaient des boissons épaisses et odorantes aux reflets dorés.

– Tu es tellement... commença Keenan en la fixant, un sourire inhumain aux lèvres... Je suis tellement honoré de t'avoir près de moi.

Aislinn acquiesça, comme si ces paroles lui paraissaient logiques – ce qui n'était pas le cas. *Quelle situation ridicule.* Ses commentaires trop enthousiastes la mettaient de plus en plus mal à l'aise.

Tout près, un groupe de filles essayaient de lancer de minuscules balles en plastique sur des plateaux de verre. Au-dessus d'eux, les lumières de la grande roue scintillaient. Les gens riaient et passaient devant eux en se blottissant les uns contre les autres. Puis Keenan lui prit la main et soudain, sa Vue devint si claire qu'elle réprima un cri. De toutes parts, les charmes revêtus par les fés s'estompaient. *Ce sont tous des fés...* Les forains qui tenaient les stands, les manèges ou les buvettes. *Bon sang !* Jamais elle n'avait vu autant de fés réunis dans un même lieu. Et partout où elle regardait, des fés lui souriaient d'un air heureux et bienveillant.

Pourquoi tant de fés se font-ils passer pour des humains ?

Quelques humains se promenaient, jouaient à des jeux truqués, montaient dans des manèges bringuebalants, mais les fés ne leur prêtaient aucune attention. Aislinn était la seule qu'ils regardaient.

Keenan salua de la main un groupe de fés qui venaient de l'appeler.

– De vieux amis à moi. Tu veux les rencontrer ?

– Non.

Elle se mordit la lèvre. De plus en plus oppressée, le regard errant alentour.

Keenan parut contrarié.

– Pas tout de suite, ajouta-t-elle en se forçant à sourire, et en espérant que sa nervosité passerait pour de la timidité.

Contrôle-toi. Elle prit une profonde inspiration et essaya de s'adresser à lui sur un ton amical.

– Je croyais qu'on allait apprendre à se connaître.

– Tu as raison, répondit-il en souriant, comme si elle venait de lui offrir un cadeau rare et précieux. Que veux-tu savoir ?

– Hum... parle-moi de ta famille.

– Je vis avec mes oncles, dit-il.

Ils croisèrent quelques fés qui, cachés sous un charme, auraient pu être des lycéens de Bishop O'Connell. Certains leur firent signe, mais aucun ne s'approcha. Tandis qu'il l'emmenait vers une rangée de stands, elle s'aperçut que la plupart de ces créatures s'écartaient sur le passage de Keenan.

– Tes oncles ? répéta-t-elle. Elle lâcha la main du fé et songea qu'elle avait peut-être commis une grossière erreur en venant.

– Oui, tu les as vus au lycée.

Des fés eux aussi. Comme tous ces gens qui m'entourent. La tête lui tournait.

– Et tes parents ? insista-t-elle.

– Mon père est mort avant ma naissance, répondit-il d'un air plus furieux qu'attristé, mais ce que je suis, c'est lui qui me l'a transmis.

Un fé peut donc mourir ? Elle ne savait que répondre à ces propos étranges. Elle se contenta de dire :

– Ma mère est morte elle aussi. En me mettant au monde.

– Désolé pour toi, répliqua-t-il en lui reprenant la main, qu'il serra affectueusement avant d'enlacer ses doigts aux siens. Je suis certain qu'elle était quelqu'un de bien. Et très mignonne, pour avoir une fille telle que toi.

– Je ne lui ressemble pas beaucoup, dit la jeune fille, la gorge nouée.

Elle n'avait que des photos de sa mère sur lesquelles cette dernière paraissait toujours hagarde, donnant l'impression qu'elle ne parvenait pas à supporter les choses qu'elle voyait. Sa grand-mère ne parlait jamais de l'époque qui avait précédé sa mort. Comme si ces derniers mois n'avaient jamais existé.

– Et ton père ? C'est quelqu'un de bien ? demanda-t-il.

Il s'immobilisa, sans lâcher la main d'Aislinn. De tous côtés, des fés les cernaient. Tout aurait pu sembler tellement normal, si ces derniers ne l'avaient pas dévisagée de leurs yeux aux formes étranges, des sourires bizarres aux lèvres. Mais plus rien n'était normal.

Elle se dirigea vers l'un des stands où l'on vendait ces boissons odorantes.

– Aislinn ?

Elle haussa les épaules.

Il lui était plus aisé de parler d'un père dont elle ne savait rien que d'une mère dont elle avait hérité la Vue.

– Qui sait ? Ma grand-mère ne l'a jamais connu et ma mère n'est plus là pour m'en parler.

– Au moins, il te reste ta grand-mère, fit-il observer en lui caressant la joue. Cela me fait plaisir de savoir que quelqu'un a pris soin de toi avec amour.

Elle s'apprêtait à répondre, quand elle aperçut, à quelques mètres d'elle, Menton-Pointu et six autres des fés qui aimaient fréquenter la salle de billard et qui y harcelaient les habitués. Ces fés, dont la seule présence l'avait souvent obligée à fuir l'endroit. La jeune fille se figea – des années de réactions instinctives supplantaient toute logique.

– Aislinn ? Qu'est-ce qui ne va pas ? s'inquiéta Keenan en se plaçant face à elle et lui bloquant la vue. T'ai-je offensée ?

– Non... c'est juste que... j'ai un peu froid, mentit-elle en lui décochant un sourire qu'elle espérait convaincant.

Il ôta sa veste et la posa gentiment sur les épaules de la jeune fille.

– Ça va mieux ?

– Oui.

Cette fois, elle n'avait pas menti. Et s'il avait été ce qu'il prétendait être, un garçon aimable et prévenant, elle s'en serait voulu d'être venue ici sous un faux prétexte. Mais il n'était rien de tout cela. Il n'était pas réel.

– Allez, marchons un peu. Il y a toujours des jeux intéressants ici.

Il lui reprit la main, ce qui intensifia de nouveau sa Vue. Près d'eux, une femme se tenait dans une pataugeoire.

– Trois flèches et c'est gagné ! lançait-elle à la cantonade.

Une tresse épaisse, pareille à une corde, lui arrivait sous le genou et son visage innocent ressemblait à celui des anges que

203

l'on voit dans les tableaux anciens, mais une étincelle menaçante luisait dans son regard. Si on omettait les jambes de bouc que l'on apercevait sous sa longue jupe, elle était splendide. Pourtant, personne ne s'approchait d'elle.

Tout près, une file d'attente de fés et d'humains s'était formée devant l'entrée d'une tente. Des visages qu'Aislinn connaissait se mélangeaient à des créatures dont elle n'aurait jamais soupçonné l'existence – des fés ailés ou à la peau couverte d'épines, ou encore habillés de toutes les façons possibles. Il y avait trop à assimiler. Elle s'immobilisa, accablée par leur nombre et leur diversité.

– Les diseuses de bonne aventure ont toujours beaucoup de succès, lui dit Keenan, qui souleva l'un des pans de la tente afin que la jeune fille puisse voir l'intérieur.

Elle découvrit trois femmes aux yeux blancs et chassieux. Derrière elles, se trouvait une rangée de statues, semblables à des gargouilles dépourvues d'ailes. Des créatures si musclées que c'en était terrifiant. Des créatures *vivantes*. Leurs yeux vifs, toujours en mouvement, semblaient chercher quelqu'un qui puisse répondre à des questions qui n'auraient pas été posées.

Les fés s'écartèrent et Keenan emmena Aislinn devant les trois femmes. Elle s'approcha d'une des statues. Celle-ci écarquilla les yeux, presque apeurée, alors qu'Aislinn s'apprêtait à la toucher. Aussitôt, l'une des femmes s'empara de la main de la jeune fille.

– Non.

Soudain, les trois diseuses de bonne aventure se mirent à parler en même temps. Elles ne s'adressaient ni à Aislinn ni à Keenan, mais discutaient entre elles et la jeune fille n'entendit que des murmures sifflants, puis : « Il est à nous. L'échange est équitable. Tu n'as pas à t'en mêler. »

Celle qui tenait la main d'Aislinn lui fit un clin d'œil.

– Alors, mes sœurs ? Qu'avons-nous à en dire ?

Aislinn essaya de dégager sa main, mais la femme la serrait trop fort.

– C'est donc toi, la nouvelle bien-aimée du jeune homme... dit celle-ci avant de dévisager Keenan de ses yeux apparemment aveugles.

Derrière eux, les fés essayaient de se rapprocher, se bousculaient et ne cessaient de bavarder. La vieille femme, dont les yeux étincelaient, parut transpercer Keenan du regard.

– Elle est différente des autres, mon cher. Spéciale.

– Je le savais déjà, mères, leur répondit-il en passant un bras autour de la taille d'Aislinn et en la serrant à moitié contre lui.

Comment ose-t-il ? Il n'a pas le droit. La jeune fille s'écarta de lui autant qu'elle put.

Les trois vieilles femmes soupirèrent d'une seule voix.

– Farouche, on dirait ?

– Veux-tu savoir ce qui la rend différente ? demanda celle qui tenait encore la main d'Aislinn. À quel point elle sera exceptionnelle ?

À ces mots, tous les fés se turent brusquement. Tous regardaient ouvertement Aislinn et les trois femmes, l'air à la fois joyeux et subjugué, comme si un terrible accident se déroulait sous leurs yeux.

– Non, rétorqua Aislinn en dégageant sa main et en attrapant le bras de Keenan.

Mais il ne bougea pas.

– Aussi exceptionnelle que dans mes rêves ? demanda-t-il aux vieilles aveugles d'une voix claire qui porta jusqu'aux fés qui se trouvaient à l'arrière.

– Tu n'en rencontras aucune d'aussi rare que celle-ci.

Les trois diseuses de bonne aventure hochèrent la tête d'un seul mouvement, donnant l'impression que leurs trois corps partageaient un seul esprit.

Tout sourire, Keenan leur lança une poignée de pièces en bronze qu'Aislinn n'avait jamais vues. Les trois vieilles les rattrapèrent toutes avec une surprenante habileté, leurs mains effectuant le même mouvement au même moment.

Il faut que je sorte d'ici. Tout de suite.

Mais Aislinn ne pouvait pas fuir. Si elle n'avait pas été dotée de la Vue, elle n'aurait eu aucune raison de réagir aussi vivement, car ces femmes, revêtues de leur charme, n'étaient pas plus étranges que la plupart des autres forains.

Ne dévoile pas ton don. Souviens-toi des règles.

Elle n'avait pas le droit de céder à la panique, même si son cœur battait à tout rompre, même si elle se sentait oppressée au point de pouvoir à peine respirer. *Ressaisis-toi. Concentre-toi.* Pourtant, il lui fallait quitter cet endroit, fuir ces créatures, retrouver Seth. *Jamais je n'aurais dû venir.* Elle avait l'impression d'avoir été piégée.

Elle s'éloigna des femmes et tira Keenan par le bras.

– Allons boire un verre. Viens.

Il l'attira contre lui et l'accompagna jusqu'à l'entrée de la tente, tandis que les fés les dévisageaient en murmurant.

– C'est elle, l'Élue.

– Tu as entendu ?

– Que tous en soient informés.

– Beira va être furieuse.

Au fil de la soirée, des fés que Keenan n'avait pas vus depuis des années arrivèrent à la fête foraine. *Il y a du monde, tant mieux. Malgré les harpies qui jouent les espionnes pour Beira.* Des émissaires venus d'autres cours féeriques étaient présents, certains pour la première fois depuis des siècles. *Ils sont au courant.*

Un des gardes chargés de surveiller la maison de Donia se dirigea vers lui et le salua.

– Keenan ?

Celui-ci refusa de répondre et fit tournoyer Aislinn afin de l'attirer contre lui et de la serrer nonchalamment dans ses bras. Un mouvement loin d'être gracieux, mais cependant efficace. Elle scintillait faiblement dans la pénombre. La lumière solaire de son corps en pleine métamorphose commençait à l'envahir. Parfois, ce changement survenait si vite que les jeunes mortelles devenaient soupçonneuses. Mais cette fois, il était logique que sa reine – il ne pouvait en être autrement désormais, c'était bien elle – se transforme très rapidement.

Derrière Aislinn, un homme-sorbier vêtu d'un charme humain arrêta le garde de Donia.

– Que se passe-t-il ? demanda Aislinn, qui avait tressailli.

Les yeux écarquillés, levés vers Keenan, elle entrouvrit les lèvres comme si elle attendait un baiser.

Il est trop tôt. Pourtant, il se rapprocha encore d'elle en la tenant dans ses bras, donnant l'impression qu'ils se trouvaient à un bal. *Nous en organiserons un, qu'elle prenne conscience de la splendeur de notre cour. Dès qu'elle aura accédé au trône.*

– Rien ne doit venir gâcher cette soirée, dit-il à Aislinn, tout en jetant un coup d'œil à l'homme-sorbier. La terre s'arrêterait de tourner cette nuit que je ne voudrais pas le savoir.

Il disait vrai. Il avait sa reine. Après des siècles de recherches, il l'avait enfin dans ses bras. Les trois Éolas l'avaient compris, à défaut de l'annoncer ouvertement.

– Danse avec moi, chuchota-t-il.

Elle secoua la tête avec dans le regard une expression qui s'apparentait à de la peur.

– Il n'y a pas de place pour danser. Ni de musique.

Il la fit tournoyer, tout en regrettant qu'elle ne porte pas de jupes adéquates – le mouvement de la soie et le bruissement des jupons lui manquaient.

– Mais si, regarde.

En effet, personne ne venait leur faire obstacle ou les bousculer. Au contraire, la foule déambulait autour d'eux et s'écartait pour leur laisser suffisamment d'espace afin qu'il puisse faire danser sa reine pour la première fois.

Au bord de la rivière, il aperçut ses fées de l'été (*nos fées, à présent*) se dévêtir de leur charme humain afin de se joindre à la danse. Bientôt, avec Aislinn à ses côtés, il pourrait les protéger et prendre soin d'elles comme il incombait à un véritable Roi de l'Été.

– Tu n'entends pas du tout la musique ?

Ils passèrent devant une foule de fés des marais qui n'avaient pas pris la peine d'ôter leur charme humain, ce qui ne les empêchait pas de danser. Leur corps marron scintillait d'une lumière qui se devinait sous la surface de leur peau, ce qui les faisait ressembler à des cousins des selkies, ces créatures marines mifemmes, mi-phoques. Plusieurs des Filles de l'Été tourbillonnaient sur place, pareilles à de minces derviches dont on ne distinguait plus que les chevelures et les jupes tournoyantes.

Une main dans le dos d'Aislinn et l'autre tenant sa petite main, Keenan la guidait dans la foule de fés invisibles qui dansaient autour d'eux.

– Les rires, le clapotis de l'eau, le léger bruit de la circulation, le bourdonnement des insectes, chantonna-t-il, la bouche collée à l'oreille de la jeune fille. Entends-tu tous ces sons, Aislinn ? Contente-toi de les écouter...

– Il faut que j'y aille.

Sa chevelure gifla le visage de Keenan, tandis qu'il continuait de la faire tournoyer d'avant en arrière, en la ramenant plus près de lui.

– Laisse-moi, lâcha-t-elle soudain d'une voix terrifiée.

Il s'arrêta.

– Danse avec moi, Aislinn. Il y a suffisamment de musique pour nous deux.

– Pourquoi ?

Elle était raide et immobile entre ses bras.

– Dis-moi pourquoi, insista-t-elle. Que veux-tu ?

– Toi. Je t'attends depuis toujours.

Il s'interrompit et observa la joie qui se lisait sur le visage des créatures de l'été, qui souffraient depuis tant de siècles de la toute-puissance de Beira.

– Accepte de danser avec moi ce soir. Et si cela est en mon pouvoir, je te donnerai ce que tu veux en échange.

– Ce que je veux ? répéta-t-elle, incrédule.

Après tant d'inquiétudes, de recherches, de moments de panique, il lui offrait un moyen de revenir à la normale, en échange d'une simple danse. N'était-ce pas soudain trop facile ? Une danse et elle pourrait enfin quitter ce lieu et ces créatures. Cependant, à en croire les histoires qu'elle connaissait, les fés proposaient souvent des échanges qui *les* avantageaient.

– Fais-en le serment, lui dit-elle.

Elle recula de plusieurs pas afin de pouvoir le regarder dans les yeux. Il eut un sourire éblouissant et la gorge d'Aislinn se serra. Cependant, elle refusa de céder.

– Jure-le devant tous ces témoins, reprit-elle en désignant la foule qui observait la scène.

La plupart étaient des fés, mais quelques humains étaient présents eux aussi, sans comprendre de quoi il retournait. Les fés, stupéfaits, murmuraient entre eux.

– Maligne, la petite...

– ... exiger un serment de la part d'un roi sans se douter de qui il est...

– Va-t-il accepter ?

– Elle fera une reine merveilleuse.

Keenan s'adressa alors à l'assemblée d'une voix forte :

– Devant tous ceux qui sont réunis ici, je t'en fais le serment, Aislinn : je t'offrirai tout ce que tu me demanderas, si cela est en mon pouvoir. Et à partir d'aujourd'hui, ajouta-t-il en mettant un genou à terre, tes souhaits seront aussi les miens aussi souvent que je le pourrai.

Les murmures de la foule s'amplifièrent et se superposèrent les uns aux autres, pareils à des chants discordants.

– Et si elle n'était pas l'Élue... ?

– Comment peut-il se montrer si stupide ?

– Pourtant, les Éolas l'ont prédit...

Toujours agenouillé, les bras écartés, Keenan inclina la tête pour saluer la jeune fille. Puis il se redressa et ses yeux scintillèrent dangereusement.

– Acceptes-tu de danser avec moi, à présent ?

Il lui suffisait de danser avec lui et de partager les festivités des fés pendant une unique soirée – puis elle lui demanderait de la laisser tranquille. Une telle récompense valait bien ce prix à payer, qui n'avait rien d'exorbitant. Jamais il ne saurait qui elle était vraiment, jamais il ne saurait qu'elle avait la Vue.

– J'accepte, répondit-elle.

Elle glissa sa main dans la sienne, si soulagée que la tête lui tournait presque. Bientôt, tout serait terminé.

La foule les acclama en riant, provoquant un tel vacarme qu'elle se mit à rire elle aussi. Peut-être ne se réjouissaient-ils pas pour les mêmes raisons, mais peu importait : leur allégresse s'accordait à la sienne.

Une des filles aux bras entourés de plantes grimpantes distribuait des verres en plastique remplis du breuvage doré que la plupart semblaient boire.

Aislinn en prit un et but d'abord une gorgée. *Quelle boisson surprenante...* un cocktail entêtant de choses qui n'auraient pas dû avoir de goût – du soleil en bouteille et du sucre filé, des après-midi paresseux et des couchers de soleil fondants, des brises chaudes et des promesses dangereuses. Elle l'avala d'une traite.

Keenan lui ôta le verre des mains.

– Puis-je avoir ma danse, à présent ?

Elle passa sa langue sur ses lèvres pour ne pas en perdre une goutte – *on dirait du bonbon tiède...* – et lui sourit. Bizarrement, elle se sentait mal assurée sur ses jambes.

– Avec plaisir.

Il la guida à travers la foule en la faisant tournoyer de toutes les manières possibles, l'entraînant dans des danses anciennes et modernes, passant d'une valse stylisée à des mouvements qui ne correspondaient à aucune chorégraphie particulière.

Au fond d'elle, plus ou moins consciemment, elle savait que quelque chose n'allait pas, mais tandis que Keenan continuait de la faire tourbillonner, elle ne parvenait pas à rassembler ses idées. Ils riaient, buvaient, dansaient tant et tant qu'au bout d'un moment, la jeune fille ne se soucia plus de savoir ce qui avait pu la tracasser.

– Assez, finit-elle par dire, à bout de souffle, la main posée sur le poignet de Keenan. Il faut que je m'arrête.

Il la prit dans ses bras et la souleva de terre, puis, sans la lâcher, s'assit dans un fauteuil à haut dossier, sur lequel étaient sculptés des soleils et des plantes entrelacées.

– Jamais il ne faut s'arrêter. Une simple pause suffit.

D'où vient ce fauteuil ? Tout autour d'eux, les fés dansaient et s'amusaient. *Je devrais y aller.* Quant aux humains, ils avaient tous quitté les lieux. Même les filles-squelettes dansaient – Aislinn reconnut les sœurs Scrimshaw. Des Filles de l'Été passaient en bandes devant eux en tournant sur elles-mêmes, trop vite pour qu'on puisse les confondre avec des mortelles.

– J'ai encore soif.

Assise sur les genoux de Keenan, le souffle court, Aislinn appuya sa tête contre son épaule. Plus elle s'efforçait de comprendre ce qui la mettait mal à l'aise par instants, moins elle y parvenait.

– Qu'on nous apporte du vin d'été ! lança le fé en riant. Ma Dame veut du vin et c'est du vin qu'elle aura !

Plusieurs jeunes garçons-lions se bousculèrent pour leur tendre de larges gobelets. Aislinn en attrapa un et le fit tourner entre ses mains. De délicates volutes y étaient gravées, encadrant l'image d'un couple en train de danser sous un soleil lumineux. Des spirales aux couleurs changeantes se formaient à la surface du vin, comme si un minuscule soleil se levait à l'intérieur du gobelet.

– Où sont passés les verres en plastique ? s'étonna Aislinn.

Keenan embrassa ses cheveux et se mit à rire.

– Rien n'est trop beau pour une belle demoiselle.

La jeune fille haussa les épaules et vida le contenu du gobelet. Un bras autour de sa taille et une main dans son dos, Keenan la fit basculer vers l'arrière.

– Un autre tour dans la fête foraine ? suggéra-t-il.

Ses cheveux effleurant l'herbe humide de rosée, elle leva les yeux vers le roi qui la tenait dans ses bras et se demanda pourquoi elle s'amusait autant.

– Danse avec moi, mon amour, murmura-t-il en l'aidant à se redresser.

Elle avait mal aux jambes, elle avait le tournis. Et pourtant, jamais elle ne s'était autant amusée.

– Bien sûr !

De tous côtés, les fés riaient et dansaient gracieusement, frénétiquement ou prenaient parfois des pauses choquantes. Plus tôt dans la soirée, tous avaient paru calmes et posés, comme des personnages de vieux films en noir et blanc. Mais à mesure que la nuit avançait, l'atmosphère avait changé. *Depuis que les humains sont partis.*

Keenan resserra son étreinte et l'embrassa dans le cou.

– Je pourrais passer l'éternité ainsi.

– Non... protesta-t-elle en le repoussant. Non, pas de baisers...

Soudain, elle se retrouva en train de danser de nouveau. Devant les yeux de la jeune fille, le monde défilait, d'étranges visages flous perdus dans un nuage de musique. Les sentiers couverts de sciure étaient dissimulés dans la pénombre et les lumières des manèges s'étaient éteintes. Mais l'aube pointait. *Depuis combien de temps dansons-nous ?*

– J'ai besoin de m'asseoir. Sans rire.

– Tes désirs sont des ordres.

Keenan la souleva de nouveau dans ses bras, ce qui, après plusieurs verres, ne lui paraissait plus du tout étrange. Un des fés dont la peau ressemblait à de l'écorce étala une couverture au bord de l'eau. Un autre apporta un panier à pique-nique.

– Bonjour, Keenan. Mademoiselle.

Puis, après les avoir salués, ils s'éloignèrent. Keenan ouvrit le panier et en sortit une autre bouteille de vin, du fromage et de petits fruits qu'elle ne connaissait pas.

– Notre premier petit déjeuner, annonça le fé.

Rien à voir avec ce qu'ils vendaient à la fête foraine. *Oups... non, à la fête des fés.* Elle gloussa puis leva les yeux. Derrière eux, il ne restait plus rien des manèges ni des stands et tous les autres fés avaient disparu, comme s'ils n'avaient jamais été là. Keenan et elle étaient seuls.

– Où est passé tout le monde ?

Keenan leva vers elle son gobelet rempli de vin de l'été, pareil à du soleil liquide.

– Il n'y a que toi et moi. Plus tard, quand tu te seras reposée, nous parlerons. Ensuite, nous pouvons danser tous les soirs si tu le désires, ou voyager. Tout va changer désormais.

Même les fés qui rôdaient toujours près de la rivière s'étaient absentés. Ils étaient vraiment seuls.

– Je peux te poser une question ?

– Bien entendu, répondit-il en approchant un morceau de fruit des lèvres d'Aislinn. Vas-y, mords dedans.

La jeune fille se pencha en avant et manqua de vaciller, mais elle ne mordit pas dans le fruit étrange.

– Pourquoi est-ce que tous les autres fés ne scintillent pas comme toi ? chuchota-t-elle.

Keenan baissa la main.

– Tous les autres *quoi* ?

– Les fés, répéta-t-elle en agitant la main autour d'eux, pour vite se rappeler qu'il n'y avait plus personne.

Elle ferma les yeux, dans l'espoir que tout s'arrêterait de tourner follement autour d'elle.

– Tu sais bien, ces créatures féeriques, comme celles qui ont dansé avec nous toute la nuit, comme toi et Donia.

– Des créatures féeriques ? murmura-t-il.

Ses cheveux cuivrés étincelaient dans la lumière qui envahissait lentement le ciel.

– Ouais, dit-elle en s'allongeant sur le sol. Comme toi.

Elle crut l'entendre répondre : « Et bientôt, comme toi... », mais elle n'en était pas sûre. Tout était de plus en plus flou.

Il se pencha au-dessus d'elle. Ses lèvres effleurèrent les siennes. Elles avaient un goût sucré, ensoleillé. Ses cheveux tombèrent sur le visage de la jeune fille.

Qu'ils sont doux. Rien à voir avec du métal.

Elle voulait lui dire d'arrêter. Lui dire qu'elle se sentait tout étourdie. Mais avant qu'elle puisse prononcer un mot, elle sombra dans les ténèbres.

18

« Ils ne sont pas sujets à de douloureuses Maladies, mais s'affaiblissent et déclinent à une certaine Période... Certains racontent que leur tristesse continuelle est due à cet état précaire. »
(*La République mystérieuse : Des elfes, faunes, fées et autres semblables* de Robert Kirk et Andrew Lang, 1893)

Tôt le lendemain matin, Donia se réveilla sur le sol, le corps de Sasha allongé entre elle et la porte d'entrée. Personne n'était venu lui apporter de message de la part de Keenan. Aucun garde n'était venu frapper chez elle.

– M'a-t-il abandonnée ? chuchota-t-elle à Sasha.

Le loup aplatit ses oreilles vers l'arrière et gémit.

– Pour une fois que sa présence serait la bienvenue, il n'est pas là.

Elle ne pleurerait cependant pas. Surtout pour lui. Elle l'avait assez fait des années durant. Elle pensait qu'il aurait entendu parler de la mort d'Agatha et qu'il serait venu afin de l'obliger à accepter son aide. Elle s'y serait opposée, mais cela aurait été plus simple que ce qui lui restait à faire.

– Viens, Sasha, dit-elle en ouvrant la porte.

Elle fit signe à Evan d'approcher. *Lui, au moins, est ici.*

L'homme-sorbier la rejoignit mais s'arrêta sur la pelouse flétrie, devant la véranda, afin de garder une distance respectueuse entre eux.

– Entre, lui dit alors Donia.

Elle n'attendit pas de voir s'il la suivait. L'idée d'inviter chez elle un des gardes de Keenan la déstabilisait – même s'il s'agissait d'Evan, qui veillait sur elle depuis quelques décennies. Elle lui désigna le siège le plus éloigné du sien.

– A-t-on informé Keenan de la mort d'Agatha ?

– Il était sorti quand Skelley est arrivé au loft. Un autre garde est allé le chercher à la fête foraine, précisa Evan, avant de s'éclaircir la gorge, non par embarras car son regard n'avait pas perdu de sa témérité. Le roi était préoccupé par la nouvelle reine.

C'est donc elle. Beira allait être furieuse et sa violence était à craindre. Cela faisait longtemps que Donia n'avait pas eu à redouter quoi que ce soit. Entre Keenan et Beira, elle était choyée, plus en sécurité que n'importe qui d'autre, fé ou mortel.

– Permettez à quelques gardes de se poster plus près de la maison... et autorisez-moi à rester près de vous, ajouta Evan en s'agenouillant devant elle.

Il était rare qu'un des gardes offre une telle marque de respect à quiconque, à l'exception de Keenan.

– Très bien, murmura-t-elle.

Elle ignora la stupeur que son regard exprima l'espace d'un instant, et l'irritation qu'elle en éprouva. *Je sais parfois me montrer raisonnable.* Puis elle prononça un ordre qu'elle n'avait encore jamais donné à l'un des gardes du Roi de l'Été :

– Va dire à Keenan que je veux le voir. Tout de suite.

Skelley ne fut pas long à faire venir Keenan – et Donia n'eut pas assez de temps pour se préparer à la douleur de le voir chez elle. Quand Evan le fit entrer, elle resta blottie dans son fauteuil à bascule, les bras serrés autour de sa poitrine, les pieds ramenés sous elle.

Avant même qu'Evan eut refermé la porte derrière lui, Keenan avait déjà traversé la pièce pour la rejoindre. Sasha se rapprocha et s'appuya contre Donia pour essayer de l'apaiser. L'air absent, elle lui caressa la tête.

– Je me demandais si tu allais venir, commença-t-elle en dévisageant Keenan.

Comme s'il avait voulu imiter Sasha, Keenan se jeta à genoux devant elle.

– Cela fait des années et des années que j'attends que tu veuilles bien de moi près de toi, Donia... des années que je te supplie d'accepter ma présence.

– C'était avant qu'elle arrive.

Réaction stupide, se dit-elle. Pourtant, elle voulait vraiment qu'Aislinn prenne le bâton de la Reine de l'Hiver, mais cela ne l'empêchait pas d'être jalouse. Aislinn était *l'Élue*. C'était avec elle que Keenan allait passer l'éternité.

– Les choses sont différentes à présent, ajouta-t-elle d'une voix qu'elle aurait voulue neutre, sans pouvoir malgré tout cacher son émotion.

– Tu sais que je viendrai toujours te voir quand tu le souhaiteras. Combien de fois te l'ai-je répété ? murmura-t-il dans un souffle tiède et estival. Cela ne changera pas. Jamais.

Elle tendit la main et la posa contre ses lèvres avant qu'il puisse en dire davantage. Une mince couche de givre commença à se former à l'endroit où elle le touchait, mais il ne se plaignit pas.

Jamais il ne se plaint.

Elle ne retira pas sa main, alors que son souffle la brûlait.

– J'ai appris ce qui s'est passé à la fête foraine, j'ai appris qu'elle était l'Élue.

Quand Evan le lui avait annoncé, elle avait failli pleurer en s'imaginant vivre à jamais dans la souffrance et la solitude, en les regardant danser et rire. *À moins que Beira ne me tue.*

– Donia...

Les lèvres de Keenan effleurèrent ses doigts, un contact à la fois tendre et douloureux – à l'image des mots qu'il lui dirait si elle ne l'en empêchait pas.

Quand il n'y avait aucun témoin, il s'autorisait à redevenir celui qu'il avait été avant qu'elle apprenne qu'il était roi – celui dont elle était tombée amoureuse. Voilà pourquoi elle évitait de se retrouver seule avec lui.

– Non... protesta-t-elle.

Elle ne voulait pas de sa tendresse, pas maintenant. Elle avait besoin qu'il se comporte en Roi de l'Été et qu'il mette de côté celui qu'il aurait pu être s'il n'avait pas été de sang royal. Elle le voulait arrogant et sûr de lui, capable d'agir comme il le fallait.

Le souffle estival de Keenan faisait fondre le givre qui s'était déposé sur ses lèvres et une volute de vapeur montait entre eux. Parfois, dans le plus grand des secrets, Donia se demandait ce qui arriverait si sa froideur à elle et sa chaleur à lui se mêlaient brutalement – s'ils se touchaient comme par le passé, durant les quelques semaines qui avaient précédé la cérémonie du bâton, quand il lui avait fait croire qu'il était humain. Que se passerait-il ? Se liquéfierait-elle, s'enflamme-rait-elle ?

Elle frissonna à cette idée et sentit le froid monter en elle tandis que ses émotions s'emballaient, rageuses, pareilles à un blizzard. Il lui fallait recouvrer son calme avant qu'elle laisse échapper ce froid atroce.

– Beira était là hier soir. Tu dois te tenir informé de ses agissements.

Il hocha la tête et l'écouta, l'air las, raconter presque tout – les visites et les menaces de la Reine de l'Hiver, l'agression dont avait été victime Aislinn, la mort d'Agatha. Elle ne parla pas des recherches de Seth, craignant de mettre le mortel en danger. Cependant, elle ne cacha rien d'autre à Keenan ; cela faisait longtemps qu'elle ne s'était pas montrée aussi franche avec lui. Quand elle eut terminé, il la fixa en silence, tout en s'efforçant de réfréner une colère qu'il libérait rarement.

Elle serra les poings, si fort que de petits glaçons se formèrent au bout de ses ongles. Le plus difficile était encore à venir.

– Partons d'ici, finit-il par dire.

Il jeta un coup d'œil à Sasha puis aux petits objets et autres souvenirs offerts par les précédentes Filles de l'Hiver.

– Les gardes t'apporteront tes affaires. On transformera le bureau en chambre et...

– Keenan, le coupa-t-elle avant de devoir céder à la tentation.

Il fallait qu'il fasse le tri dans son esprit – s'il y parvenait, il saurait exactement quoi faire. C'était à cela qu'elle devait veiller. Elle ouvrit les mains. Des glaçons tombèrent à ses pieds.

– Je n'irai nulle part.

– Tu ne peux pas rester ici. S'il t'arrivait quelque chose... dit-il en posant le front sur les genoux de Donia. Je t'en prie, viens avec moi.

Où est le Roi de l'Été ? Ce n'est pas le souverain qui est en train de me supplier... Elle ne bougea pas. La peau de Keenan brûlait, la sienne gelait, mais elle resta immobile.

– C'est impossible. Ma place n'est pas près de toi. Je ne suis pas celle que tu cherches.

Il leva les yeux vers elle. Une vilaine plaie se formait sur son front, là où sa peau avait été en contact avec le genou de Donia.

– Bientôt, je serai assez puissant pour l'empêcher de nuire. Viens vivre chez moi jusqu'à ce que tout soit réglé.

– Et que me fera-t-elle subir le jour où je devrai rentrer chez moi ?

– Je serai assez fort pour la combattre.

L'insistance de Keenan était presque effrayante. Ses yeux s'étaient assombris, virant à ce vert irréel dont elle rêvait encore. Si Donia les fixait trop longtemps, elle y verrait des fleurs s'épanouir – un avant-goût de ce qu'il deviendrait une fois que la nouvelle reine l'aurait libéré du joug de Beira. Elle ne parvenait pas à détacher ses yeux des siens.

– Reste avec moi, je te protégerai, chuchota-t-il.

– Tu en es incapable.

Elle aurait aimé qu'il puisse, mais c'était impossible. Elle n'avait rien à gagner, contrairement à lui.

– Je veux que tu l'emportes. Je l'ai toujours voulu. Mais mon rôle est de convaincre Aislinn qu'elle ne doit pas te croire. Ce sont les règles. Comme toi, j'ai donné ma parole en prenant le bâton.

Il posa les mains de chaque côté de Donia. Le bout de ses doigts brûlait sa peau à travers ses vêtements.

– Même si cela permet à Beira de gagner ? Même si elle te tue ? Faisons alliance, combattons-la ensemble.

Elle secoua la tête. Malgré son grand âge, il pouvait encore se montrer intrépide. La plupart du temps, cela la rendait furieuse. Ce jour-là, elle en fut simplement attristée.

– Si elle l'emporte, elle ne me tuera pas. Je ne mourrai que si tu sors victorieux.

– Dans ce cas, pourquoi me le dire ? Il faut que je l'emporte.

Le visage blême, Keenan paraissait faible et mal en point, comme si des piques d'acier l'avaient transpercé. Il s'éloigna d'elle et s'accroupit sur le sol, la tête penchée en avant.

– Si tu parviens à convaincre Aislinn, tu signes ma perte, reprit-il d'une voix brisée. Si tu échoues, tu mourras. Que faire ?

– Souhaite que j'échoue, suggéra-t-elle doucement.

– Impossible.

Elle se leva et s'approcha de lui.

– Beira me terrifie. Mais j'espère sincèrement qu'Aislinn est celle que tu cherches. Pour toi, et pour elle.

– Cela ne résoudra rien, puisque tu ne seras plus qu'une ombre.

Où est le Roi de l'Été ? Elle soupira et l'observa lutter entre ses désirs et son destin, inévitable. *Certains rêves ne deviennent pas réalité.* Elle aurait pu se montrer cruelle à son égard, mais cela n'aurait pas facilité les choses. Elle se pencha au-dessus de Keenan, tout en retenant sa chevelure pour qu'elle ne retombe pas sur lui.

– Si, cela résoudra bien des problèmes.

– Non...

– Débrouille-toi pour que je perde, Keenan. Persuade Aislinn que tu en vaux la peine. Ce qui est la stricte vérité, ajouta-t-elle en l'embrassant sur la joue.

Elle n'avait pas eu trop de mal à le lui dire – car elle savait que Beira la tuerait. Ainsi, elle ne serait pas obligée de passer l'éternité près de Keenan, qu'elle aimait encore.

– Je ne peux pas...

Elle posa une main contre sa bouche.

– Fais de ton mieux pour la persuader.

Elle retira sa main puis l'embrassa, les lèvres bien serrées pour éviter que son souffle glacial ne pénètre en lui.

– Ensuite, tue Beira.

19

« Les fés ont une nature en partie humaine et en partie spirituelle…
Certains sont bienfaisants… D'autres malfaisants… ceux-ci enlè-
vent des adultes et portent malchance. »
(*Le Folklore de l'île de Man* d'A.W. Moore, 1891)

La visite à Donia avait bouleversé Keenan. Il erra sans but
dans la ville en espérant trouver une réponse à son dilemme.
En pure perte. À moins qu'Aislinn ne soit vraiment sa reine –
à condition qu'il puisse la convaincre et qu'elle accepte de lui
faire confiance – il ne pourrait rien faire : il était trop faible
pour affronter Beira.

Si seulement… Il sourit, à l'idée de pouvoir arrêter Beira,
peut-être à temps pour sauver Donia. Il ne leur restait que
cette solution. Car le mince filet d'été qu'il réussissait à engen-
drer ne serait jamais assez puissant pour vaincre Beira.

Les yeux fermés, il appuya sa tête contre un chêne. *Respire.*
Rien d'autre. Aislinn était différente. Peut-être serait-elle l'Élue.
Ou pas.

En réalité, la proclamation des Éolas, que ses sujets avaient comprise comme une prédiction révélant qu'Aislinn était la nouvelle Reine de l'Été, pouvait signifier autre chose : les vieilles femmes avaient peut-être simplement voulu dire que la jeune mortelle était dotée de la Vue.

Il se dirigeait vers la partie la plus boisée de la ville quand il entendit les harpies de Beira approcher. Elles le suivirent jusqu'au bord de la rivière en se tenant à distance respectueuse. Là, il s'assit par terre, les pieds dans l'herbe, le soleil dans le dos. Et attendit.

Mieux vaut la voir ici que chez moi.

La dernière fois qu'elle lui avait rendu visite, Beira avait gelé autant de ses oiseaux qu'elle avait pu quand il s'était absenté de la pièce. Il les avait retrouvés morts sur le sol ou sur les branches, horribles décorations suspendues au bout de glaçons. Une autre fois, les Filles de l'Été ou ses gardes pourraient pâtir de la mauvaise humeur de la reine, s'il ne parvenait pas à l'arrêter à temps.

Beira se tenait à l'ombre d'un auvent aux couleurs criardes, que tenaient plusieurs gardes presque nus – des hommes-aubépines et un troll à la peau luisante, qui tous arboraient des bleus et des plaies récentes.

– Eh bien ? On ne m'embrasse pas ? lança Beira, la main tendue vers son fils. Viens ici, mon chéri.

Keenan, sans prendre la peine de se lever, se contenta de lui jeter un coup d'œil.

– Je reste où je suis. J'aime la chaleur sur ma peau.

Elle fronça le nez et eut une petite moue de dégoût.

– Quelle vilaine chose, la lumière du soleil.

Il haussa les épaules. Après sa visite à Donia et vu les doutes qui le taraudaient à propos d'Aislinn, il se serait bien passé de cette conversation avec Beira.

– Sais-tu qu'il existe maintenant des vêtements qui bloquent les rayons du soleil ? fit-elle observer en prenant place dans un fauteuil d'un blanc aveuglant que les harpies lui avaient apporté. Décidément, les mortels sont de drôles de bêtes.

– Quel est le but de cette rencontre, Beira ?

Sa présence lui avait toujours été déplaisante, mais depuis qu'il savait qu'elle avait menacé Donia, feindre la politesse exigeait de lui beaucoup plus d'efforts que d'ordinaire.

– T'est-il si difficile de penser que je voulais simplement te voir ? Bavarder avec toi ?

Sans regarder derrière elle, elle tendit une main ; aussitôt, une esprit des bois affublée d'un collier déposa un breuvage glacé entre ses doigts écartés.

– Tes visites se font si rares, ajouta-t-elle.

Keenan s'allongea sur l'herbe et prit plaisir à sentir la force et la chaleur que la terre transmettait à son corps.

– Peut-être parce que tu es vicieuse et cruelle ?

Elle écarta sa remarque d'un geste de la main.

– Toi et moi, c'est bonnet blanc et blanc bonnet... où est la différence ?

– Je suis intègre et toi sournoise.

– Oh, l'intégrité est une notion tellement subjective, tu sais, répondit-elle tout en sirotant sa boisson. Puis-je te proposer un rafraîchissement, mon chéri ?

– Non.

Il fit courir sa main sur le sol afin d'offrir sa chaleur aux bulbes au repos. De petites pousses fleuries sortirent précipitamment de terre et des germes délicats jaillirent entre ses doigts ouverts.

– J'ai entendu dire que la nouvelle Fille de l'Été et toi avez pris plusieurs rafraîchissements ensemble, et que la pauvre petite en était tout étourdie. Tsss... ajouta-t-elle avec un regard sévère. Ne t'ai-je pas appris à te conduire correctement ? La faire boire, ce petit ange, pour l'obliger à *tu sais quoi*...

– Ce n'est pas ainsi que ça s'est passé, rétorqua-t-il d'un ton sec. Aislinn et moi avons dansé et fêté sa vie future. Rien à voir avec une tentative de séduction.

Elle se leva et quitta l'ombre de son auvent, forçant les gardes à trottiner à sa hauteur pour le maintenir en place au-dessus d'elle pendant qu'elle se déplaçait. S'ils ne remplissaient pas bien leur tâche, ils savaient qu'ils seraient châtiés, que ce soit ou non leur faute.

Quand l'auvent vint lui dérober la chaleur du soleil, si réconfortante, Keenan fut partagé – devait-il prendre son mal en patience ou simplement mettre le feu à l'auvent ? Il se redressa et se plaça face à sa mère.

– Si tu veux mon opinion, et le sage jugement d'une mère, elle n'en vaut pas la peine.

Elle jeta un coup d'œil aux fleurs qui entouraient Keenan et toutes gelèrent instantanément. Elle s'avança et les piétina sous sa botte crissante.

– La pauvre Don... euh, Déborah n'aura certainement aucun mal à convaincre cette jeune fille de te repousser. J'espère que tu ne lui as pas demandé un traitement de faveur pour cette mortelle ?

– C'est Aislinn qui choisira. Soit elle prendra le bâton, soit elle le refusera.

Il aurait voulu lui dire que menacer Donia, dont elle ne cessait d'écorcher le prénom, n'y changerait rien – impossible.

– J'ai vu Donia, poursuivit-il, ce que tu sais déjà, à l'évidence, et je lui ai parlé de la prédiction des Éolas.

Les yeux écarquillés, Beira joua l'étonnée.

– Ah ? Quelle prédiction ?

– Elles disent qu'Aislinn est spéciale.

– Elle l'est, bien sûr, mon chou. Elles le sont *toutes*. Du moins les premières nuits. Ensuite, ajouta-t-elle en dévisageant une esprit des bois qui tremblait de peur, la nouveauté perd de son attrait, tu comprends ?

Il se força à rire.

– Pauvre Delilah. Je conçois son amertume. Il n'y a pas si longtemps, c'était elle qui dansait avec toi, dit Beira en oscillant lentement, donnant l'impression de valser avec un partenaire invisible, gracieuse et élégante malgré tout. Les mortels sont des créatures si fragiles... Des sentimentaux et des tendres, et ce ne sont pas leurs délicates coquilles qui peuvent les protéger du danger. Ils sont si faciles à briser.

Le cœur de Keenan s'emballa. Les règles empêchaient Beira d'entrer en contact avec Aislinn et, jusqu'à présent, la Reine de l'Hiver n'avait jamais enfreint ces lois – du moins à sa connaissance. Pourtant, elle en transgressait déjà d'autres.

– Que veux-tu dire ?

– Rien, chéri.

Elle lui fit une courbette, sortit un éventail et se mit à l'agiter devant son visage, profitant du geste pour envoyer de l'air froid vers son fils.

– Simplement, je me demande si tu ne devrais pas choisir une autre fille et laisser celle-ci rejoindre celles que tu as déjà repoussées. Je pourrais même partir en chasse avec toi. On passerait prendre Delia, ce serait l'occasion de forger des liens plus affectueux entre nous.

Toute l'amertume qu'il éprouvait transparut dans sa voix :

– En tout cas, vu la vitesse à laquelle la santé de Donia se détériore, ce pourrait devenir nécessaire. Hormis une danse d'ivrognes, je n'ai encore rien obtenu.

– Il y aura d'autres filles, mon chéri, soupira Beira, alors que ses yeux glaçants scintillaient, signe évident qu'elle était ravie.

Mais aucune de ces filles n'est la Reine de l'Été, n'est-ce pas ?

– Je dois peut-être m'appliquer davantage, dit-il, avant de souffler en direction de l'auvent de Beira.

La toile prit aussitôt feu. Sur ces entrefaites, il s'éloigna et la laissa vociférante, enjoignant les gardes de la protéger des rayons du soleil.

Un jour, je serai vraiment capable de m'opposer à elle pour de bon.

Mais pour l'heure, il se contenta de savourer ce moment.

Keenan erra dans la ville. Il remonta la Cinquième Avenue puis rejoignit la rue Edgehill, qu'il suivit, laissant ses pas le guider jusqu'aux boutiques plus miteuses de Huntsdale. Le vacarme ambiant formait un bourdonnement qui lui faisait du bien et lui rappelait que les mortels prospéraient, tandis que ses sujets ne le pouvaient pas.

Oui, tout se réduit à cela : ces mortels et mes fés de l'été.

– Keenan ?

Rianne venait de sortir d'un magasin de disques et faillit le percuter. Elle le dévisagea d'un air stupéfait.

– Qu'est-ce que tu as fait à tes cheveux ?

Trop préoccupé pour se soucier de son apparence, il se promenait à la vue de tous, sans avoir modifié la teinte cuivrée de ses cheveux.

– Je les ai teints, dit-il avec un sourire, tout en atténuant l'éclat métallique de sa chevelure.

Elle tendit la main, toucha quelques-unes de ses mèches et les examina face au soleil.

– Un instant, on aurait presque dit des bandes de métal...

Il s'écarta ; Rianne ne touchait plus ses cheveux.

– Tu as vu Aislinn aujourd'hui ?

Elle rit.

– Eh non. Je pensais qu'elle était peut-être encore avec toi.

– Non. Je l'ai ramenée chez elle ce matin.

Derrière la jeune fille, il aperçut plusieurs Filles de l'Été, en train de flirter avec un homme-sorbier qui n'était pas en service.

– Ce matin... je vois, répliqua-t-elle sans se départir de son sourire.

Elle avait beau prendre un air entendu, elle respirait l'innocence et Keenan la voyait comme une jeune fille douce et intacte. Ses propos tranchaient totalement avec sa vraie nature.

– J'ai bien fait de parier sur toi.

– On s'est contentés de danser.

– C'est un début, pas vrai ?

Elle promena ses yeux autour d'elle puis jeta un coup d'œil dans la boutique de disques. Un instant, son attitude lascive, parfaitement illusoire, disparut, et elle laissa sa véritable personnalité prendre le dessus.

– Entre nous, Ash pourrait profiter un peu plus de la vie. Elle est trop sérieuse. Je crois que tu vas lui faire du bien.

Keenan resta interdit. Il n'avait pas vraiment pensé à cet aspect des choses. C'était Aislinn qui devait leur être bénéfique, à lui et à ses fés. Le reste n'avait pas d'importance.

Rianne avait-elle raison ? Entre les sacrifices qu'Aislinn aurait à faire et ce qui les attendait tous deux si elle devenait sa reine, rien n'était moins sûr. *Non, je ne risque pas de lui faire du bien.*

– Je ferai de mon mieux, Rianne.

– Tu as déjà réussi à l'emmener danser jusqu'à l'aube. Je trouve que ça commence pas mal. Ne t'inquiète pas autant, ajouta-t-elle en lui tapotant le bras, comme pour le consoler d'une chose dont elle ne soupçonnerait jamais l'existence.

– Oui, tu as raison.

Quand elle se fut éloignée, Keenan redevint invisible et reprit sa forme habituelle. Puis il poursuivit sa route en direction du loft. Jamais il n'avait eu autant besoin de la sagesse de ses conseillers.

Il sentit la musique avant même d'entrer dans l'appartement. Il prit une profonde inspiration et passa le seuil de la porte, un sourire factice aux lèvres.

Après lui avoir lancé un bref regard, Tavish se dégagea des bras d'Eliza et se dirigea vers le bureau.

– Suis-moi.

Dans de tels moments, la présence de Tavish donnait presque à Keenan l'impression d'avoir un père. Le vieux fé avait été le conseiller et l'ami du Roi de l'Été qui avait précédé Keenan. Il avait attendu que le garçon devienne adulte et quitte la

232

maison de Beira pour lui offrir ses services. Jamais il n'aurait osé agir comme un père : mais il était bien plus qu'un serviteur.

Voyant qu'ils allaient sortir, Niall ouvrit la bouche.

– Non, lui dit Keenan, reste avec les filles.

– Si tu as besoin de moi...

– J'ai toujours besoin de toi, répondit Keenan en lui posant la main sur l'épaule. Pour l'instant, fais en sorte que personne ne nous dérange.

Le salon n'était pas un lieu où l'on pouvait parler sérieusement. Si le bruit courait qu'il suspectait Beira de ruses ou de malice ou si la rumeur faisait état de la Vue d'Aislinn, cela pouvait les mettre tous en danger.

Tandis qu'il se frayait un chemin dans la grande pièce et que les Filles de l'Été, qui tournoyaient jusqu'au vertige avec des gardes en pause, l'embrassaient au passage, Keenan ne laissa transparaître aucun de ses doutes sur son visage. *Ne surtout pas les laisser supposer que je suis préoccupé. Garder le sourire.*

Il rejoignit Tavish, prêt à bloquer l'accès au bureau pour le reste de la journée. Il avait confiance en ses gardes et en ses fées, mais on ne pouvait jamais être sûr de rien.

Tavish lui servit un verre de vin.

– Tiens.

Keenan s'enfonça dans un des lourds fauteuils en cuir, le verre à la main. Le conseiller s'installa face à lui.

– Que s'est-il passé ? demanda ce dernier.

Alors Keenan lui raconta ce qu'il savait – la Vue d'Aislinn, les menaces de Beira.

Tavish examina le contenu de son verre comme s'il s'agissait d'un miroir puis le fit tourner en le tenant par le pied.

– Elle n'est peut-être pas la reine que nous cherchons, mais il est clair que Beira la craint. Selon moi, c'est une raison suffisante pour garder espoir. D'autant que c'est la première fois que l'espoir nous est ainsi permis.

Keenan acquiesça mais ne dit mot. Tavish était rarement direct dans ses propos. Plutôt que de regarder Keenan, le conseiller promena son regard autour de la pièce, comme s'il essayait de lire tous les titres des livres. Il y en avait sur chaque mur.

– J'attends à tes côtés depuis des siècles, mais jamais je n'ai suggéré que l'une des filles était l'Élue. Ce n'est pas mon rôle.

– J'estime ton opinion, l'assura Keenan. Dis-moi ce que tu en penses.

– Fais en sorte qu'Aislinn accepte de prendre le bâton. Si elle est celle que tu cherches et qu'elle ne subit pas cette épreuve...

Tavish hésita, le regard rivé sur les gros volumes.

– Elle est *obligée* d'accepter, ajouta-t-il.

Le vieux conseiller avait été d'humeur si sombre durant tant de temps que sa véhémence perturba Keenan.

– Et si elle refuse ?

– C'est impossible. Débrouille-toi pour qu'elle soit d'accord.

Les yeux de Tavish, aussi noirs que des étangs perdus au fond de forêts obscures, étrangement envoûtants, se posèrent enfin sur ceux de Keenan et soutinrent son regard.

– Fais tout ce qui est en ton pouvoir, même si cela vous est... désagréable, à elle ou à toi. S'il y a un seul de mes conseils dont tu dois tenir compte, jeune seigneur, que ce soit celui-là.

20

« Ils lui offrirent à boire [...] ensuite, quand la musique cessa, tous les invités disparurent, le laissant la coupe à la main ; après quoi il rentra chez lui, bien qu'il fût extrêmement las et épuisé. »
(*Mythologie féerique* de Thomas Keightley, 1870)

Quand Aislinn se réveilla, les chiffres rouges de son réveil annonçant qu'il était 9 heures passées, les événements de la veille lui revinrent en mémoire et tout parut s'écrouler autour d'elle. *Les boissons bizarres, les danses, le lever du soleil en compagnie de Keenan... Je lui ai dit que je connaissais sa vraie nature, et lui m'a embrassée. Et puis, plus rien. Que s'est-il passé ensuite ? Comment suis-je rentrée ici ? À quelle heure ?* Elle bondit hors de son lit et réussit à arriver à la salle de bains avant de vomir. *Bon sang.*

Elle resta assise par terre, le visage contre les carreaux froids, et attendit que la nausée passe avant de se relever. Elle tremblait de la tête aux pieds, mais elle n'avait pas de fièvre. Si elle était si mal, c'était à cause d'autre chose... elle était terrifiée. *Il sait que je les vois. Il sait. Ils vont venir me chercher, et grand-mère...*

À l'idée que celle-ci devrait combattre les fés, Aislinn faillit vomir de nouveau. *Il faut que je sorte d'ici.*

Elle se brossa les dents et passa de l'eau sur son visage, puis s'empressa d'enfiler un jean et une chemise, de mettre ses bottes et d'attraper son sac. Sa grand-mère était dans la cuisine, les yeux posés sur la cafetière, un peu moins observatrice que d'ordinaire car elle n'avait pas encore eu sa dose de caféine matinale.

Aislinn désigna l'oreille de la vieille femme, qui alluma son appareil acoustique.

– Tout va bien ? demanda-t-elle alors.

– Oui, je suis seulement en retard. J'ai trop dormi.

Elle la serra brièvement dans ses bras et s'apprêta à partir.

– Mais... le petit déjeuner...

– Désolée. Je dois... hum... retrouver Seth. Je croyais te l'avoir dit ? On a rendez-vous pour le petit déjeuner... Un vrai rendez-vous amoureux, tu vois ? expliqua-t-elle en s'efforçant de contrôler sa voix.

Pourvu qu'elle ne se rende pas compte de mon état.

Depuis leur discussion de l'autre soir, sa grand-mère craignait qu'il ne lui arrive quelque chose. Mieux valait ne pas ajouter à ses inquiétudes, ça aurait été égoïste.

– Je ne suis pas dupe, Aislinn. Tu essayes de m'éviter afin que je ne te parle plus du problème que tu sais. Mais il va falloir en discuter. Ça ne s'est pas arrangé, dis-moi ? demanda-t-elle, les sourcils froncés.

La jeune fille réfléchit.

– Laisse-moi encore quelques jours, s'il te plaît.

Un instant, elle crut que sa grand-mère, les mains sur les

hanches et les lèvres pincées, allait refuser. Puis la vieille femme soupira.

– Non, pas quelques jours. On en parle demain, entendu ?

– Promis.

Aislinn l'embrassa et sortit, contente d'avoir pu reporter cette conversation, ne serait-ce que d'une journée. *Je crois que je n'aurais pas été capable d'avoir cette discussion, du moins pas maintenant.*

Seth me manque. Dire que je ne l'ai même pas appelé hier soir.

– Je ne peux pas croire que j'aie pu en arriver là, dit Aislinn, la tête entre les genoux, se retenant de vomir à ses pieds. Tu te rends compte, je lui ai dit que je savais qui il était.

Seth était près d'elle, assis par terre lui aussi. Il lui tapotait le dos et la massait doucement afin de l'apaiser.

– T'inquiète. Allez. Respire, c'est tout.

– J'ai de quoi m'inquiéter, Seth, répondit-elle d'une voix étouffée, avant de relever la tête et de lui lancer un regard noir. Autrefois, les gens qui avaient la Vue, ils les tuaient ou leur arrachaient les yeux.

La nausée l'envahit de nouveau. Elle ferma les paupières.

– Chut... Allez.

Il se rapprocha d'elle et la réconforta comme il l'avait toujours fait quand elle était mal.

– Et s'ils me rendaient aveugle ? Et si...

– Arrête. On va trouver un moyen de s'en sortir.

Il la prit sur ses genoux et la serra tendrement dans ses bras. *Comme l'a fait Keenan hier soir.*

Elle tenta de se redresser ; elle se sentait coupable, avait l'impression d'avoir trahi Seth ; alors que tout ce qu'elle avait fait, c'était danser – du moins l'espérait-elle.

Et si Keenan et moi... et si on a...

Elle se remit à sangloter.

– Chut, répéta Seth en la berçant, avant de lui murmurer des mots rassurants.

Elle le laissa faire. Jusqu'au moment où elle pensa de nouveau aux fés. Elle s'écarta de lui et se releva, en essayant de ne pas croiser son regard.

– Que faisons-nous, maintenant ?

– On va improviser, répondit le jeune homme. Il t'a promis quelque chose. D'après les bouquins que j'ai lus, leurs serments sont pareils à des lois.

Elle acquiesça.

Il vint la rejoindre et se pencha vers elle jusqu'à ce que ses mèches de cheveux les plus longues retombent sur le visage de la jeune fille, formant comme une toile d'araignée.

– On va aussi s'occuper du reste.

Sur ce, il l'embrassa. Avec douceur, tendresse et amour.

– On va trouver un moyen de s'en sortir. Ensemble. Je suis là, Aislinn. Et je le serai encore, même quand tu m'auras raconté ce qui s'est passé d'autre.

La jeune fille sentit le monde se remettre à basculer.

– Que veux-tu dire ?

– Tu as bu quelque chose qui t'a brouillé l'esprit, t'a fait danser toute la nuit et t'a rendue malade. Dis-moi ce qui s'est passé, demanda-t-il de nouveau en prenant le visage d'Aislinn entre ses mains.

– Je sais pas, avoua-t-elle en frissonnant.

– Bon. Comment es-tu rentrée chez toi ?

– Je sais pas non plus.

Elle se rappela le goût du soleil, ses rayons se posant sur elle quand, les yeux plongés dans ceux de Keenan, il s'était penché vers elle. *Que s'est-il passé ?*

– Es-tu allée ailleurs ?

– J'en sais rien, chuchota-t-elle.

– Tu as couché avec lui ? demanda-t-il en la regardant fixement.

C'était justement la question à laquelle elle avait vainement essayé de répondre.

– J'en sais rien.

Elle détourna les yeux, se sentant encore plus nauséeuse maintenant que ces mots horribles étaient comme suspendus entre eux.

– Je le saurais, pas vrai ? reprit-elle. C'est un truc dont je me souviendrais, tu crois pas ?

Il la prit dans ses bras, tout contre lui, comme s'il voulait la protéger de toutes les choses horribles qui auraient pu lui arriver.

– Je sais pas. Tu as des bribes de souvenirs ? Même des détails ?

– Je me rappelle avoir dansé, avoir bu et m'être assise sur un drôle de fauteuil. Et puis la fête foraine a disparu. Et il m'a embrassée, ajouta-t-elle en frissonnant. Je suis vraiment désolée...

– Ce n'est pas ta faute, la rassura-t-il en lui caressant les cheveux.

Elle tenta de se dégager de son étreinte. Il la laissa faire, mais la retint toutefois en plaçant ses mains sur ses bras. Il avait l'air si sérieux, si résolu.

– Écoute-moi. S'il s'est passé quelque chose, tu n'es pas

responsable. Il t'a fait prendre une drogue, un alcool magique. Tu étais comme ivre, et ce qui t'est arrivé ensuite ne peut pas être ta faute.

– Mais je riais, je m'amusais, répliqua-t-elle en baissant les yeux vers ses poings qu'elle serrait pour empêcher ses mains de trembler. Je m'amusais, Seth, tu comprends ? Imagine, j'ai peut-être vraiment fait quelque chose qu'il ne fallait pas ? Je lui ai peut-être promis quelque chose ?

– Ça n'a pas d'importance. Tu n'étais pas dans ton état normal et tu n'as pas pu donner ton accord à quelque chose dont tu n'as aucun souvenir. Et s'il en a profité, c'est lui qui est en tort. Pas toi.

Seth paraissait furieux, mais il ne lui fit pas remarquer qu'il avait eu raison, qu'elle n'aurait pas dû se rendre à cette fête. Il ne lui dit rien de méchant. Au contraire, il ramena ses cheveux derrière ses oreilles, posa la main sur son visage, et lui releva doucement la tête pour l'obliger à le regarder.

– Et si ça se trouve, il ne s'est rien passé du tout.

– Je voulais juste que la première fois se passe avec quelqu'un de spécial, et si je... et si on a... je m'en voudrais tellement.

Elle se sentait presque idiote d'avoir de telles préoccupations alors que sa vie même était menacée par la colère d'un roi. Il pouvait la tuer, lui faire arracher les yeux. *Comme si ma virginité avait autant d'importance.*

Pourtant, elle en a.

Elle s'écarta, alla se blottir sur le canapé.

– Je suis vraiment désolée. Et tu avais raison, jamais je...

– Tu n'as pas à te sentir désolée du tout, l'interrompit-il. Je ne suis pas fâché contre toi. C'est lui...

240

Il marqua une pause. Immobile au milieu de la pièce, il l'observait. Puis ajouta :

– C'est toi qui comptes avant tout.

– Dis, tu veux bien me prendre dans tes bras ? Si tu en as encore envie, en tout cas...

– Quelle question, je veux pouvoir te serrer contre moi chaque jour, dit-il en s'avançant avant de la soulever dans ses bras et de la serrer, comme si elle était fragile, précieuse. Rien ne pourra jamais y changer quoi que ce soit.

21

« Alors, la fée versa trois gouttes d'un précieux liquide sur la paupière gauche de sa compagne, et celle-ci découvrit un pays des plus délicieux… Désormais, elle possédait la faculté de voir le Petit Peuple, invisible aux yeux des autres. »
(*Mythologie féerique* de Thomas Keightley, 1870)

Devant chez Seth, Donia croisa plusieurs fés – quelques gardes qu'elle connaissait de vue, le demi-succube Cerise et un bon nombre de Filles de l'Été. Voyant que Keenan n'était pas à ses côtés, aucun d'eux ne lui sourit. Ils la saluèrent pourtant d'un signe de tête, mais leur respect était dépourvu d'affection. À leurs yeux, elle appartenait au camp adverse – peu leur importait qu'elle ait tout sacrifié pour lui, tout ce que les autres filles n'avaient pas voulu risquer. Détail qu'ils préféraient oublier.

Devant la porte, elle se prépara à l'inévitable affaiblissement de ses forces que tant de murs métalliques allaient provoquer en elle. Elle frappa. Une douleur lui transperça les doigts.

Quand Aislinn ouvrit la porte, la Fille de l'Hiver resta

impassible, mais cela lui coûta un effort. Car à la vue des traits tirés de la jeune fille, Donia comprit que ses souvenirs de la fête foraine étaient beaucoup moins clairs que ceux de Keenan. Il lui avait seulement dit que, gagné par l'enthousiasme de la danse et des festivités, il avait laissé Aislinn boire trop de vin de l'été. Il fonctionnait ainsi : il était trop confiant et se réjouissait trop aisément. Pour lui, cela marchait.

Aislinn, elle, paraissait affreusement mal.

L'air à la fois furieux et méfiant, son mortel, Seth, la tenait fermement par la main.

– Qu'est-ce que tu veux ?

– Seth ! le rabroua Aislinn, les yeux écarquillés.

– Pas de souci, Ash, répondit Donia en souriant.

Elle appelait de tous ses vœux la victoire de Keenan ; cependant, à la vue du visage résolu de Seth, elle ne put s'empêcher d'éprouver du respect pour lui. Un mortel se dressait contre le Roi de l'Été, ce séducteur incomparable, et c'était le mortel qui tenait Aislinn par la main.

– Je veux seulement discuter.

Cerise arriva derrière Donia, annonçant son approche par des battements d'ailes – comme si elle pouvait effrayer la Fille de l'Hiver.

– On pourrait peut-être faire une petite promenade, ajouta-t-elle.

Elle se tourna vers le demi-succube et lui envoya une bouffée d'air froid – pas assez puissant pour lui faire de mal mais suffisamment glacial pour la remettre à sa place.

Dès que le froid entra en contact avec sa peau, Cerise poussa un cri perçant et recula brusquement. Donia esquissa un sourire – les moments agréables se faisaient plutôt rares ces temps. Puis elle s'aperçut qu'Aislinn avait sursauté en entendant Cerise hurler. Seth, lui, n'avait pas bougé. Il n'avait rien entendu : les fés pouvaient créer des sons si horribles que les humains en attrapaient des maux de tête, sans pour autant entendre quoi que ce soit.

Les exclamations qui fusèrent derrière elle firent comprendre à Donia que les autres fés avaient eux aussi perçu la réaction d'Aislinn.

– Tu les vois...

Aislinn acquiesça. Pendant ce temps, Cerise, toute tremblante, s'était réfugiée derrière un homme-sorbier et les Filles de l'Été semblaient interdites.

– Oui, je vous vois. J'en ai de la chance, dit-elle d'un ton aussi las qu'elle devait l'être. Tu veux entrer ou bien est-ce qu'il y a trop de fer pour toi ?

Le courage d'Aislinn fit sourire Donia.

– J'aimerais mieux qu'on aille se promener.

Aislinn leva les yeux vers l'un des gardes.

– Keenan est déjà au courant, lui lança-t-elle, et Donia le sait, à présent. Tu veux aller le raconter à quelqu'un d'autre ? Dans ce cas, c'est le moment ou jamais de détaler.

Elle n'est pas courageuse, mais intrépide. Face à Keenan, elle serait vraiment de taille, songea Donia.

Avant que l'homme-sorbier puisse répondre, la Fille de l'Hiver se dirigea vers lui.

– Si l'un d'entre vous en parle à Beira, je le retrouverai. Et si votre loyauté envers Keenan ne suffit pas à vous faire taire, je vous scellerai moi-même les lèvres.

Elle fixa Cerise, jusqu'à ce que celle-ci grogne :

– Jamais je ne trahirai le Roi de l'Été.

– Parfait, lui dit Donia avant d'aller retrouver Aislinn.

Le silence s'installa, seulement rompu par les battements d'ailes frénétiques de Cerise. La Fille de l'Hiver finit par prendre la parole.

– Vais-je pouvoir te parler du caractère volage de Keenan ? Te dire que ce serait folie de te fier à lui ?

– Il se peut que je sache déjà tout ça, répondit Aislinn, blême, en détournant les yeux.

– Tu prétends ne pas être son soupirant, dit Donia, en s'adressant à Seth d'une voix douce, mais elle a besoin de toi. Si tu veux, nous pouvons aussi discuter d'herbes et de plantes ?

– Attends un peu, rétorqua Seth.

Il fit rentrer Aislinn dans le wagon et referma la porte au nez de Donia.

Tandis qu'elle attendait qu'Aislinn et Seth se mettent d'accord, elle décocha aux Filles de l'Été son sourire le plus glacial, avec l'espoir que cela suffirait, tout en se disant qu'elle détestait ce jeu auquel on l'obligeait à participer.

J'ai prêté serment.

Toujours cachée derrière l'homme-sorbier, Cerise se mit à siffler dans sa direction. Puis Tracey, une des plus jeunes Filles de l'Été, s'approcha de Donia – beaucoup plus près que d'ordinaire.

– Pourquoi fais-tu ça ? Il tient encore à toi. Comment peux-tu lui faire ça ? demanda-t-elle, l'air sincèrement désorienté, les sourcils froncés.

Tracey, si frêle et si douce, faisait partie de celles que Donia avait absolument voulu détourner de Keenan. Trop fragile, trop aisément perdue, trop tendre, elle n'aurait pu supporter le froid ni même devenir la Reine de l'Été.

– J'ai prêté serment.

Donia avait souvent essayé de lui expliquer, mais Tracey n'avait aucun sens de la nuance. Pour elle, si Keenan était gentil, alors Donia était méchante. Logique.

– Ça fait du mal à Keenan, reprit la jeune fée en faisant non de la tête, comme si ce simple mouvement pouvait changer l'ordre des choses.

– Moi aussi, ça me fait du mal.

Les autres Filles de l'Été obligèrent Tracey à revenir près d'elles et essayèrent de la distraire pour éviter qu'elle ne se mette à pleurer. Jamais Keenan n'aurait dû la choisir. Donia culpabilisait encore de l'y avoir encouragé. Les Filles de l'Été étaient pareilles à des plantes qui ont besoin des substances nutritives du soleil pour s'épanouir. Si elles étaient restées trop longtemps éloignées de leur roi, elles se seraient fanées. Pourtant, Tracey n'était jamais parvenue à s'épanouir, alors qu'elle vivait toute l'année auprès de Keenan.

La porte du train se rouvrit. Seth fut le premier à sortir, suivi d'Aislinn.

– Nous acceptons de discuter avec toi, lui dit Aislinn d'une voix plus forte, même si elle semblait encore très fatiguée, les yeux cernés et le visage presque aussi pâle que celui de Donia. Peux-tu leur demander de ne pas nous suivre ?

– Non, ce sont ses sujets, je n'ai aucun pouvoir sur eux.

– Mais ils vont tout entendre ?

La jeune fille donnait l'impression d'avoir du mal à prendre des décisions – ce qui ne lui ressemblait pas.

Keenan m'a-t-il caché quelque chose ? se demanda Donia.

– Allons chez moi, ils n'ont pas le droit d'y entrer, proposa-t-elle sans réfléchir.

Puis, refusant d'écouter les commentaires qui n'allaient pas manquer de suivre, elle se mit en route, tandis que Seth et Aislinn, à peine remis de leur surprise, s'empressaient de la rattraper.

Encore d'autres gens chez moi, soupira-t-elle, en espérant que Keenan avait raison et que sa maison ne deviendrait jamais celle d'Aislinn.

Pourvu qu'elle soit celle qu'il cherche.

En arrivant à l'entrée du jardin, là où une barrière naturelle protège habituellement le domicile d'un fé des intrusions humaines, Seth ouvrit grand les yeux, alors qu'Aislinn n'eut pas un seul mouvement de recul. Peut-être avait-elle toujours été immunisée ; ou bien sa Vue l'empêchait d'y être sensible. Donia ne le lui demanda pas. Mais elle murmura à Seth les mots permettant d'atténuer son aversion pour le lieu, puis les conduisit à l'intérieur de sa maison.

– Sommes-nous seuls ?

Seth parcourut la pièce des yeux, même s'il savait qu'il ne pouvait voir les autres créatures qui auraient pu s'y trouver.

– Oui, lui dit Aislinn. Il n'y a que nous trois.

Le regard de la jeune fille s'attarda sur le simple mobilier en bois du petit salon, sur l'énorme cheminée qui prenait presque tout un côté de la pièce, et sur les pierres grises des murs. Donia s'y adossa, jouissant de leur chaleur.

– Pas vraiment ce que tu imaginais ?

Aislinn s'appuya contre Seth. Tous deux avaient l'air épuisés.

– Je n'avais rien imaginé, je crois, répondit la jeune fille avec un sourire en coin. Je n'ai toujours pas compris pourquoi tu as cherché à me parler. Je sais simplement que c'est en rapport avec lui.

– Oui, il ne s'agit que de lui en effet. Pour tous ceux qui attendent à l'extérieur, dit Donia en désignant la porte, c'est ce qu'il désire qui compte. Rien d'autre ne leur importe. Toi et moi, nous ne sommes rien dans leur monde, ou plutôt nous ne sommes que ce qu'il voit en nous.

– Et ici ? Qu'est-ce qui est important ? demanda Aislinn en posant sa tête contre l'épaule de Seth.

Le jeune homme passa ses bras autour d'elle et l'obligea à se diriger vers le canapé.

– Viens t'asseoir, murmura-t-il. Pas besoin de rester debout pour parler.

Donia s'approcha d'eux, et fixa Aislinn.

– Dans cette maison, ce sont mes désirs qui comptent. Et moi, j'ai envie de vous aider.

Tout en s'efforçant de contenir ses émotions, Donia faisait les cent pas ; par instants, elle s'immobilisait, mais ne savait comment reprendre la conversation. Ils étaient épuisés, et elle compatissait.

– Donia ? murmura Aislinn.

Blottie dans les bras de Seth, la jeune fille était léthargique – encore affaiblie par ce que Keenan lui avait fait boire.

Donia l'ignora. Elle se tourna vers l'étagère où s'alignaient les livres écrits par des mortels ou des fés, et que les Filles de l'Hiver successives avaient rassemblés depuis plus de neuf siècles. Du bout des doigts, elle effleura ceux qu'elle préférait – *La République mystérieuse* de Kirk et Lang, *Mythologie féerique* de Keightley, et *De l'Existence : moralité et mortalité féeriques* de

Sorcha. Puis sa main continua de courir le long de l'étagère, rencontra un vieil exemplaire des *Mabinogion*[1], plusieurs journaux intimes rédigés par celles qui l'avaient précédée, un volume tout abîmé qui contenait les lettres que Keenan leur avait adressées au fil des siècles – toujours de son écriture élégante, même si la langue employée avait évolué. Enfin, Donia s'arrêta sur un vieux livre à la couverture verte déchirée. À l'intérieur, écrites à la main, rédigées avec les mots étranges et beaux d'un langage presque perdu, se trouvaient deux recettes permettant de donner la Vue à un mortel.

Il était interdit de les faire lire à un humain. Si un fé appartenant à l'une des cours royales apprenait qu'elle avait transgressé cette règle, les menaces de Beira ne seraient rien à côté de ce qui pourrait lui arriver. Parmi les fés, nombreux étaient ceux qui aimaient vivre cachés ; et ils n'apprécieraient guère que des mortels se remettent à les voir.

– Est-ce que ça va ? voulut savoir Seth.

Il ne vint pas la rejoindre, préférant rester aux côtés d'Aislinn, mais sa voix était inquiète.

Il se fait du souci pour moi, alors qu'il me connaît à peine.

Il méritait d'être protégé. Elle connaissait assez bien l'histoire du Petit Peuple, apprise dans ces livres qu'elle avait lus et relus des heures durant. Autrefois, le jeune homme aurait été récompensé par les souverains, pour avoir défendu celle qui allait peut-être devenir reine.

– Oui, tout va bien, ce qui me surprend moi-même.

---

1. *Les Mabinogion* ou *Les Quatre Branches du Mabinogi*, écrits en moyen gallois entre le XIIe et le XIIIe siècles, sont quatre contes médiévaux de la mythologie celtique.

Elle s'empara du livre et alla s'asseoir face à eux. Après avoir posé le livre sur ses genoux, elle entreprit de le feuilleter précautionneusement. Malgré tout, plusieurs pages se détachèrent de la reliure.

– Je vais te dicter quelque chose, murmura-t-elle.

– Quoi ? lança Aislinn, les paupières lourdes.

Elle se redressa et s'écarta des bras de Seth.

– S'ils apprennent que je vous ai transmis ceci, mon châtiment sera effroyable. S'il est le seul à le savoir, Keenan fermera peut-être les yeux... Mais surtout, ajouta-t-elle à l'attention d'Aislinn, je ne veux pas que ton ami soit pris au dépourvu. Ce serait injuste... qu'il reste vulnérable et aveugle.

– Merci... commença Seth.

– Non, le coupa-t-elle. Cela est un mot humain, si souvent utilisé qu'il est devenu vide de sens. S'il vous faut fréquenter mon peuple, souvenez-vous d'une chose : ces formules toutes faites, nous les considérons comme des insultes. Si quelqu'un vous rend service ou se montre amical, contentez-vous de ne pas l'oublier. Ces mots sans profondeur amoindriraient son geste.

Puis elle dicta la recette qui permettrait à Seth d'avoir la Vue. Le jeune homme la nota en silence. Il attendit qu'elle referme le livre et aille le ranger, puis il demanda :

– Pourquoi ?

– J'ai été à sa place, répondit-elle en désignant Aislinn. Je sais ce que c'est.

Elle détourna les yeux et les posa sur les vieux livres, soudain ébranlée par ce qu'elle venait de faire. Keenan lui-même lui pardonnerait-il ce crime ? Rien n'était moins sûr, mais elle pensait comme lui qu'Aislinn était la Reine de l'Été. Sinon,

251

pourquoi Beira se donnait-elle tant de peine pour l'empêcher de subir l'épreuve du bâton ?

Donia détacha son regard de l'étagère et se tourna vers Aislinn.

– J'ai été une mortelle. Et je ne savais pas qui il était, lui. Aucune d'entre nous ne le savait. Tu es la première à le voir tel qu'il est, à voir les fés tels qu'ils sont vraiment. À me voir moi, telle que je suis en réalité.

– Tu as été mortelle ? répéta Aislinn d'une voix tremblante.

Donia acquiesça.

– Et que s'est-il passé ?

– Je l'aimais. Quand il m'a demandé de faire le choix de rester avec lui, j'ai accepté. Il me promettait l'éternité, l'amour, des danses nocturnes...

Elle haussa les épaules, ne souhaitant pas trop raviver des rêves qu'elle n'avait plus le droit d'avoir, surtout devant Aislinn. Seth s'effacerait, mais pas Keenan. Si Aislinn devenait reine, elle tomberait bien vite amoureuse de Keenan ; une fois qu'elle aurait découvert sa véritable nature – celui qu'il pouvait être...

Elle chassa ces pensées avant d'ajouter :

– Une autre fille a essayé de me dissuader ; une fille qui avait cru en lui, elle aussi.

– Pourquoi ne l'as-tu pas écoutée ? voulut savoir Aislinn, frissonnante, en se rapprochant de Seth.

– D'après toi, pourquoi Seth est-il à tes côtés ?

– Parce que je l'aime, répondit l'intéressé en serrant la main de la jeune fille.

– Choisis avec sagesse, Aislinn, dit alors Donia. Car Seth peut décider de te quitter, de partir...

– Jamais, l'interrompit le jeune homme.

Qu'il est naïf... Donia lui épargna son sourire.

– Mais c'est chose possible pour toi. Alors que si nous choisissons Keenan, nous ne pouvons revenir en arrière. Sinon...

– Mais ce n'est pas un problème, puisque je ne veux pas de Keenan, la coupa Aislinn en relevant le menton d'un air de défi, en dépit du tremblement qui agitait ses mains.

– Il le faudra bien, pourtant, répondit gentiment Donia.

Celle-ci se rappela la première fois qu'elle avait vu Keenan sous son vrai jour, dans la clairière où elle s'apprêtait à s'emparer du bâton de la Reine de l'Hiver. Si parfait que c'en était incroyable. À couper le souffle. Comment une mortelle pouvait-elle se refuser à lui quand il se montrait tel qu'il était ?

– Maintenant qu'il sait que tu as la Vue, poursuivit-elle, il pourra être lui-même devant toi. Tu en oublieras jusqu'à ton nom.

– Non, rétorqua Aislinn. Je l'ai vu sous son vrai jour et je continue à ne pas vouloir de lui.

Donia la fixa ; il fallait que la jeune fille entende la vérité, même si la Fille de l'Hiver s'en voulait déjà de devoir lui imposer cela.

– Tu en es certaine ? Étais-tu de cet avis la nuit dernière ?

– Ça n'a rien à voir, lança Seth, visiblement irrité, avant de se lever et d'avancer vers Donia.

Celle-ci ne bougea pas d'un pouce. Elle se contenta de souffler doucement dans la direction du jeune homme. Aussitôt, une paroi de glace pareille à une cage de verre se forma autour de Seth.

– Je sais seulement qu'il est persuadé qu'Aislinn est destinée à devenir sienne. Autrefois, il pensait que j'étais celle qu'il cherchait. Et vous avez sous les yeux le résultat de son amour.

Elle tendit la main vers Seth et toucha la glace, qui se retira sous sa peau à elle.

– Je ne peux vous en dire davantage ce soir. Allez préparer ce baume. Et réfléchissez à ce que je vous ai appris.

22

« Une femme du peuple des Sidhe entra et annonça que la fille destinée à s'unir au prince du Royaume Obscur avait été choisie ; cependant, il ne fallait pas que son épouse vieillisse et meure alors que lui serait encore ardent en amour. Aussi offrit-on une vie de fée à la jeune fille. »
(*Le Crépuscule féerique* de William Butler Yeats, 1893, 1902)

Le dimanche matin, Aislinn ne fut pas étonnée de trouver sa grand-mère déjà debout et sur le qui-vive. Cependant, elle attendit qu'elles aient pris leur petit déjeuner avant de passer à l'attaque.

Aislinn s'assit par terre, aux pieds de la vieille femme. Elle s'était tenue là si souvent par le passé, auprès de celle qui l'avait élevée et qui l'aimait, tandis qu'elle lui brossait les cheveux ou lui racontait des histoires. Aislinn ne voulait pas se disputer avec elle, mais elle ne voulait pas non plus vivre dans la peur.

– Je suis presque une adulte, tu sais, commença-t-elle d'une voix égale. Je n'ai pas envie de fuir ou de me cacher.

– Tu ne comprends pas...

– Si. Justement, interrompit la jeune fille avant de prendre la main de sa grand-mère. Je comprends parfaitement. Ils sont abominables. J'ai bien compris. Mais je ne peux pas passer ma vie dans la clandestinité à cause de ces créatures.

– Tu es bien comme ta mère, imprudente et entêtée.

– Ah bon ?

Aislinn resta interdite. Jamais elle n'avait pu savoir ce qui était arrivé à sa mère.

– Si elle avait été plus prudente, elle serait encore là aujourd'hui. Elle n'a pas été raisonnable. À présent, elle est morte, conclut la vieille femme d'une voix faible – elle paraissait extrêmement fatiguée, voire épuisée. Je ne supporterais pas de te perdre.

– Je n'ai aucune intention de mourir, tu sais. Et ma mère n'est pas morte à cause des fés. Elle...

– Chut, l'avertit sa grand-mère en jetant un coup d'œil vers la porte d'entrée.

Aislinn soupira.

– Ils ne peuvent pas m'entendre, même s'il y en a dans le coin.

– Tu n'en sais rien.

Sa grand-mère redressa ses épaules ; la vieille femme épuisée redevint un moment la dame sévère qui avait élevé Aislinn depuis l'enfance.

– Plus question d'être imprudente, ajouta-t-elle.

– J'aurai dix-huit ans l'année prochaine et...

– Parfait. Mais pour l'instant, tu vis encore chez moi. En obéissant à mes règles.

– Grand-mère, je...

– Non. Désormais, tu limites tes déplacements entre ici et le lycée. Tu peux prendre des taxis. Je veux savoir où tu te trouves quand tu n'es pas ici. Et il n'est plus question de se balader en ville à n'importe quelle heure du jour ou de la nuit.

Le froncement de sourcils de la vieille dame s'estompa quelque peu, mais sa détermination ne faillit pas.

– Et ce, jusqu'à ce qu'ils arrêtent de te suivre, reprit-elle. Ne t'oppose pas à moi, Aislinn, je t'en prie. Je ne le supporterais pas. Pas une seconde fois.

Qu'aurait pu rétorquer la jeune fille ? Rien. Il lui était impossible de se fâcher avec la vieille dame.

– Et Seth ?

L'expression de sa grand-mère s'adoucit.

– Il compte tant que ça pour toi ?

– Oui, répondit Aislinn en se mordant la lèvre. Il vit dans un train. Les murs sont en acier.

La vieille femme la dévisagea un instant.

– Tu fais les trajets en taxi. Et quand tu es là-bas, tu ne sors pas de chez lui.

– C'est d'accord, répondit Aislinn en la serrant dans ses bras.

– Attendons de voir comment les choses évoluent. Ici ou au lycée, ils ne peuvent rien. Même chose dans le train de ce jeune homme, continua sa grand-mère en énumérant les mesures de sécurité qui allaient entraver les mouvements d'Aislinn, sans pour autant lui ôter toute liberté. Mais si cela ne suffit pas, tu devras rester enfermée ici en permanence, c'est compris ?

La jeune fille s'en voulait de ne pouvoir rectifier les fausses idées de sa grand-mère, mais elle ne dévoila pas ses émotions et resta aussi impassible que lorsqu'elle se trouvait en présence de fés.

– C'est compris.

Le lendemain, un lundi, Aislinn eut l'impression de vivre en somnambule. Keenan était absent et aucun fé ne déambulait dans les couloirs. Elle en avait aperçu à l'extérieur du lycée, sur les marches et dans la rue, quand elle était arrivée en taxi. Mais pas à l'intérieur de l'établissement.

A-t-il déjà obtenu ce qu'il voulait ? Ou bien cherche-t-il davantage ?

Ce que Donia avait dit de lui laissait entendre que c'était en effet le cas, mais la jeune fille ne parvenait pas à se concentrer, hormis sur ses trous de mémoire. Elle voulait, *devait* savoir ce qui s'était passé avec Keenan. Cette pensée ne la quitta pas de la matinée. À midi, n'y tenant plus, elle sortit du lycée sans se soucier de qui pouvait la voir. Elle était encore sur les marches quand elle l'aperçut : il l'attendait sur le trottoir d'en face, les yeux braqués sur elle. Il souriait gentiment, comme s'il était heureux de la voir.

Il va me le dire. Je vais lui demander et il va me raconter ce qui s'est passé. Il le faut.

Elle était tellement soulagée qu'elle traversa la rue en évitant les voitures, courant presque. Elle comprit qu'il était invisible seulement quand il lui lança :

– Tu peux donc me voir, *vraiment* me voir ?

– Je... je... commença-t-elle.

– Les mortels ne me voient que si je le veux bien, fit-il observer.

Il parlait aussi posément que s'ils avaient été en train de discuter de leurs devoirs – alors qu'elle se trouvait en danger de mort.

– Tu me vois, et pas eux, dit-il en lui montrant un couple qui descendait la rue en compagnie de leur chien.

– Oui, chuchota-t-elle. Je vois les fés depuis toujours.

Elle avait eu plus de mal à l'avouer, cette fois. À le lui dire à *lui*. Les fés la terrifiaient depuis qu'elle était enfant, mais Keenan plus que les autres. Il était le roi de ces affreuses créatures que, jusqu'à présent, elle n'avait cessé de fuir.

– Marchons un peu, veux-tu ? demanda-t-il, bien qu'ils aient déjà bien avancé.

Il revêtit le charme qu'elle connaissait désormais, en atténuant l'éclat cuivré de sa chevelure et le bruissement du vent à travers les branches qui l'accompagnait d'ordinaire. Aislinn marchait à sa hauteur, silencieuse, ne sachant comment aborder le sujet qui la taraudait.

Ils venaient de dépasser le parc quand elle se tourna tout à coup vers lui et lança :

– Est-ce qu'on a... est-ce que tu as... Je veux dire, couché ensemble ?

– Non, répondit-il en baissant la voix. Je t'ai raccompagnée jusqu'à ta porte. Rien d'autre. Quand les festivités se sont achevées, qu'ils sont tous partis et que nous sommes restés seuls...

– Jure-le-moi, le coupa-t-elle en tremblant, en espérant qu'il n'était pas cruel au point de lui mentir. J'ai besoin de savoir. S'il te plaît.

Il lui fit un sourire qui se voulait rassurant et, au même instant, diverses odeurs embaumèrent l'air : des roses sauvages, du foin fraîchement coupé, des feux de joie. Choses qu'elle n'avait jamais respirées, du moins le croyait-elle, mais qu'elle reconnut aussitôt.

Il acquiesça d'un air solennel.

– Tu as ma parole, Aislinn. Je le jure, tes désirs, une fois que ce sera en mon pouvoir, seront aussi précieux que les miens. Je tiens toujours parole.

– J'avais tellement peur. Non... pas que tu aurais pu... ajouta-t-elle d'un air gêné. Seulement, c'est...

– En effet, avec un fé, à quoi d'autre pourrait-on s'attendre ? ironisa-t-il en lui décochant un sourire qui, bizarrement, lui donnait un air normal. J'ai lu les récits que les mortels ont écrits à notre sujet. Ils ne sont pas faux.

Elle prit une profonde inspiration et le goût d'étranges saveurs estivales se déposa sur sa langue.

– Mais ce n'est pas dans les habitudes des fés que... je gouverne. Ils ne se comportent pas ainsi – jamais ils ne... violeraient l'intimité d'autrui, précisa-t-il tout en répondant aux révérences de plusieurs des siens qui se trouvaient là par un signe de tête et un bref sourire. Je n'aurais rien fait sans ton consentement.

– Merci... euh, j'en suis heureuse.

Elle faillit le serrer dans ses bras, tant elle se sentait soulagée.

– Il y a des mots que tu n'aimes pas prononcer, je me trompe ? fit-elle alors observer.

– Non, tu as raison, répondit-il en riant.

Un rire qui donna à Aislinn l'impression que le monde entier se réjouissait.

En tout cas, elle se réjouissait. *Je suis encore vierge.* Elle était consciente qu'elle aurait dû avoir d'autres préoccupations en tête, mais pour l'instant, seule cette idée l'obnubilait. *Je vais pouvoir choisir ma première fois, et m'en souvenir.*

Tout en marchant, Keenan la prit par la main.

– Avec le temps, j'espère que tu comprendras peu à peu à quel point tu comptes pour moi et pour mes sujets.

À la fragrance des fleurs – *encore des roses sauvages* – se mêlait une odeur marine qu'elle ne connaissait pas, celle de vagues s'écrasant sur des rivages rocheux ou de dauphins bondissant dans l'écume. Elle vacilla, comme attirée par ces vagues lointaines. Comme si un rythme surnaturel rampait sous sa peau.

– Quelle chose curieuse, cette occasion de pouvoir s'ouvrir l'un à l'autre. Je n'avais jamais courtisé quelqu'un qui connaissait ma vraie nature.

Sa voix, plus musicale à chaque syllabe, se perdait dans l'appel de ces eaux étrangères.

Aislinn s'immobilisa mais Keenan ne lâcha pas sa main, comme s'il avait été une ancre l'empêchant de larguer les amarres. Ils se trouvaient devant le *Comix Connexion*.

– C'est ici que nous nous sommes rencontrés, constata-t-il en lui caressant la joue de sa main libre. C'est ici que je t'ai choisie. À cet endroit.

Elle souriait d'un air langoureux et, soudain, elle prit conscience qu'elle était plus heureuse qu'elle n'aurait dû l'être. *Concentre-toi.* Quelque chose ne tournait pas rond. *Ressaisis-toi.* Elle se mordit l'intérieur de la joue. Violemment.

– J'ai accepté de danser avec toi et tu m'as donné ta parole. Je sais ce que je veux en échange...

– Que puis-je t'offrir, Aislinn ? demanda-t-il en faisant courir une main dans sa chevelure. Veux-tu des tresses de fleurs dans tes cheveux ?

Il ouvrit la main. Une fleur d'iris reposait sur sa paume.

– Désires-tu des colliers en or ? Des douceurs que les mortels ne peuvent voir qu'en rêve ? Tu auras toutes ces choses, tu sais. Ne gâche pas ton vœu pour si peu.

– Non, je ne veux rien de tout cela, Keenan.

Elle recula afin de maintenir de nouveau une certaine distance entre eux, tout en essayant d'ignorer les cris des mouettes qui se superposaient au battement des vagues.

– Je veux simplement que tu me laisses tranquille. C'est tout.

Il soupira. Et elle éprouva soudain une tristesse si grande qu'elle eut envie de pleurer. *Elle avait été victime d'une ruse. D'une ruse de fé.*

Elle fronça les sourcils.

– Respecte ton serment.

– As-tu idée du nombre de mortelles que j'ai courtisées depuis neuf siècles ? demanda-t-il, les yeux fixés sur la vitrine du magasin, où se trouvait un poster annonçant la sortie d'un énième film de vampires. Moi-même je ne le sais pas, poursuivit-il, mélancolique. Je pourrais interroger Niall. Voire Donia.

– Je m'en fiche. Et je n'ai pas envie d'être l'une d'elles.

La fureur anima le visage du fé, et les odeurs océanes s'estompèrent, cédant la place au goût âcre de vents du désert qui lui meurtrirent la peau.

– Comme par hasard, rétorqua-t-il avant de rire doucement, un rire pareil à une brise fraîche sur la peau brûlante de la jeune fille. Dire que je t'ai enfin trouvée, mais que tu ne veux pas de moi. Tu me vois, et je peux donc me montrer sous mon vrai jour. Mais d'autres règles m'entravent, et je n'ai pas le droit de te dire pourquoi tu comptes pour moi, ni qui je suis...

– Tu es le Roi de l'Été, interrompit-elle tout en s'éloignant de lui, prête à s'enfuir.

Aislinn essayait aussi de contrôler sa colère. Il l'avait traitée avec respect, mais au fond, cela ne changeait rien. Il était un fé. Jamais elle n'aurait dû l'oublier.

– Ah, tu sais aussi cela.

D'un mouvement si vif qu'aucun être humain n'aurait pu l'effectuer, Keenan s'avança et s'arrêta tout près d'elle. Là, en un clin d'œil, il lui apparut sans son charme humain, tel qu'il était vraiment. Sa chaleur se déversa sur eux deux et la jeune fille eut la sensation que des rayons de soleil, pareils à du miel chaud, tombaient lentement de ses cheveux et pleuvaient sur elle. Elle réprima un cri, et eut l'impression que son cœur, à force de s'emballer, était sur le point de se consumer. La chaleur de Keenan la submergeait tant qu'elle défaillit et la tête lui tourna comme le soir où il l'avait fait danser.

Puis subitement il arrêta tout. Comme s'il avait simplement fermé un robinet. Il n'y avait plus rien autour d'elle, ni brise ni vagues. Seulement sa voix à lui.

– Je t'ai promis de faire tout ce que tu me demanderais, à condition que ce soit en mon pouvoir. Ce que tu veux ne l'est pas, Aislinn. Cependant, je peux déjà t'offrir beaucoup.

Elle sentait ses jambes se dérober sous elle. Ses yeux voulaient se fermer. Un instant, elle fut tentée de lui demander de réapparaître comme il venait de le faire, juste une fois – mais cette pensée l'horrifiait et elle savait que cela aurait été insensé.

Elle le repoussa, comme si maintenir la distance entre eux pouvait l'aider.

– Tu m'as donc menti.

– Non. Une fois qu'une jeune fille a été choisie, il est impossible de revenir en arrière. Ensuite, tu pourras me rejeter ou m'accepter, mais ta vie mortelle est derrière toi à présent.

Il attrapa un peu d'air dans la paume repliée de sa main, qui se remplit d'un liquide crémeux, où frémissaient des tourbillons rouge et doré parsemés de flocons blancs.

– Non, lança-t-elle, sentant monter en elle sa colère accumulée contre les fés depuis des années. Je te rejette, d'accord ? Fiche le camp !

En soupirant, il reversa habilement sa poignée de soleil dans son autre main.

– Tu es des nôtres, désormais. Une fée de l'été. Et même si ça n'était pas encore le cas, tu serais malgré tout mienne. Tu as bu du vin féerique avec moi. N'as-tu jamais trouvé ce conseil dans tes livres de contes, Aislinn ? Il ne faut jamais boire en notre compagnie.

Sans qu'elle sache pourquoi, cette révélation lui parut logique. Au fond d'elle, elle avait su qu'elle se métamorphosait – son ouïe s'était affinée et une chaleur jusqu'alors inconnue s'était répandue sous sa peau. *Je suis l'une des leurs.* Pourtant, cela ne voulait pas dire qu'elle l'acceptait. Malgré sa colère grandissante, elle lui demanda :

– Dans ce cas, pourquoi m'as-tu laissée rentrer chez moi l'autre soir ?

– Je me disais que tu aurais été furieuse de te réveiller à mes côtés et... je n'ai pas envie de te voir fâchée, ajouta-t-il avec un petit sourire sardonique aux lèvres.

– Je ne veux pas de toi. Pourquoi refuses-tu de me laisser tranquille ?

Les poings serrés, elle tentait de garder son calme – chose

qui lui était de plus en plus difficile depuis une semaine. Il s'avança d'un pas et versa sa poignée de soleil liquide sur le bras de la jeune fille.

– Selon les règles, tu dois faire ton choix de façon officielle. Si tu ne veux pas passer l'épreuve, tu deviendras une Fille de l'Été, tout aussi dépendante de moi qu'un nouveau-né l'est de sa nourrice. Loin de moi, tu t'éteindras lentement et deviendras une ombre. Telle est la nature des nouvelles fées de l'été, dont les pouvoirs sont limités.

La fureur d'Aislinn, si bien réprimée, ne demandait qu'à sortir, telle une nuée de papillons de nuit se cognant aux parois de sa peau. *Contrôle-toi.* Elle enfonça ses ongles au creux de ses paumes pour s'empêcher de le gifler. *Concentration.*

– Je refuse de faire partie de ton harem de fées.

– Dans ce cas, accepte de rester mes côtés. Il n'y a pas d'autre choix possible.

À ces mots, il se pencha vers elle et l'embrassa, entrouvrant ses lèvres contre les siennes. Elle eut l'impression d'avaler l'éclat du soleil ; une sensation langoureuse, à laquelle se mêlait celle d'avoir passé des heures sur une plage. *C'est merveilleux.*

Elle recula et se cogna contre la vitrine.

– Ne t'approche plus de moi, lança-t-elle avec colère.

Sa peau se mit à scintiller d'un éclat aussi lumineux que le sien. Stupéfaite, elle regardait ses bras. Elle se frotta la peau, comme pour essayer d'effacer cette luminosité. C'était peine perdue.

– C'est impossible. Cela fait des siècles que tu m'appartiens. Tu es née pour être mienne.

Il s'approcha de nouveau et souffla sur le visage de la jeune fille, comme sur une fleur de pissenlit dont les pétales sont devenus des graines. Elle manqua de tourner de l'œil – tous les plaisirs qu'elle avait déjà éprouvés sous un soleil d'été se combinaient pour donner naissance à une caresse incomparable et sans fin. Elle s'appuya contre le mur de brique.

– Va-t'en.

Elle fouilla dans sa poche, en quête des petits paquets de sel que lui avait donnés Seth et en ouvrit un. Elle le lança maladroitement, mais parvint à le saupoudrer de sel.

Il se mit à rire.

– Du sel ? Oh, ma douce, tu es tellement adorable !

Cela lui demanda plus d'efforts qu'elle n'aurait cru, mais elle parvint à s'écarter du mur et à sortir le vaporisateur au poivre. Il fonctionnait sur tout ce qui avait des yeux. Elle retira le cran de sécurité et visa le visage de Keenan.

– Courageuse et belle, murmura-t-il avec révérence. Tu es parfaite.

Sur ces entrefaites, il ôta son charme humain et rejoignit les autres fés invisibles qui descendaient la rue. Il s'immobilisa à quelques dizaines de mètres d'elle.

– Je t'accorde ce point, mais je finirai par l'emporter, ma belle Aislinn, chuchota-t-il.

Elle l'entendit aussi clairement que s'il avait encore été près d'elle.

23

« Leurs cadeaux, généralement assortis de conditions qui amoindrissent leur valeur, sont parfois source de malheur et mènent à leur perte ceux qui les reçoivent. »
(La Science des contes de fées : une enquête au cœur de la mythologie féerique d'Edwin Sidney Hartland, 1891)

Donia sut tout de suite de qui il s'agissait. Aucun fé n'aurait osé tambouriner ainsi contre sa porte.

Aislinn entra en trombe dans la pièce. Ses yeux lançaient des éclairs.

– Un jeu ? Pour toi aussi, c'en est un ?

– Non. Du moins, pas de la même façon.

Assis aux pieds de sa maîtresse, Sasha montra les dents et rabattit ses oreilles vers l'arrière, accueillant Aislinn comme il avait accueilli Donia par le passé. Cependant, en dépit des ondes de colère qui émanaient de la jeune fille, le loup savait que cette dernière ne leur voulait pas de mal.

Elle resta sans bouger, scintillant comme Keenan quand il était furieux.

– Comment, alors ?

– Je suis juste un pion, et non une reine ou un roi, répondit Donia avec un haussement d'épaules.

La colère d'Aislinn disparut aussi vite qu'elle était venue.

Elle est aussi changeante que lui.

La jeune fille, tracassée, resta silencieuse un instant.

– Veux-tu aider un autre pion ? finit-elle par demander.

– Bien sûr. C'est ce que je fais.

Heureuse de ne plus avoir à subir la terrible lumière qui l'éblouissait, Donia alla ouvrir son vieux placard. À côté des vêtements qu'elle portait d'habitude, s'en trouvaient d'autres dont elle n'avait aucun usage. Des hauts en velours ornés de merveilleuses broderies, des chemisiers scintillants qui ressemblaient ni plus ni moins à des chapelets d'étoiles, des robes faites de simples écharpes qui cachaient autant qu'elles dévoilaient, et des vêtements de cuir de toutes sortes qui auraient fait mourir d'envie n'importe quelle fille.

Donia en sortit un bustier rouge écarlate que Liseli avait autrefois porté lors du bal du Solstice, l'année après celle où elle était devenue la Fille de l'Hiver. *Il a pleuré des larmes de soleil*, lui avait dit Liseli. *Montre-lui ce qu'il n'aura jamais.*

Donia aurait aimé pouvoir être aussi insensible que Liseli.

À la vue du bustier, Aislinn écarquilla les yeux.

– Que fais-tu ?

– Je cherche à t'aider, répondit Donia en replaçant le vêtement dans la penderie, d'où elle tira alors un dos-nu décoré de pierres précieuses noires.

Aislinn l'écarta en fronçant les sourcils.

– Tu appelles ça m'aider ?

Donia finit par trouver le vêtement qui irait à Aislinn : une chemise renaissance retaillée en chemisier d'un blanc éclatant, assortie d'un ruban d'un rouge presque sanglant qui se laçait de la gorge à la taille.

– Les fés réagissent bien si on montre de l'assurance. Je l'ai appris trop tard. Tu dois lui prouver que tu n'es pas docile et que tu refuses de recevoir des ordres. Va le voir en te comportant comme son égale, et non comme l'un de ses sujets. Et dis-lui que tu veux négocier.

– À quoi cela servirait-il ? demanda Aislinn en touchant le fin tissu du chemisier.

– À trouver une sorte d'arrangement. Il ne va pas disparaître de ton existence et ta mortalité ne reviendra pas. Ne le laisse pas croire qu'il peut te diriger comme il l'entend. Déstabilise-le. Pour la bataille à venir, il faut te trouver une tenue appropriée.

Donia se mit à trier les jupes et les robes. Toutes paraissaient trop formelles ou sophistiquées. Aislinn devait rappeler à Keenan qu'elle était différente des autres, que rien ne la forçait à lui obéir. Elle avait grandi dans un monde où les femmes faisaient leurs propres choix.

– Montre-toi plus agressive que lui. Convoque-le. Et s'il prend son temps, n'attends pas : va le trouver.

– Je ne suis pas certaine d'y arriver, avoua la jeune fille, l'air vulnérable, le chemisier entre les mains.

– Dans ce cas, tu as perdu d'avance. Être une fille d'aujourd'hui représente ta meilleure arme. Sers-t'en. Montre-lui que tu as le droit de choisir. Tu sais qui il est désormais. Négocie afin d'être à même de lui ravir une part de son pouvoir, ajouta Donia en lui tendant un pantalon d'un noir luisant. Va te changer. Ensuite, on reprendra cette discussion.

Aislinn prit le pantalon d'une main tremblante.

– Y a-t-il un moyen de gagner ?

– Les Filles de l'Été s'imaginent avoir gagné.

Donia détestait l'admettre, mais c'était vrai : elles étaient heureuses et ne voyaient pas leur dépendance comme un fardeau.

– Il n'y a donc pas d'alternative ? On doit pourtant trouver autre chose...

Donia la dévisagea. Puis posa une main sur le poignet de la jeune fille, ôta le charme qui la faisait passer pour humaine et dévoila la neige qui embuait son regard.

– Oui, moi.

Malgré le froid, que les fées de l'été ne supportaient pas d'ordinaire, Aislinn ne détourna pas les yeux. Aussi, Donia laissa le froid se glisser au bout de ses doigts et envahir le bras d'Aislinn. Du givre se répandit sur la peau de la jeune fille et de petits cubes de glace se formèrent sur son coude avant de tomber bruyamment sur le sol.

– Voilà l'autre choix.

Aislinn finit par retirer son bras en grimaçant.

– Je ne veux pas de cela non plus.

– Je sais, répondit Donia en rappelant le froid en elle, un effort qui la laissa tremblante. Mais à choisir... Les Filles de l'Été ont une forme de liberté que je n'ai pas. Elles sont éternelles, passent leur temps à danser et à jouer, et sont débarrassées de toute obligation. Imagine, une existence éternellement estivale... Elles n'ont aucune responsabilité, car elles ont laissé tout cela derrière elles, avec leur mortalité. Et lui... il prend soin d'elles, ajouta-t-elle en s'étouffant presque tant il lui était difficile de le dire. Elles ne manquent de rien.

– Ça ne m'intéresse pas.

Donia aurait voulu inciter Aislinn à refuser cette existence, mais ça n'était pas son rôle. C'était Keenan qui devait la convaincre.

– Pourtant, c'est ce que tu deviens peu à peu, tu as dû t'en apercevoir ?

À ces mots, les épaules d'Aislinn s'affaissèrent.

Donia se rappelait l'étrange sensation de dissociation qui avait accompagné les modifications. Un souvenir désagréable, même encore maintenant, alors que le froid s'était installé en elle.

– Pour ne pas avoir à les rejoindre, il te faut passer l'épreuve, dit-elle alors, tout en essayant de dissimuler la pitié que la jeune fille lui inspirait.

– Quel genre d'épreuve ? demanda Aislinn d'une toute petite voix effrayée.

Personne ne lui avait encore demandé de quoi il s'agissait. Habituellement, quand ce sujet commençait à être abordé, les filles avaient déjà fait leur choix. À ce stade, elles ne l'avaient peut-être pas encore verbalisé, mais leur cœur avait déjà choisi – risquer leur vie pour Keenan ou abandonner le combat. Depuis que Donia était Fille de l'Hiver, aucune n'avait été suffisamment amoureuse de lui pour accepter de passer cette épreuve. De la même façon, Keenan n'en avait vraiment aimé aucune – du moins, c'était ce que Donia s'était dit chaque fois qu'il avait courtisé une nouvelle jeune fille.

– C'est à lui de te l'expliquer. Je n'en ai pas le droit. C'est lui qui détient la troisième alternative, la récompense, en quelque sorte. En neuf siècles, personne ne l'a remportée. Si tu passes l'épreuve et que tu perds, tu deviens ce que je suis. Si tu ne la passes pas avant la saison prochaine, tu rejoins les autres filles, c'est tout. Allez, va te changer, lui dit-elle en la poussant gentiment vers sa chambre.

Aislinn s'arrêta sur le seuil de la pièce.

– Il n'existe pas d'autre moyen de se sortir de cette situation ? Je pourrais simplement retourner à ma vie. N'y a-t-il personne que je puisse consulter ?

Sans regarder Aislinn, Donia referma doucement la porte du placard. Personne ne lui avait jamais demandé cela non plus.

– Une seule fille a refusé de choisir.

– Et ?

Donia se tourna vers elle, la dévisagea et anéantit l'espoir qui s'était glissé dans la voix d'Aislinn :

– Elle en est morte.

24

« Ce personnage n'est rien moins que le Roi des Fés... En effet, innombrables sont ses sujets, et de natures très variées. Il est le souverain de ces êtres joyeux et bienfaisants... qui dansent sous le clair de lune. »
(*Les Mabinogion*, traduit du gallois par Lady Charlotte Guest, 1849)

Keenan touillait machinalement sa boisson. D'habitude, ses visites au *Rath* le mettaient de bonne humeur, mais cette fois, il n'avait qu'une seule idée en tête : comment allait-il convaincre Aislinn qu'elle lui était essentielle ? Plus tôt, il avait laissé s'exprimer ses émotions, avait déversé ses pouvoirs sur elle, et la jeune fille avait failli s'évanouir, tandis que son être en cours de métamorphose avait reconnu sa puissance. Pourtant, il aurait besoin d'une autre tactique pour leur prochaine rencontre.

Il me faut rester imprévisible.

– Si tu n'as pas envie de discuter, va danser, lui conseilla Tavish d'un ton posé, sans rien montrer de ses inquiétudes. Cela leur fera du bien de te voir sourire.

Justement, derrière lui, les Filles de l'Été dansaient, riaient et tournoyaient jusqu'au vertige, ainsi qu'elles aimaient le faire. Des gardes circulaient parmi la foule. Le club avait beau appartenir à Keenan, les fés de l'hiver et ceux de la Cour des Ténèbres le fréquentaient de plus en plus souvent, ce qui rendait la présence de ses soldats absolument nécessaire. Seuls les fés les plus nobles semblaient capables de respecter l'étiquette de l'établissement. La plupart du temps, même ses propres sujets ne se comportaient pas toujours convenablement.

– D'accord.

Il vida son verre et fit signe à Cerise d'approcher. Au même instant, son téléphone portable sonna. C'était elle. *Sa voix. Elle. Ma reine rebelle.*

– Aislinn ?

Il fit un geste indiquant qu'il avait besoin de quoi écrire.

Tavish lui tendit une serviette en papier. Niall s'empressa de trouver un stylo.

– Bien sûr... Non, je suis au *Rath*. Mais je peux te rejoindre...

Il raccrocha et fixa le téléphone. Tavish et Niall le regardaient avec impatience. Keenan fit signe à Cerise de retourner danser.

– Elle veut qu'on se voie pour parler.

– Je te l'avais bien dit. Elle va se montrer docile, comme les autres, lui dit Tavish d'un air approbateur.

– Tu as besoin de nous, ou bien pouvons-nous nous détendre ? voulut savoir Niall en attrapant au passage Siobhan par la taille.

– Allez danser.

– Keenan ? s'enquit Cerise, la main tendue vers lui.

– Non, pas maintenant.

Il se retourna et regarda les lutins qui couraient à travers la foule et manquaient régulièrement de se faire écraser sous les pieds des danseurs. Il laissa sa luminosité se déverser sur l'assistance et créa plusieurs soleils illusoires qui se mirent en rotation au-dessus de la piste de danse. *Ma reine veut me voir.* Bientôt, son univers serait tel qu'il aurait dû l'être depuis des siècles. *Ma reine sera enfin à mes côtés.* Il eut un rire joyeux et observa ses sujets qui gambadaient devant lui. Bientôt, il serait assez puissant pour restaurer l'ordre à la cour. Bientôt, tout serait réglé.

Aislinn se dirigeait vers la rivière, où était situé l'immeuble abandonné, sans cesser de murmurer, à chaque pas, le conseil de Donia. *Passe à l'offensive.* Elle tâchait de se persuader qu'elle y parviendrait, mais à la seule idée de se rendre dans leur tanière, elle se sentait défaillir. Au fil des années, elle avait vu tant de fés entrer au *Rath* qu'elle avait appris à éviter l'endroit à tout prix.

Pourtant, me voilà.

Elle savait où le trouver, savait qu'il serait venu si elle l'avait convoqué, mais selon Donia, cette stratégie était plus sage. *Sois agressive. Frappe la première.* Aislinn se raccrochait à un dernier espoir : il y avait un moyen de continuer à vivre comme elle l'entendait, dans la mesure du possible. *Dire que je ne sais toujours pas ce qu'il attend de moi précisément.* Elle avait bien l'intention de le lui demander, ou plutôt, elle allait *exiger* des explications.

Je vais m'en sortir.

Devant la porte du club, à moitié appuyé contre un tabouret, se tenait l'un des videurs. Sous le sortilège lui donnant une apparence humaine, il était terrifiant – des défenses en spirale, au bout pointu, partaient de chaque côté de son

275

visage. Il donnait l'impression d'avoir passé sa vie à soulever des poids, chose que le sortilège ne parvenait pas à masquer. Elle s'arrêta à quelques mètres de lui.

– Excusez-moi ?

Il baissa le magazine qu'il lisait et la dévisagea par-dessus ses lunettes de soleil.

– C'est réservé aux membres.

Elle le toisa tout en essayant de croiser son regard.

– Je veux voir le Roi de l'Été.

Il mit son magazine de côté.

– Le *quoi* ?

Elle redressa les épaules. *Sois sûre de toi.* Plus facile à dire qu'à faire.

– Je veux voir Keenan. Il est là. Et je sais qu'il m'attend. Je suis... sa nouvelle amie, s'obligea-t-elle à ajouter.

– Tu ne devrais pas venir ici, grommela le videur, avant d'ouvrir la porte et de faire signe d'approcher à un jeune garçon doté d'une crinière de lion. Dis au... dis à Keenan que...

– Ash.

– Qu'Ash est là.

Le garçon-lion détala en courant et disparut derrière une autre porte. Son charme lui donnait l'air d'un chérubin, malgré sa crinière en bataille – des dreadlocks hirsutes et blond-roux. Nombreux étaient les fauteurs de troubles parmi les fés qui rôdaient en ville : ceux de son espèce n'en faisaient pas partie.

Le videur laissa la porte se refermer bruyamment, reprit son magazine mais continua de jeter des coups d'œil désapprobateurs à Aislinn. Le cœur de celle-ci cognait dans sa poitrine. Feignant la nonchalance, elle se tourna vers la rue. Le quartier

276

n'étant pas particulièrement fréquenté, seules quelques voitures étaient passées depuis qu'elle était arrivée à destination. *Si je dois me montrer agressive, pourquoi ne pas commencer tout de suite ? En guise d'entraînement.* Aussi, quand le videur releva de nouveau le nez de sa lecture, elle lui lança :

– À mon humble avis, tu es plus sexy avec tes défenses.

Il resta bouche bée. Son magazine tomba lourdement sur le trottoir humide.

– Avec mes *quoi* ?

– Tes défenses. Sérieusement, si tu veux te balader avec un charme, ajoute des piercings, conseilla Aislinn en le dévisageant attentivement, comme pour le jauger. Et puis ça te donnera l'air plus menaçant.

Son large sourire s'épanouit lentement, tel le soleil levant qui monte au-dessus de l'horizon. Il modifia son charme.

– C'est mieux ?

– Ouais.

Elle se rapprocha de lui, sans le toucher ni flancher, bien plus près qu'elle ne s'en serait crue capable. *Comporte-toi comme s'il s'agissait de Seth.* Elle inclina la tête sans le lâcher du regard.

– Ça me plaît.

Il eut un rire nerveux et jeta un coup d'œil par-dessus son épaule. Son messager n'était pas encore de retour.

– Si tu continues ainsi, je risque de me faire fouetter. Si tu étais mortelle, ça serait pas gênant, mais toi, ajouta-t-il en secouant la tête, tu es intouchable.

Elle resta pourtant où elle était, choisissant de ne pas réduire la distance qu'elle avait établie entre eux, mais de ne pas faire marche arrière non plus.

– Il bat les gens ? Il est cruel à ce point ?

Le videur faillit s'étrangler de rire.

– Keenan ? Tu veux blaguer ? Non, mais il n'est pas le seul joueur. Il y a aussi la Fille de l'Hiver, les conseillers de Keenan, les Filles de l'Été et... la Reine de l'Hiver ajouta-t-il à voix basse, tout en réprimant un frisson. Une fois que le jeu a démarré, on sait jamais qui peut se mettre en rogne.

– Et quel prix y a-t-il à gagner quand on y joue ?

Le cœur d'Aislinn battait si fort qu'elle craignait d'en avoir des douleurs dans la poitrine. Keenan et Donia ne lui disaient pas tout. Le videur allait peut-être lui donner des informations précieuses. La Fille de l'Hiver se targuait de vouloir l'aider, mais elle aussi jouait un rôle.

Le messager revint en compagnie de deux des fées dont la peau était décorée de plantes.

Concentre-toi. Et surtout, pas de panique, quelle que soit sa réponse.

Il se pencha vers elle, si près que ses défenses encadrèrent le visage de la jeune fille.

– Le contrôle. La puissance. Toi, chuchota-t-il.

– Oh.

Qu'est-ce qu'il veut dire par là ?

Sans un mot, elle suivit les fées, en se demandant si ces créatures répondaient parfois sans ambiguïté.

Aislinn – *ma reine, elle est ici* – suivit Eliza à travers la foule qui s'écartait respectueusement sur son passage. Elle était charmante. Une vision devenue réalité. Les Filles de l'Été tournoyaient. Les fés de l'hiver étaient contrariés. Quant aux fés des ténèbres, ils se passaient la langue sur les lèvres, comme s'ils se réjouissaient d'avance. Les autres, les fés solitaires et les rares représentants de la Haute Cour qui se mêlaient à

278

l'assistance, se contentaient de regarder ce qui se passait, par curiosité, sans se sentir concernés. Comme si l'existence de Keenan, sa lutte, n'étaient rien d'autre qu'un spectacle susceptible de les divertir.

– Ton invitée est là, Keenan, annonça Eliza en le saluant.

Il répondit par un petit signe de tête et avança un fauteuil pour Aislinn. Elle ne souriait pas. Elle n'était pas heureuse. Elle était là pour se battre, non pour lui céder.

Dire que tous nous regardent, songea-t-il.

Bizarrement, il ne se sentait pas à son aise. Il avait toujours choisi ses champs de bataille et les décors. Mais elle était là, dans son club, entourée de ses sujets, et il ne savait pas du tout comment il allait gérer la situation.

Elle est venue à moi. Cependant, ça n'est pas ce que j'espérais. Elle était là pour le rejeter. Son attitude le prouvait suffisamment. *Sa stratégie est plutôt habile.* Et même si elle n'était pas la reine qu'il attendait, elle était la meilleure concurrente qu'il ait connue depuis bien longtemps. *Si seulement je ne la terrifiais pas autant... ç'aurait pu être un bon début de soirée.*

– Quand tu en auras assez de me dévisager ainsi, fais-le-moi savoir, lui lança-t-elle d'un ton qu'elle aurait voulu blasé, mais qui ne trompa pas Keenan.

Elle se tourna et héla l'un des innombrables fés-lionceaux qui galopaient de-ci de-là.

– Puis-je avoir quelque chose de normal, une boisson de mortel ? Je ne veux pas de ce vin qu'on m'a fait boire à la fête foraine.

Le fé-lionceau la salua, sa crinière se hérissa quand une fée essaya de s'approcher de lui, puis il partit en quête d'une boisson, sans ralentir malgré les fés qui se pressaient autour de lui. Il se perdit bientôt dans la foule des danseurs.

Au bord de la piste de danse, Tavish et Niall observaient la scène sans se cacher. Ils s'étaient servis des gardes pour former une sorte de barricade qui empêchait les Filles de l'Été de trop s'approcher. Ces dernières ne savaient jamais vraiment quand se taire ou non. Et ce soir-là, elles se montraient particulièrement incontrôlables, tant elles étaient persuadées que leur reine était enfin arrivée parmi elles.

– Ça y est, j'en ai terminé, murmura Keenan, sans pour autant parvenir à détacher son regard.

Il ne fallait pas qu'elle continue à s'habiller de cette façon – plus jamais il n'arriverait à en détacher les yeux. Elle portait un pantalon noir en polyester et un chemisier très démodé, orné d'un ruban de velours rouge. *Si je tirais sur ce ruban, se dit-il, le chemisier s'ouvrirait et glisserait de ses épaules...*

– Veux-tu danser avant que nous ne discutions ?

Il désirait tant être contre elle que ses bras en étaient douloureux – danser avec elle comme ils l'avaient fait à la fête foraine, tourbillonner au milieu des fés... *nos sujets.*

– Avec toi ? C'est peu probable, rétorqua-t-elle d'un ton moqueur.

Mais sa témérité sonnait faux.

– Tout le monde me regarde, constata-t-il. Sauf toi.

Ils nous regardent tous les deux. Il lui fallait s'imposer ou bien les fés le croiraient faible et docile face à elle. Aussi, il ôta son charme et laissa jaillir tout le soleil qui l'habitait, étincelant dans le club aux lumières tamisées, pareil à un flambeau dans la nuit.

Aislinn, le souffle coupé, écarquilla les yeux. Keenan se pencha par-dessus la table et saisit vivement l'une des mains de la jeune fille, qu'elle gardait serrées. D'un geste si rapide que des yeux mortels n'auraient pu le voir, Aislinn dégagea brutalement sa main puis la foudroya du regard – comme si elle lui en voulait de lui avoir rappelé qu'elle avait changé.

Le fé-lionceau était de retour, avec un plateau chargé de boissons. Trois autres le suivaient, chacun portant un plateau de petits gâteaux sucrés confectionnés par des mortels, mais que les fés aimaient beaucoup.

– Vous avez fait vite, leur dit Aislinn en souriant, tout en affectant un ton amical.

Ils se redressèrent et leurs crinières s'ébouriffèrent de plaisir.

– Nous ferions n'importe quoi pour vous, noble dame, répondit le plus âgé d'entre eux de sa voix râpeuse.

– Merc... Je veux dire, se rattrapa-t-elle aussitôt, c'est gentil de votre part.

Keenan la regardait en souriant. Peut-être changeait-elle d'attitude à cause de la modification physique qu'elle subissait. Peut-être était-elle en train d'accepter la situation, inévitablement. Mais cela lui importait peu, tant qu'elle souriait à leurs sujets.

Pourtant, dès qu'elle détourna le regard des fés-lionceaux, son sourire s'évanouit. Keenan vit sa gorge qui palpitait, comme celle d'une créature prise au piège. Ses yeux cherchaient à le fuir, alors que tout l'obligeait à les tenir braqués sur son visage rayonnant. Elle déglutit à plusieurs reprises.

Ce ne sont pas mes serviteurs qui font ainsi battre son cœur ou qui la font rougir. C'est moi.

Les fés-lionceaux posèrent les plateaux sur la table. Il y avait de la glace, des gâteaux, du café ; des desserts provenant des pâtisseries du coin et des breuvages sucrés sans alcool. Tout en désignant les douceurs qu'ils avaient apportées, ils échangeaient des grognements.

– Essayez ceci.

– Non, ceci.

– Elle préférera ceci.

Finalement, Tavish, accompagné d'un garde, s'approcha de la table et tenta de les en chasser.

– Allez-vous-en.

Aislinn observait la scène sans rien dire. Puis, d'un air apparemment résolu, elle se tourna vers Keenan.

– Bien, parlons un peu de notre petit jeu. Nous trouverons peut-être une solution, ce qui nous permettra de retourner à nos existences respectives.

– Tu es toute ma vie, à présent. Tout prendra sens, précisa-t-il en agitant la main autour d'eux, une fois que tu voudras de moi.

Sans elle, plus rien n'avait d'importance. Ni ses fés ni son existence. *Si elle dit non, ils mourront tous.*

– J'ai besoin de toi, murmura-t-il.

Aislinn serra les poings. *Ça ne marche pas.* Comment pouvait-elle le raisonner alors qu'il continuait de briller ainsi, semblable à un être céleste ? Il ne la menaçait pas, ne faisait rien contre elle, et ne cessait de lui dire des gentillesses qu'elle aurait dû apprécier. *Est-ce si terrible, finalement ?* Elle hésitait, tandis qu'il la dévisageait avec intensité – avec toutes les apparences de la bonté.

Non. C'est un fé. Ne jamais leur faire confiance.

Son harem se tenait derrière lui. Des filles qui avaient été à sa place. Des fées, à présent, qui se mêlaient aux corps pressés les uns contre les autres. Elle ne voulait pas de cette vie.

– Ce genre de réponse ne nous avance à rien, dit-elle avant de prendre une profonde inspiration. Je ne t'apprécie pas. Je ne veux pas de toi. Je ne suis pas amoureuse de toi. Pour quelle raison est-ce que tu...

Elle s'interrompit, ne trouvant plus ses mots.

– Est-ce que je te fais la cour ? suggéra-t-il avec un léger sourire.

– Appelle ça comme tu voudras, répliqua-t-elle, pourtant submergée par la fragrance entêtante des fleurs, qui lui donnait le vertige. Je ne comprends pas pourquoi tu t'obstines, ajouta-t-elle en s'efforçant de se ressaisir.

– On ne peut revenir en arrière, répondit-il en tendant la main vers elle.

– Ne me touche pas, dit-elle en reculant sur son fauteuil.

Il se réinstalla au fond du sien. Les lumières bleutées du club intensifiaient son apparence irréelle.

– Et si je te disais que tu es la clé, le graal, le livre... le talisman qui viendra à mon secours ? Si je te disais que j'ai besoin de toi pour vaincre celle qui gèle la terre ? Si, en acceptant, tu sauvais le monde, celui des fés mais aussi celui de tes mortels, le ferais-tu ?

Les yeux rivés sur lui, elle comprit : c'était donc cela, ce qu'ils avaient cherché à lui cacher, eux tous.

– C'est donc là que tu voulais en venir ?

– Possible.

Il se leva et contourna la table, assez lentement pour laisser le temps à Aislinn de se lever à son tour et de placer son fauteuil entre eux.

– Il existe un seul moyen d'en être sûr, ajouta-t-il en s'approchant si près qu'il lui bloquait le passage. Tu dois choisir de rester avec moi.

Soudain, Aislinn eut envie de s'enfuir.

– Je ne veux pas devenir comme elles, répondit-elle en désignant les Filles de l'Été, ni me transformer en fée de glace, comme Donia.

– Ainsi, Donia t'a expliqué, constata-t-il en hochant la tête, comme s'il n'y avait rien eu d'anormal à cela.

– Les détails que tu as oublié de mentionner ? Ouais.

Elle parlait d'un ton égal, comme si s'entendre confirmer qu'elle n'avait d'autre choix que de faire partie de son harem ou de devenir une fille de glace ne l'affectait guère.

– Tu comprends ? reprit-elle. Je ne veux pas être un de tes joujoux ni me retrouver à la place de Donia.

– Je ne crois pas que tu seras l'une ou l'autre. Je te l'ai déjà dit. Je veux que tu choisisses de rester à mes côtés, répéta-t-il en l'obligeant à se lever, si bien qu'Aislinn se retrouva tout près de lui. Si tu es celle...

– Ça ne me dit toujours rien qui vaille.

Soudain, il sembla las, et tout aussi malheureux qu'elle.

– Aislinn, écoute. Si tu es celle que je cherche, la clé dont j'ai besoin, et si tu te détournes de moi, le monde continuera de refroidir jusqu'à ce que les fés de l'été, toi incluse, en meurent, ainsi que les mortels. Je ne peux pas rester inactif devant cette catastrophe annoncée.

Ses yeux réfléchissaient la lumière, comme ceux d'un animal.

Un instant, Aislinn ne sut que répondre. Donia s'était trompée : elle ne parvenait pas à négocier avec lui, à le raisonner. Car il n'avait jamais dû être raisonnable.

– Je veux que tu comprennes, reprit-il d'une voix qui la terrifia, semblable au grondement d'un prédateur feulant dans
l'obscurité. Peux-tu seulement essayer ? ajouta-t-il d'un ton
soudain désespéré.

Alors, Aislinn se surprit à hocher la tête. Elle acceptait, au
moins pour mettre un terme à sa tristesse.

Ressaisis-toi. Tu n'es pas venue ici pour ça. Elle s'agrippa au
rebord de la table, le serrant au point d'en avoir mal aux
mains. Elle savait maintenant qui il était, elle savait à quoi
ressemblait le monde qu'il lui offrait : mais elle se rendit
compte qu'elle avait encore plus de difficultés à ne pas
céder. Elle avait cru que les atrocités dont elle avait été
témoin la rendraient plus déterminée, plus forte. Pourtant,
tandis qu'il la dévisageait d'un air implorant, elle ne désirait plus qu'une seule chose : lui donner ce qu'il voulait,
tout ce qu'il voulait, pourvu que sa lumière brûle de nouveau au-dessus d'elle.

Elle se força à repenser aux horreurs commises par les fés,
aux actes cruels auxquels elle les avait vus se livrer.

– Tes fés ne sont pas assez importants pour que je sacrifie
ma vie pour eux.

Keenan resta muet.

– Je les ai vus faire. Tu comprends ? Ceux qui sont ici ce soir,
précisa-t-elle en baissant la voix. Je les ai vus ennuyer des filles,
les pincer, les faire trébucher, je les ai entendus rire et se
moquer. Chaque jour de ma vie, j'ai vu les tiens agir ainsi. Et
je n'en ai vu aucun qui vaille la peine d'être sauvé.

– Si tu me choisis, tu les gouverneras... tu seras la Reine de
l'Été. Ils t'obéiront comme à moi, l'assura Keenan, le regard
implorant.

Ce n'était plus une ruse, à présent. Il n'était plus que désespoir.

– Eh bien, si c'est ainsi qu'ils se comportent, autant dire
qu'ils ne t'obéissent pas très bien. À moins que tu n'approuves
leurs agissements.

– Je n'ai pas suffisamment de pouvoir et ne peux compter
que sur leurs bons sentiments pour me faire entendre d'eux.
Si tu régnais, tu pourrais les changer. Nous pourrions modifier tant de choses. Nous pourrions les sauver, dit-il en
balayant d'un geste la foule des danseurs. Si je ne deviens pas
un vrai roi, ces fés mourront. Les mortels mourront. Ils se
meurent déjà. Tu seras là pour assister à leur fin.

Elle sentit les larmes lui monter aux yeux. Elle savait qu'il
les avait vues, mais elle s'en moquait.

– Il doit forcément exister un autre moyen. Je ne veux pas ce
que tu m'offres, et je ne veux pas non plus devenir une Fille
de l'Été.

– C'est pourtant ce qui t'arrivera. À moins que tu ne me
choisisses. Il suffit d'une simple formalité. Vraiment, tout se
passe si vite que c'en est risible.

– Et si je ne suis pas ce graal ? Je prends la place de Donia
pour l'éternité ? ajouta-t-elle en le repoussant. C'est ça, ton
plan ? Elle est malheureuse. Elle souffre. Je m'en suis rendu
compte.

À ces mots, il tressaillit et détourna le regard, ce qui le rendit soudain plus réel aux yeux d'Aislinn. Cela fit hésiter la
jeune fille. Keenan avait peut-être beaucoup à gagner, mais
d'après la douleur qui se lisait sur son visage, il avait déjà
perdu certaines choses qui n'étaient pas sans importance à ses
yeux.

– Promets-moi d'y penser, je t'en prie, lui dit-il alors. J'attendrai, murmura-t-il en se penchant vers elle. Dis-moi simplement que tu vas y réfléchir. J'ai *besoin* de toi.

– Je ne veux pas être ta reine, je ne veux pas de toi. Il y a quelqu'un d'autre que je...

– Je sais, l'interrompit-il tout en acceptant un verre que lui tendait un fé-lionceau qui avait réussi à se faufiler sous les jambes d'un garde. J'en suis désolé, ajouta-t-il avec un sourire empreint de tristesse. Je comprends parfaitement, mieux que tu ne crois.

Elle commençait à saisir le caractère inévitable de la situation. Elle pensa aux choses qui changeraient, à ce qu'elle ne voulait pas voir changer. Elle avait tant de questions à lui poser.

– N'y a-t-il pas d'autre moyen ? Je n'ai vraiment pas envie d'être une fée, et j'ai encore moins envie de régner sur des fés.

Il laissa échapper un rire sans joie.

– Cela m'arrive, certains jours. Mais toi et moi ne pouvons aller contre notre nature. Je refuse de te mentir et de te dire que j'aimerais défaire ce que j'ai fait, Aislinn. Car je pense que tu es celle que j'attends. La Reine de l'Hiver te craint. Donia elle-même pense que tu es la future reine. Je regrette d'avoir bouleversé ta vie, ajouta-t-il en lui tendant la main. Mais je te supplie de m'accepter. Dis-moi quels sont tes désirs et j'essaierai de les satisfaire.

Moment tout aussi étrange que la fête foraine ! Keenan, les mains tendues, attendait une réponse. À la fête, Aislinn avait cru que tout serait vite terminé. À présent, elle comprenait, non sans découragement, que cela ne faisait que commencer.

Comment en parler à Seth ? À grand-mère ? Et que leur dire ? Elle avait longtemps espéré perdre sa Vue, pour vite s'apercevoir que l'espoir ne suffisait pas à faire disparaître ce don. Cette fois, elle commençait à comprendre que la volonté ne suffirait pas non plus. Elle savait qu'elle se métamorphosait, et elle aurait beau le nier, rien n'y ferait.

Je suis des leurs.

Si elle voulait survivre, il lui fallait essayer de comprendre le monde des fés. Soudain, elle se souvint que Keenan et le videur avaient tous deux mentionné une autre protagoniste.

– Qui est la Reine de l'Hiver ? lui demanda-t-elle. Elle pourrait m'aider ?

Keenan, qui buvait une gorgée de son vin, faillit s'étrangler. D'un geste plus vif que l'éclair, il la saisit par les bras.

– Non ! Il ne faut pas qu'elle apprenne que tu as la Vue, et que tu es au courant de ce qui se passe, la prévint-il en la secouant doucement. Si elle savait...

– Elle pourrait m'aider ?

– Non. Tu dois me croire. Elle est plus cruelle que tu ne peux l'imaginer. De mon côté, je ne m'en prendrai pas à toi parce que tu as la Vue, mais d'autres, comme la Reine de l'Hiver, seraient prêts à le faire. C'est à cause d'elle que je n'ai pas de pouvoir. Que la terre gèle. Tu ne dois surtout pas aller la trouver !

Ses doigts s'enfoncèrent dans les bras d'Aislinn, si bien qu'elle se mit à scintiller elle aussi. Il paraissait terrifié – une impression sur laquelle la jeune fille préféra ne pas s'appesantir.

Il se considère comme privé de pouvoir ?

Elle acquiesça sans dire un mot et Keenan la relâcha, tout

en lissant ses manches froissées. Elle se pencha plus près de lui, ses lèvres presque contre sa peau ; la musique et le bruit n'avaient cessé de croître.

– J'ai besoin d'en savoir davantage. Ce que tu me demandes est trop...

Un instant, elle fut incapable de continuer, l'esprit envahi par ce qu'elle devrait abandonner si elle devenait... *Non, je le suis déjà.*

– J'ai besoin d'autres réponses si tu veux que je réfléchisse à ta proposition, reprit-elle.

– Je ne peux pas tout te dire, Aislinn. Il y a des règles, immuables depuis des siècles... répondit-il, hurlant presque pour se faire entendre par-dessus le vacarme. Nous ne pouvons pas parler ici, ils sont trop agités.

Autour d'eux, les fés faisaient des cabrioles et des mouvements qui n'avaient rien d'humain, en dépit des charmes qu'ils avaient revêtus.

– Allons dans le parc, ajouta-t-il en lui tendant la main, dans un café, où tu veux.

Elle le laissa prendre sa main, non sans colère. Pourquoi ces choix qui, selon toute apparence, n'en étaient pas vraiment ?

Keenan sentait sa petite main dans la sienne, contact aussi apaisant que celui du soleil. Elle n'avait pas dit oui, mais elle y réfléchissait, tout en acceptant peu à peu d'avoir perdu sa mortalité. Elle allait certainement le déplorer longtemps, mais c'était souvent ainsi que réagissaient les nouvelles fées.

Il la conduisit jusqu'à la sortie du club, conscient des regards approbateurs que ses sujets leur lançaient. Ils s'approchaient d'eux tout en dansant, effleuraient Aislinn au passage

289

et lui souriaient. De son côté, elle gardait la tête haute, l'air aussi téméraire que lorsqu'elle s'était frayé un passage dans la foule pour le rejoindre. Il se doutait qu'elle les voyait tels qu'ils étaient, sans leurs charmes humains. Elle ne dansait pas mais ne tressaillait pas ni ne se détournait quand ils se rapprochaient d'elle. Pour une mortelle dotée de la Vue, elle se montrait particulièrement courageuse.

Il savait qu'elle entendait les murmures de ceux qui, ignorant qu'elle avait la Vue, avaient préféré rester invisibles. Ceux-ci s'aventuraient encore plus près d'elle et passaient leur main dans ses cheveux.

Notre souveraine.

La Reine est ici.

Elle est enfin arrivée.

Ils n'avaient pas entendu ses doutes et son désespoir. Ils avaient seulement compris qu'elle était venue jusqu'à lui, Keenan, et qu'elle quittait le club en sa compagnie. Depuis l'annonce des Éolas, certains de ses sujets étaient convaincus qu'elle le libérerait et qu'elle leur porterait secours. *Pourvu qu'ils aient raison*, se disait le Roi de l'Été.

– Les Filles de l'Été que j'ai vues à la bibliothèque ont dit que... commença-t-elle avant de détourner le regard en rougissant. Elles ont eu l'air de dire que... euh... qu'elles *fréquentaient* des mortels ? acheva-t-elle précipitamment.

Cette question le blessa. Jamais il n'avait pensé que le jour où il aurait trouvé sa reine, il l'intéresserait si peu.

– Oui, c'est vrai, répondit-il tout en rongeant son frein.

– Dans ce cas, je pourrais...

Elle s'interrompit, alors qu'ils arrivaient à la porte d'entrée. Le videur, qui avait entre-temps ajouté d'autres anneaux de métal à son visage, décocha un grand sourire à la jeune fille, qui se sentit à nouveau plus courageuse.

– À plus tard, lui dit-elle, tout en répondant à son sourire.

Choqué par cette familiarité, Keenan se tourna vers elle, avec l'intention de lui demander ce qui s'était passé entre elle et ce garde – ça valait mieux que de discuter de ce mortel qu'elle voulait continuer de voir. Cependant, dès qu'ils eurent mis un pied dehors, Keenan perçut une vague de froid à glacer les os.

– Beira, murmura-t-il. Je t'en prie, s'empressa-t-il d'ajouter à mi-voix, reste près de moi. Ma mère se dirige vers nous.

– Je croyais que tu vivais avec tes oncles.

– Oui, en effet, dit-il en se plaçant devant Aislinn. Beira n'est absolument pas qualifiée pour prendre soin de qui que ce soit.

– Eh bien, mon chou, ça n'est pas très gentil... rétorqua la Reine de l'Hiver en émergeant de l'obscurité, pareille à un cauchemar qui ne cessait d'obséder Keenan.

Le charme humain qu'elle avait revêtu dévoilait son habituel collier de perles, une robe grise et une veste en fourrure épaisse. Pourtant, Keenan savait qu'Aislinn voyait le vrai visage de sa mère – la neige qui emplissait ses yeux et ses lèvres brillantes de givre. Une pensée qui ne le réconforta nullement.

Beira soupira en dirigeant son souffle glacial sur lui.

– Je voulais seulement rencontrer celle dont tout le monde parle, déclara-t-elle avant de se pencher vers lui pour l'embrasser sur les deux joues.

Keenan sentit le givre lui meurtrir la peau mais il ne dit mot. Fort heureusement, Aislinn resta elle aussi muette.

– *L'autre* fille sait-elle que tu te promènes avec elle ? murmura

Beira d'un ton dramatique, tout en fronçant le nez en direction d'Aislinn.

En repensant à la façon dont sa mère avait menacé Donia, le Roi de l'Été serra les poings ; il regrettait de ne pouvoir laisser libre cours à sa colère, mais Aislinn était près de lui, encore vulnérable, et il n'osait pas.

– Comment le saurais-je ?

– Tss tss... ça ne te va pas du tout, d'être de mauvaise humeur, tu sais ?

Il préféra ne pas répondre à la provocation. Elle frappa dans ses mains, envoyant un courant d'air froid sur lui.

– Tu as l'intention de faire les présentations, mon chéri ? s'exclama-t-elle.

– Non. Tu ferais mieux de partir, ajouta-t-il.

Beira laissa échapper un rire auquel se mêla une vague de froid qui n'avait d'autre but que de le faire souffrir. Keenan resta pourtant campé devant Aislinn, afin qu'elle soit hors de portée du courant glacial ; mais la jeune fille se plaça à ses côtés et dévisagea la Reine de l'Hiver d'un air dédaigneux.

– Allons-y, lui dit-elle en le prenant par la main.

Ce n'était pas un geste d'amour ni même d'affection, seulement de solidarité. Aislinn n'avait plus rien de la tremblante jeune fille angoissée qui était venue le trouver quelques heures plus tôt. Elle lui apparut plutôt comme une guerrière de la vieille garde, de celles qui oubliaient de sourire même aux instants de félicité. Elle rayonnait de gloire.

Alors qu'il tentait de résister au froid que Beira continuait de projeter sur lui, Aislinn l'attira à elle et embrassa ses deux joues meurtries ; et il sembla à Keenan que ses lèvres étaient pareilles à un baume.

– Je ne supporte pas les tyrans.

La chaleur de la jeune fille envahit subitement sa main et lui brûla les joues.

C'est impossible.

Keenan dévisagea tour à tour Aislinn et sa mère. Toutes deux se tenaient face à face, donnant l'impression qu'elles étaient sur le point de mener une guerre telle que les fés n'en avaient plus connu depuis des millénaires. Incapable de se concentrer, il regarda la benne posée au bout de la rue, l'homme à moitié endormi, blotti dans un amas de vêtements élimés et de cartons, et entendit les bruits de pas de ses conseillers et de ses gardes, à l'approche.

Beira se rapprocha d'Aislinn et ses doigts, aussi blancs que des ossements, se dirigèrent vers le visage de la jeune fille.

– Elle me rappelle quelqu'un.

– Non, lança Aislinn en reculant d'un pas pour se mettre hors de portée de Beira.

Celle-ci se mit à rire et la jeune fille sentit quelque chose de froid et de malfaisant lui parcourir le dos. Qu'elle soit ou non en colère à l'idée de devenir l'une de ces créatures n'avait plus d'importance. Cela avait cessé d'en avoir dès l'instant où la Reine de l'Hiver avait blessé Keenan. Un instinct de protection s'était réveillé en elle ; *j'ai voulu le protéger* – un élan qu'elle avait souvent éprouvé envers ses amis, mais jamais pour un fé. Peut-être était-ce à cause du désespoir qu'elle avait perçu en lui dans le club. La sensation grandissante qu'il se trouvait piégé, tout autant qu'elle.

Beira ne pourrait pas s'opposer à nous. Elle serait incapable de se dresser contre le Roi et la Reine de l'Été. Elle avait beau en rejeter l'éventualité, cette idée, au moment où elle la formula, lui sembla *juste*.

– À très bientôt, mes mignons...

Beira fit un signe de la main et deux harpies toutes desséchées s'avancèrent et l'encadrèrent, à la manière des dames de compagnie dans les portraits de souverains. Sous leur charme humain, ces fées ne possédaient pas la sombre beauté de Beira ; elles ressemblaient seulement à des créatures hagardes, aux yeux vitreux, à qui on aurait dérobé toute vitalité, telles des enveloppes vides.

Sans un regard en arrière, les trois fées s'éloignèrent. Des éclats de glace craquelés, aussi pointus que des bris de miroir, scintillaient sous les pas de Beira.

– Quel horrible personnage, lança Aislinn à Keenan. Tu vas bien ?

Il ne répondit pas, se contentant de la dévisager avec, dans les yeux, un effroi mêlé de respect. Il porta la main à sa joue. Les marques des baisers de Beira s'estompaient, et seule restait une trace rouge, là où s'étaient posées les lèvres d'Aislinn. Ses deux « oncles » et ses gardes firent leur apparition. *Pas assez nombreux. Ils arrivent trop tard.* Plusieurs d'entre eux parlaient en même temps.

– Beira est partie... ?

– Comment vas-tu ?

Mais Keenan, ignorant leurs questions, prit la main d'Aislinn et la plaça sur sa joue.

– C'est toi qui as fait cela.

– Qu'a-t-elle fait ? Es-tu blessé ? s'empressa de demander l'un des fés.

– Elle n'a rien vu, pas vrai ? Beira n'a rien vu ? demanda Keenan.

Ses yeux s'ouvrirent tout grands et, dans ses pupilles, Aislinn vit fleurir de minuscules fleurs violettes. Elle retira sa main en secouant la tête.

– Ça ne veut rien dire. Et ça ne change rien du tout. J'ai seulement... je ne sais même pas pourquoi j'ai agi ainsi.

– C'est pourtant ce que tu as fait, chuchota-t-il en prenant ses deux mains entre les siennes. Vois comme tout est différent à présent.

Aislinn tremblait. Il la dévisageait comme si elle avait été le graal dont il lui avait parlé et elle n'avait qu'une idée en tête : fuir, vite et loin, fuir jusqu'à n'en plus pouvoir.

– Nous devions en discuter. Tu as dit que...

Les mots qu'elle voulait prononcer s'évanouirent, tandis que cette brusque révélation la frappait brutalement : *c'est donc vrai. Je suis la...* Non, elle ne pouvait pas même formuler sa pensée. Pourtant, elle savait que c'était vrai. Et il l'avait compris, lui aussi.

– Quelqu'un va-t-il enfin nous dire ce qui se passe ? demanda l'un des oncles, le plus posé des deux.

Sans lâcher les mains de la jeune fille, Keenan leur fit discrètement signe d'approcher.

– Aislinn a effacé les marques de la Reine de l'Hiver, annonça-t-il dans un murmure pareil à un roulement de tonnerre étouffé.

– Je ne l'ai pas fait exprès, protesta-t-elle, en essayant de se dégager.

Tout élan d'amitié ou de protection avait disparu dès l'instant où il s'était mis à lui serrer trop fort les mains.

– Elle a embrassé les meurtrissures glaciales de Beira, et elles ont disparu ! Elle a réussi à vaincre l'arme de la Reine de l'Hiver. Elle m'a offert sa main, de son plein gré, et je me suis senti plus fort.

– Que dis-tu ?

– Elle m'a guéri avec un baiser et a partagé sa force avec moi.

Sur ces entrefaites, Keenan tomba à genoux devant Aislinn et leva vers elle des yeux d'où coulaient des larmes dorées, semblables à des gouttes de soleil liquide. Les autres fés l'imitèrent.

– Ma Reine... murmura Keenan en lâchant les mains d'Aislinn, afin de tendre les siennes vers elle.

Aussitôt, elle partit en courant. Elle courut comme jamais elle ne l'avait fait ; ses pieds écrasant la glace qui brillait encore sur le sol, elle fuyait la lumière du soleil qui scintillait sous la peau de Keenan.

Le Roi de l'Été resta agenouillé plusieurs minutes après qu'elle se fut enfuie. Les autres ne se relevèrent pas non plus.

– Elle est partie, constata-t-il d'une voix qu'il savait affaiblie, sans pourtant avoir la force de s'en soucier. C'est elle, et elle est partie. Elle sait, et elle est partie.

Il avait les yeux braqués sur l'endroit où elle avait disparu. Elle ne s'était pas déplacée aussi rapidement qu'une fée ; malgré tout, elle avait couru plus vite qu'une mortelle ne pouvait le faire. S'en était-elle seulement aperçue ?

– Devons-nous aller la chercher ? s'enquit l'un des hommes-sorbiers.

– Elle est partie, répéta Keenan en se tournant vers Tavish et Niall.

– En effet, répondit Tavish, en faisant signe aux gardes de s'éloigner.

Ces derniers reculèrent dans l'ombre, suffisamment près pour revenir si on les appelait, mais assez loin pour ne pas entendre la conversation.

Niall saisit Keenan par le bras.

– Laisse-lui la nuit, qu'elle s'habitue à l'idée, conseilla Niall.

Tavish prit l'autre bras du Roi de l'Été.

– Elle allait y réfléchir. Elle me l'avait dit, dans le club, dit-il en regardant tour à tour chacun des deux fés. Elle va quand même y réfléchir, forcément. Il le faut.

Aucun de ses conseillers ne lui répondit. Ils rentrèrent tous trois dans le night-club, les gardes de Keenan à leur suite.

25

« Les fés, tels que nous les connaissons, sont très attirés par la beauté des mortelles, et [...] le roi emploie ses nombreux esprits pour aller les chercher et les enlever quand cela est possible. »
(*Légendes anciennes, sortilèges et superstitions en Irlande* de Lady Francesca Speranza Wilde, 1887)

Aislinn courut sans s'arrêter jusqu'à la porte de Seth. Elle l'ouvrit, l'appela et s'immobilisa en trébuchant quand elle vit la petite assistance réunie dans le train.

– Ash ?

Il traversa la pièce et la prit dans ses bras avant même qu'elle ait le temps de savoir quoi dire.

– J'ai besoin...

Elle était encore tout essoufflée, les cheveux plaqués sur son visage et son cou. Tandis qu'elle essayait de reprendre sa respiration, elle perçut à peine le bruit des bouteilles qui s'entrechoquaient et des corps qui se déplaçaient. Personne ne fit de commentaires, ou si ce fut le cas, elle ne les entendit pas. Seth la conduisit aussitôt dans le second wagon, où se trouvaient sa chambre et la minuscule salle de bains.

Ils s'arrêtèrent dans le couloir, devant la porte fermée de sa chambre.

– Tu es blessée ? demanda-t-il en passant ses mains sur ses bras et sur son visage, pour voir si les vêtements ridicules qu'elle portait n'étaient pas déchirés.

– Non. J'ai froid. Et peur.

– Prends une douche et réchauffe-toi pendant que je me débarrasse des autres.

Il ouvrit la porte, alluma le radiateur qui se mit à chauffer. Un doux ronronnement emplit la petite salle de bains.

Elle hésita, puis hocha la tête. Il l'embrassa brièvement et la laissa seule.

Quand Aislinn sortit de la salle de bains, le train était silencieux. Tout le monde était parti. Elle resta un instant sur le seuil, se sentant plus en sécurité maintenant qu'elle était auprès de Seth. Sa grand-mère avait fait de son mieux, mais sa crainte des fés avait amplifié leur omniprésence – comme si les moindres petites choses de la vie quotidienne avaient dépendu, en quelque sorte, des réactions de ces créatures.

Seth était étendu sur le canapé, les bras relevés au-dessus de la tête, les jambes pendant sur l'accoudoir. Il ne semblait pas alarmé, ni même inquiet, de sa soudaine irruption chez lui.

Est-ce que je lui parais changée ?

Invisible, pensa-t-elle en se dirigeant vers lui. Il ne se redressa pas, ne la regarda pas, ne lui dit pas un mot.

Il ne peut pas me voir.

Elle effleura son bras et s'arrêta sur son biceps.

– Est-ce plus facile d'être agressive quand tu as cette forme ? Elle retira vivement sa main.

– Quoi ? Comment...

– Grâce à la recette de Donia. Tu es un peu indistincte, comme les fés qui sont dehors, mais je te vois quand même. Cela ne me dérange pas, tu sais.

Il ne bougea pas, resta exactement dans la même position que lorsqu'elle était entrée dans la pièce.

– Je suis déjà aussi malfaisante qu'eux.

– Non, répondit-il en roulant sur le côté, de sorte qu'il y avait maintenant une place pour elle sur le canapé. Ce n'est pas un inconnu croisé dans la rue que tu viens de toucher. C'est moi.

Elle s'assit à l'autre bout du canapé. Il déplia ses jambes, en passa une dans le dos de la jeune fille et posa l'autre sur ses genoux.

– Keenan est persuadé que je suis la Reine de l'Été.

– La quoi ?

– Celle qui peut l'aider à retrouver ses pouvoirs. S'il ne trouve pas sa reine, il va faire de plus en plus froid et, selon lui, nous mourrons tous, les fés comme les humains, précisa-t-elle en se penchant légèrement en avant, afin que Boomer, qui passait derrière elle, ne s'emmêle pas dans ses cheveux. Ils ont fait de moi une fée, ajouta-t-elle. Je suis l'une des leurs à présent.

– Je l'ai saisi quand tu as fait ce truc invisible.

– Ils m'ont métamorphosée, et je suis... je n'ai pas envie de devenir leur satanée reine. Et pourtant, je crois que je le suis déjà. Je ne sais plus quoi faire. Et puis ce soir, j'ai rencontré l'autre, la Reine de l'Hiver, dit-elle en frissonnant. Elle est horrible... Elle s'en est prise à Keenan et j'ai voulu lui faire du mal. Et la soumettre.

301

Elle lui raconta alors ce qui s'était passé.

– Je ne veux pas de tout ça...

– Dans ce cas, trouvons un moyen de leur échapper, dit Seth en se servant de ses jambes pour l'attirer à lui. Ou alors, on essaie de s'en accommoder.

– Et si je n'y arrive pas ? chuchota-t-elle.

Seth ne lui répondit pas, ne lui dit pas que tout irait bien. Il se contenta de l'embrasser. Elle sentit qu'elle se réchauffait, comme si une lueur venait de naître au creux de son ventre. Mais elle n'en fut vraiment consciente que lorsque Seth se dégagea et la regarda fixement.

– Tu as un goût de soleil. Il s'accentue de jour en jour, murmura-t-il en effleurant les lèvres d'Aislinn du bout des doigts.

Elle se leva, s'écarta de lui. Elle avait envie de pleurer.

– C'est pour cette raison que tout a changé entre nous ? Parce que je deviens autre chose ?

– Non. Sept mois, Ash. Cela fait sept mois que j'attends que tu me voies, te rends-tu compte ? lui dit lentement Seth, d'un ton calme, comme s'il s'adressait à un animal effrayé, avant de lui saisir la main, qui déjà scintillait. Et ce n'est pas pour cette raison. Je suis tombé amoureux de toi bien avant.

– Comment aurais-je pu le savoir ? demanda-t-elle tout en tordant le bas du stupide chemisier de Donia. Tu ne m'as rien dit du tout.

– Je t'ai dit beaucoup de choses, rectifia-t-il gentiment. Seulement, tu ne les as pas entendues.

– Mais alors, pourquoi maintenant ?

– J'ai attendu, répliqua-t-il tout en tirant sur le nœud du ruban de velours, qu'il enroula autour de ses doigts. Tu as continué à me traiter en ami.

– Tu étais mon ami.

– Je le suis toujours, dit-il en défaisant à peine le ruban. Mais cela ne veut pas dire que je suis seulement cela.

Elle avait la gorge serrée, pourtant, elle ne s'éloigna pas de lui. Il libéra une autre partie du ruban.

– Il n'a rien fait. On n'a rien fait, je veux dire, bredouilla-t-elle.

– Je sais. Sinon, tu ne serais pas allée le voir dans cette tenue.

Il promena lentement son regard sur elle, de son pantalon au chemisier entrouvert, jusqu'à son visage qui s'était empourpré.

– À moins que tu ne veuilles pas, reprit-il. Si c'est le cas, Ash, dis-le-moi tout de suite.

– Non. Mais quand il... ce n'est pas lui, juste un truc magique...

– Ne laisse pas tomber, lui demanda-t-il en l'obligeant à relever la tête. Ne me laisse pas avant même d'avoir été avec moi.

– Si je... si on... bredouilla-t-elle, avant de se ressaisir. Et si je restais ici, si j'avais envie d'être avec toi cette nuit ?

Il la dévisagea quelques secondes.

– Cette situation, le fait que tu te sois transformée... ça n'a rien à voir, tu sais.

– Oui, je sais, répondit-elle avec embarras.

En écho, elle se remémora le silence de Keenan – il avait soigneusement esquivé ses questions quand elle avait parlé de fréquenter un mortel. Si elle devenait leur Reine, il se pouvait qu'elle perde Seth. Elle ferma les yeux.

– Aislinn, j'en ai envie. Je te veux, mais c'est juste entre nous. Ça n'a rien à voir avec ce qu'ils ont fait de toi.

Il avait raison. Ce qui lui arrivait était injuste. La seule chose de bien dans tout ça, c'était Seth.

– Ce qui ne veut pas dire que tu ne peux pas rester. Seulement, pas de sexe, dit-il doucement, comme le matin où elle avait paniqué.

Il la reconduisit dans le second wagon. Si elle avait voulu, elle aurait pu s'enfuir. Ce qu'elle ne fit pas. Elle enroula ses doigts autour des siens et les serra si fort qu'il dut avoir mal.

Pourtant, sur le seuil de la chambre, devant le lit qui prenait presque tout l'espace de l'étroite pièce, elle faillit reculer.

– C'est...

– ... très confortable, dit-il en lâchant sa main.

Contrairement au décor spartiate de l'autre wagon, la chambre était un peu plus chargée. Des oreillers d'un violet presque noir étaient empilés sur le lit. Certains étaient tombés sur le sol, pareils à des ombres sur le tapis noir. De chaque côté du lit, il y avait un petit placard noir. Sur l'un d'eux, il y avait une chaîne stéréo d'un noir brillant, sur l'autre un chandelier. De la cire avait coulé le long des bougies et sur le meuble.

– Je pourrais dormir sur le canapé, fit-il en lui souriant avec douceur. Te laisser un peu d'espace.

– Non, je te veux près de moi. Seulement... c'est si différent du reste de la maison.

– Tu es la première que j'invite dans ce wagon, précisa-t-il en se dirigeant vers la chaîne, puis en fouillant parmi les disques disposés sur un range-CD accroché au mur. Juste pour que tu le saches.

Elle s'assit au bord du lit.

– Ça me fait bizarre. Comme si cela avait soudain plus d'importance maintenant que je suis là.

– Forcément, ça a de l'importance, répliqua-t-il depuis l'autre côté du lit, une boîte à bijoux à la main. Je l'ai fait avec des filles qui ne comptaient pas. Ça n'était pas pareil.

– Dans ce cas, pourquoi l'as-tu fait ?

– C'était agréable, répondit-il sans la quitter du regard, même s'il avait l'air gêné.

Aislinn, elle, détourna les yeux.

– C'était autrefois. Et là, j'ai... hésita-t-il avant de s'éclaircir la gorge... des documents. Je voulais te les donner plus tôt... t'en parler l'autre jour, mais... euh...

La jeune fille les prit et lut l'en-tête du premier : « Clinique de Huntsdale », avant de lever les yeux vers lui.

– Quoi ?

– Ce sont des analyses. Celles du début du mois et les autres tests, que j'ai faits régulièrement. Je me disais que tu aimerais savoir, dit-il en prenant un des oreillers qu'il fit tourner entre ses mains. J'ai pas toujours été très... prudent, tu sais...

Aislinn parcourut rapidement les différents résultats d'analyses, qui allaient du HIV à l'infection à chlamydiae, et qui tous étaient négatifs.

– Dans ce cas...

– J'avais l'intention de t'en parler avant... répéta-t-il en écrasant l'oreiller entre ses mains. Je sais que ça n'a rien de très romantique...

– Non, c'est très bien. Je n'ai jamais... tu sais.

– Ouais, je sais.

– Je n'ai donc rien pu attraper qui... balbutia-t-elle, en se sentant de plus en plus intimidée.

– Et si j'allais dormir sur le...

– Non, s'il te plaît, l'interrompit-elle en grimpant sur le lit et en l'attirant à elle. Reste avec moi.

Plusieurs heures plus tard, les mains d'Aislinn se recroquevillèrent sur la couette. On l'avait déjà embrassée, mais jamais ainsi. Jamais dans de tels *endroits*. Si faire l'amour se révélait encore plus agréable, elle n'était pas certaine de pouvoir y survivre. L'angoisse et l'inquiétude s'étaient évanouies sous les caresses de Seth.

Plus tard, il la prit dans ses bras. Il avait gardé son jean, qui grattait les jambes nues d'Aislinn.

– Je ne veux pas être des leurs. Ce que je veux, c'est ça, dit-elle en posant une main sur son ventre et en glissant l'ongle de son petit doigt dans l'anneau qui ornait le nombril du jeune homme. Je veux être ici, avec toi, aller à la fac... Je ne sais pas encore ce que j'ai envie de faire, mais je ne veux pas être une fée. Et encore moins leur reine. Pourtant, c'est ce que je suis, j'en ai conscience. Que faire ?

– Qui te dit que tu ne pourrais pas faire tout ça même en étant une fée ? Donia va à la bibliothèque. Keenan s'est inscrit dans ton lycée. Qu'est-ce qui t'empêcherait d'agir comme tu l'entends ?

– Mais s'ils font ces choses, c'est à cause de leur jeu, protesta-t-elle en se redressant.

– Et alors ? Ils ont leurs raisons. Tu as les tiennes, pas vrai ?

Tout lui sembla soudain plus facile – non pas simple, mais envisageable. Pourrait-elle vraiment continuer à vivre sa vie d'avant ? Keenan ne lui avait pas répondu... peut-être n'aimait-il pas les réponses qu'il aurait pu lui faire, tout simplement.

– Oui, j'ai les miennes, répliqua-t-elle avec un sourire, en reposant sa tête contre lui. J'ai mes raisons, un peu plus chaque jour.

26

« Si nous étions capables d'aimer et de haïr avec autant de passion que les fés, peut-être aurions-nous une aussi grande longévité qu'eux. »
(*Le Crépuscule celtique* de William Butler Yeats, 1893, 1902)

– C'est *elle*, lança Beira en frappant le sol de son pied, mettant en mouvement des vaguelettes étincelantes de givre qui se répandirent dans le jardin de Donia. Tu ne dois *pas* la laisser s'approcher du bâton ! Tu entends ?

La voix mordante de la Reine de l'Hiver fit tressaillir Donia. Elle resta pourtant immobile, tandis que le souffle de Beira envahissait le jardin, arrachait les feuilles des arbres et déracinait les fleurs d'automne qui s'accrochaient encore à la vie. Puis la Reine jeta son bâton sur le sol.

– Tiens ! Je l'ai apporté, conformément aux règles.

Donia acquiesça. Chaque fois que Beira le lui avait confié, chaque fois qu'ils avaient joué à ce jeu, jamais la Reine de l'Hiver n'avait douté.

Cette fois, tout est différent. Cette fille n'est pas comme les autres.

Les yeux de la reine avaient viré au blanc le plus pur, et sa colère semblait si incontrôlable que Donia n'osait parler.

– Si elle vient le chercher, mets-le hors de sa portée, dit-elle en tendant la main – aussitôt, le bâton reprit sa place dans la main vers sa maîtresse. Tu as les moyens de l'en empêcher. Je ne peux pas. Ce sont les conditions dictées par Irial quand nous avons limité les pouvoirs du morveux. Si je m'en mêle activement, le mystère sera immédiatement révélé que cette fille est la Reine de l'Été. Je perdrai mon trône, elle aura le sien et délivrera Keenan, précisa-t-elle tout en caressant son bâton. Je ne peux agir. À cause de ce satané équilibre qu'Irial a voulu maintenir.

– Que dis-tu ? murmura Donia dans un souffle.

– Je dis que ces jolies lèvres bleues que tu as là pourraient résoudre mon problème, insinua Beira en tapotant ses propres lèvres, bien trop rouges pour que ce soit leur teinte naturelle. Suis-je assez claire ?

– Oui, tu l'es, répondit Donia en s'obligeant à sourire. Et si je le fais, tu me rendras ma liberté ?

– Oui. En revanche, ajouta la reine en affichant un rictus cruel, si tu n'as pas agi d'ici deux jours, j'enverrai mes harpies rendre visite à cette fille, et je m'occuperai personnellement de toi.

– C'est compris, dit Donia en humectant ses lèvres, tout en tâchant d'imiter l'expression malfaisante de Beira.

– Brave fille, la félicita la reine en l'embrassant sur le front, avant de lui remettre le bâton. Je savais que je pouvais compter sur toi, que tu agirais au mieux. Après tout ce que Keenan t'a fait subir, que tu sois celle qui le mène à sa perte est fort logique.

– Je n'ai rien oublié des agissements de Keenan, répliqua la Fille de l'Hiver en souriant, cette fois pour de bon.

Le regard approbateur de Beira lui indiqua qu'elle avait l'air aussi cruel que la reine à présent.

– Je vais faire exactement ce qu'il faut, ajouta-t-elle en serrant le bâton si fort qu'elle en eut mal aux mains.

Keenan congédia les gardes, les Filles de l'Été et le reste de l'assistance, à l'exception de Niall et de Tavish. Les soldats qui avaient suivi Aislinn lui avaient confirmé ses soupçons. *Elle est allée le retrouver ? Pourtant, elle sait, maintenant. Comment peut-elle continuer à me rejeter ?*

Tandis que Keenan faisait les cent pas dans le grand salon, Niall lui conseilla la patience. C'était ce que lui-même avait recommandé à Aislinn quelques heures plus tôt, mais depuis qu'il savait, il ne parvenait plus à attendre.

– Cela fait des siècles que je patiente ! répondit-il, hors de lui.

Et pendant ce temps, sa reine, celle qu'il attendait depuis toujours, se trouvait dans les bras d'un autre. Un mortel, pour couronner le tout.

– Je dois lui parler.

– Réfléchis un peu, lui dit Niall en se plaçant devant lui, interrompant son va-et-vient.

Keenan le poussa sur le côté.

– Tu penses qu'elle va venir ici ? Je ne l'ai pas suivie jusque chez lui, mais elle n'est pas revenue.

– Quelques heures encore ? lui suggéra son conseiller d'un ton posé, comme il l'avait fait nombre de fois quand la colère incitait Keenan à agir sottement. Que tu te sois un peu calmé.

311

– Plus j'attends, plus Beira risque d'apprendre ce qui s'est passé et de découvrir où se trouve Aislinn, rétorqua-t-il en se dirigeant vers la porte d'entrée. Elle est déjà au courant de l'annonce des Éolas. Voilà pourquoi elle est venue me trouver ce soir. Si elle apprend ce qu'Aislinn est déjà capable de faire, ce que nous pouvons faire à deux...

– Tu ne vois pas dans quel état tu es ? dit Niall en posant la main sur la porte afin de l'empêcher de l'ouvrir. Ce n'est pas comme cela que tu arriveras à la convaincre.

– Laisse-le sortir, Niall, intervint alors Tavish sans hausser la voix, mais d'un ton plus autoritaire que d'habitude. Souviens-toi de notre discussion, ajouta-t-il à l'intention de Keenan, tout en posant sur lui un regard terrifiant. Tu n'iras jamais trop loin pour l'obtenir. Car nous savons tous qu'elle est l'Élue.

– Non, s'interposa Niall, une lueur horrifiée dans le regard.

Keenan repoussa brutalement Niall, ouvrit violemment la porte et heurta Donia de plein fouet. Une bouffée de vapeur sifflante jaillit entre eux, tandis qu'il se retrouvait plaqué, un bref instant, contre son corps glacial.

Aussi tranquillement que la première neige de l'hiver, elle entra dans le loft de son plein gré et lui dit d'un ton impassible :

– Ferme cette porte. Il faut qu'on parle.

Donia passa devant Keenan et ce furent ses conseillers qui aperçurent son air préoccupé. Elle ne voulait pas qu'il la voie ainsi, il était déjà bien assez perturbé comme cela.

Dès que la porte fut fermée, elle annonça :

– Elle veut qu'Aislinn meure. Et que ce soit moi qui la tue. Tu dois faire quelque chose, ajouta-t-elle.

Il ne répondit pas, se contentant de la dévisager, paniqué.

– Keenan ? Tu as entendu ?

– Laissez-moi seul avec Donia, demanda-t-il à ses conseillers.

Ils sortirent tous deux de la pièce, après que Niall eut lancé à la Fille de l'Hiver :

– Ne sois pas trop dure.

– Elle s'est enfuie, dit alors Keenan en s'agenouillant sur le canapé.

– Elle a fait quoi ? s'étonna-t-elle en le rejoignant, tout en baissant la tête afin d'éviter un de ces affreux oiseaux qui plongeait vers elle.

– Elle s'est enfuie, soupira-t-il, et la pièce s'emplit d'un bruissement de feuilles. C'est elle.

– Tu peux la convaincre, lui dit Donia à voix basse – nul besoin que leur conversation soit entendue des conseillers et des Filles de l'Été qui rôdaient dans le loft, et qu'ils s'aperçoivent qu'elle parlait si gentiment à Keenan. Laisse-la réfléchir cette nuit. Demain...

– Elle est allée le retrouver, Donia. Les hommes-sorbiers ont vérifié, ajouta-t-il d'un air accablé, le regard comme égaré. Elle sait qu'elle est l'Élue mais elle est partie chez son mortel... je vais perdre si...

– Keenan, laisse-lui le temps de réfléchir, conseilla la Fille de l'Hiver en lui prenant la main, malgré la douleur et le petit nuage de vapeur qui s'éleva entre eux. Toi, tu connais cette situation depuis toujours. Pour elle, tout ceci est si nouveau...

– Elle ne m'aime pas. Ne *veut* même pas de moi, précisa-t-il d'une voix si triste qu'une petite pluie se mit à tomber autour d'eux.

– Oblige-la, insista-t-elle en le dévisageant sévèrement d'un air de défi, comme pour réveiller l'étincelle d'arrogance qu'il semblait avoir perdue ces derniers temps. Quoi ? Ne va pas me faire croire que tu es à court d'idées ! Allez, Keenan. Va lui parler demain. Si ça ne marche pas, abandonne ton charme humain et embrasse-la. Séduis-la. Seulement, fais vite, ou elle mourra bientôt.

– Et si...

– Non, le coupa-t-elle. J'ai réussi à obtenir deux jours de sursis tout au plus. Pour l'instant, Beira s'imagine que je vais lui obéir, mais elle s'apercevra bientôt qu'elle ne peut pas me contrôler ainsi.

Puis, avant qu'il ait le temps de répondre, elle lança d'une voix forte, afin d'être entendue par-dessus le cliquetis de la glace qui s'écoulait d'elle dès que les gouttes de pluie de Keenan entraient en contact avec sa peau :

– Si tu n'arrives pas à gagner son cœur, elle mourra. Fais en sorte qu'elle t'écoute, ou nous serons vaincus.

27

« Les fés ont en commun une qualité suprême – leur ténacité. »
(*Les Fés* de Gertrude M. Faulding, 1913)

Le lendemain matin, quand Aislinn se réveilla blottie dans les bras de Seth, elle comprit qu'il était temps de dire la vérité à sa grand-mère – qu'elle aurait même dû le faire plus tôt. *Mais comment ? Comment tout lui avouer ?*

La veille au soir, elle lui avait passé un rapide coup de fil afin d'apaiser l'inquiétude de la vieille femme. Celle-ci ne s'était pas opposée à ce que sa petite-fille reste la nuit chez Seth, mais lui avait seulement rappelé qu'elle devait se montrer prudente, « prendre ses précautions et agir avec bon sens ». Aislinn prit ainsi conscience que sa grand-mère savait pour quelle *raison* elle restait chez Seth. En dépit de son âge, elle prônait une totale égalité hommes-femmes – un détail qui n'avait pas échappé à Aislinn quelques années plus tôt, quand elle lui avait parlé « des choses de la vie », ce qui avait choqué la jeune fille.

Elle se glissa hors du lit et alla un instant dans la salle de bains. À son retour, Seth était réveillé.

– Tout va ? Entre nous ? demanda-t-il d'une voix clairement soucieuse.

– À merveille, répondit-elle, avant de grimper de nouveau sur le lit, où elle se serra contre lui. Seulement, il faut que je parte bientôt.

– Après le petit déjeuner, grogna-t-il doucement, tandis qu'il glissait la main sous le tee-shirt de la jeune fille.

C'était celui qu'il avait porté la veille.

– Il le faut. Je dois parler avec ma grand-mère et...

Il l'attira sur lui et soupira au creux de son cou.

– Tu es sûre ? Il est encore tôt.

Elle ferma les yeux et se détendit dans ses bras.

– Hummm... quelques minutes, seulement.

Il eut un rire profond qu'elle ne reconnut pas, que jamais elle n'aurait imaginé, venant de lui ; un rire rempli de promesses muettes. Elle était aux anges.

Près d'une heure plus tard, elle s'habilla et l'assura qu'il n'avait pas besoin de la raccompagner chez elle.

– Tu reviens ?

– Dès que possible, chuchota-t-elle.

Pas question d'abandonner Seth. Si je suis vraiment leur reine, qui a le droit de m'empêcher de faire ce que je veux ?

Elle souriait toujours en sortant du train. Les fés qui traînaient par là la saluèrent. Plusieurs d'entre eux, qui ressemblaient à des gardes, la suivirent alors qu'elle traversait la ville, tout en restant à distance respectable. Sur leurs talons, elle aperçut le fé balafré qui se faisait passer pour l'un des oncles de Keenan.

À la vive lumière du jour, après une longue nuit auprès de Seth, la situation lui paraissait moins horrible que la veille –

non pas plus simple, mais envisageable. Il fallait cependant qu'elle parle à Keenan, qu'elle lui dise qu'elle acceptait de passer son épreuve, à condition de pouvoir continuer à vivre comme une mortelle. À présent, elle devait trouver une façon de le lui dire et l'endroit où il était.

Elle n'eut pas à chercher bien loin. Il était assis sur le palier, devant son appartement. Invisible aux yeux des humains.

– Tu ne peux pas rester là, lui lança-t-elle aussitôt, plus agacée que craintive.

– Il faut qu'on parle.

Il avait l'air très las, et elle se demanda s'il avait dormi.

– Parfait, mais ailleurs, répliqua-t-elle en le tirant par le bras afin qu'il se relève. Il faut que tu sortes d'ici.

– J'ai attendu une partie de la nuit, Aislinn, rétorqua-t-il en la fusillant du regard. Je ne partirai pas avant qu'on ait discuté.

– Je sais, mais pas ici, dit-elle en le poussant vers la porte. C'est là que vit ma grand-mère.

– Dans ce cas, allons marcher, dit-il d'une voix aussi désespérée que la veille au soir.

Elle s'était inquiétée, avait pensé qu'il serait en colère après sa fuite et qu'il refuserait de trouver un compromis. Au contraire, il paraissait aussi accablé qu'elle, sinon plus. Ses cheveux cuivrés étaient ternes, comme si leur luminosité avait disparu.

– Il faut que tu comprennes que je... commença-t-il.

Au même instant, la porte s'ouvrit et la grand-mère d'Aislinn sortit sur le palier.

– Aislinn ? Avec qui parles-t...

La vieille femme vit Keenan. Elle s'avança aussi vite qu'elle put, saisit sa petite-fille par le bras et l'obligea à reculer.

– Toi ?

– Elena ? répondit-il en sursautant, les yeux écarquillés, les mains tendues en signe d'apaisement. Je ne te veux pas de mal.

– Tu n'es pas le bienvenu ici, dit-elle en tremblant.

– Grand-mère ?

Aislinn regarda tour à tour la vieille femme, le regard courroucé, et Keenan, proche de la panique. Rien ne se passait comme elle l'avait voulu. Sa grand-mère la tira vers l'appartement, y entra avec elle ; pourtant, alors qu'elle était sur le point de refermer la porte, Keenan glissa son pied dans l'entrebâillement. En dépit des efforts de la vieille femme, il pénétra dans l'appartement et referma la porte derrière lui.

– Je suis désolé pour Moira. Je voulais venir avant, mais...

– Tais-toi. Tu n'as pas même le droit de prononcer son nom. Sors d'ici, s'écria-t-elle. Sors de chez moi !

– Depuis des siècles, il n'y en a qu'une seule pour laquelle je suis parti. Moira a été la seule. Je lui ai laissé du temps, lui répondit Keenan en tendant la main, comme s'il avait voulu attraper celle de la vieille femme.

Celle-ci lui donna une claque sur la main.

– Tu as tué ma fille.

Aislinn était pétrifiée. *Comment cela est-il possible ? Ma mère est morte en me donnant naissance...*

– Non, ce n'est pas vrai, répliqua-t-il d'une voix basse et assurée, autant que la première fois qu'Aislinn l'avait rencontré. Elle m'a fui, précisa-t-il en posant la main sur l'épaule de la vieille femme. Elle est allée coucher avec des mortels. J'ai essayé de l'en empêcher, de...

Aislinn vit alors sa grand-mère gifler Keenan.

318

Stop. Elle l'attrapa par le bras et la força à aller s'asseoir loin du fé. Mais Keenan n'avait pas même tressailli.

– Quand une mortelle a été choisie, il n'existe aucun moyen de revenir en arrière, Elena. J'aurais pris soin d'elle, même après la naissance du bébé. J'ai attendu, et j'ai cessé de la poursuivre quand elle a été enceinte.

– Je sais, répondit-elle en pleurant, sans se soucier d'essuyer les larmes qui coulaient sur son visage.

– Tu sais que je ne l'ai pas tuée. Elle a préféré mourir de ses propres mains, ajouta-t-il en se tournant vers Aislinn d'un air implorant, plutôt que de se joindre aux Filles de l'Été.

– Si tu ne l'avais pas poursuivie dès le départ, elle serait encore en vie, répondit la grand-mère d'Aislinn, les yeux rivés sur les quelques photos de Moira accrochées au mur.

La jeune fille s'adressa alors au fé d'une voix étranglée :

– Va-t'en.

Malgré tout, il traversa la pièce, passa devant les portraits de Moira sans y prêter la moindre attention et s'arrêta devant Aislinn.

– Tu es ma reine, répéta-t-il en lui soulevant le menton afin qu'elle le regarde. Nous le savons tous les deux. Nous en reparlerons, mais je ne permettrai pas que tu me rejettes.

– Pas maintenant, répondit-elle en tremblant, sans pour autant reculer devant lui.

– Ce soir, dans ce cas. Nous devons rencontrer Donia, nous organiser pour que tu aies des gardes et, ajouta-t-il en promenant son regard sur la pièce, voir ce que tu veux emporter et où tu voudras vivre. Il y a d'autres endroits, plus agréables qu'ici, où nous pourrons nous installer.

Elle retrouvait là le fé qui l'avait poursuivie, sûr de lui, irrésistible. En un éclair, il avait changé du tout au tout : implorant l'instant d'avant, autoritaire à présent. Elle se plaça derrière le fauteuil de sa grand-mère, hors de sa portée.

– Je vis avec ma grand-mère.

Un sourire d'extase aux lèvres, Keenan tomba à genoux devant la vieille femme.

– Si tu souhaites venir vivre avec nous, je ferai apporter tes affaires. Nous en serons honorés.

Mais la vieille femme resta silencieuse.

– Je regrette que Moira ait eu si peur. J'ai attendu si longtemps. J'avais presque abandonné. Si j'avais su que Moira serait la mère de notre reine... Mais je savais seulement qu'elle était spéciale, et c'est ce qui m'avait attiré en elle.

La grand-mère d'Aislinn n'avait toujours pas bougé. Les mains serrées sur les genoux, elle dévisageait le fé d'un air furieux.

– Il faut que tu partes, à présent, lui dit la jeune fille en se penchant vers lui pour s'emparer de son bras.

Il la laissa l'aider à se relever, mais toute trace de gentillesse avait disparu de son visage ; au contraire, il affichait une détermination sans faille.

– Rejoins-moi ce soir, sinon, je te trouverai – toi et ton mortel, ce Seth. Ce n'est pas ainsi que je veux que les choses se passent, mais je n'ai plus vraiment d'autre choix.

Aislinn le regardait fixement, tout en essayant de comprendre ce qu'il lui disait. Elle s'était préparée à raisonner avec lui, à accepter l'inévitable et lui, en guise de réponse, la *menaçait*. Et osait menacer Seth.

– Tu ferais mieux de changer de ton, Keenan, lui dit-elle froidement.

Il baissa la tête.

– Ce n'est pas ce que je veux, mais...

– Va-t'en, lui ordonna-t-elle en s'emparant de son bras et en le conduisant à la porte. Si tu crois ne serait-ce qu'un instant que tes menaces vont servir à quelque chose... Et arrête de me parler ainsi, ça vaudra mieux, reprit-elle, furieuse.

– Oui, je sais, dit-il doucement, mais si j'y suis obligé, je ne reculerai devant rien.

Elle ouvrit la porte, le poussa dehors, la referma, puis s'y appuya et prit plusieurs profondes inspirations.

– Grand-mère, je...

– Fuis avant qu'il revienne. Je ne peux pas te protéger. Va chercher ton ami, Seth, et partez, loin d'ici.

La vieille femme alla vers l'étagère de livres, en tira un volume poussiéreux et l'ouvrit. Il était creux en son centre. À l'intérieur, se trouvait une épaisse liasse de billets.

– C'est de l'argent que j'ai économisé depuis la mort de Moira. En cas de danger. Prends-le.

– Mais grand-mère, je...

– Non ! Pars pendant qu'il est temps. Elle n'avait pas d'argent quand elle s'est enfuie. Mais toi, si tu en as...

Elle se rendit dans la chambre d'Aislinn et trouva un sac de voyage dans lequel elle se mit à entasser des vêtements en refusant d'écouter sa petite-fille, qui essayait vainement de la raisonner.

28

« On dit qu'ils ont des Dirigeants aristocratiques et des Lois, mais aucune Religion connue. »
(*La République mystérieuse : Des elfes, faunes, fées et autres semblables* de Robert Kirk et Andrew Lang, 1893)

Keenan entendit Elena aussi clairement que si elle s'était trouvée près de lui, mais ne revint pas en arrière. *À quoi cela servirait-il ?* Il parcourut l'allée déplumée qui longeait l'immeuble et attendit que Niall, allongé sur un banc de l'autre côté de la rue, vienne le rejoindre.

– J'avais demandé qu'on ne me suive pas.

– Ce n'est pas toi que je suivais, c'est elle, la reine, répliqua Niall en indiquant le bâtiment où vivait Aislinn. J'ai pensé que c'était plus prudent après la visite de la Fille de l'Hiver.

– J'aurais dû faire venir un plus grand nombre de gardes ici, soupira Keenan.

– Tu ne savais plus où tu en étais. Quoi qu'il en soit, nous sommes là pour prendre soin de toi. Aussi est-ce normal que nous fassions de même avec la reine, ajouta-t-il d'un ton nonchalant, comme si Aislinn avait déjà dit oui.

Pourtant, rien n'était encore fait. Et Keenan avait beau espérer qu'elle ne s'enfuirait pas, il doutait encore. En l'attendant sur son palier, il avait réfléchi à cette terrible situation, à ses aspects les plus sordides – tout en sachant qu'Aislinn avait passé la nuit avec un autre, qu'elle mourrait si elle le rejetait, que Donia mourrait elle aussi. Il ne pouvait la forcer, mais il pouvait ruser, lui faire boire trop de vin, menacer Seth... et elle n'aurait d'autre choix que de rester avec lui.

– Comment cela s'est-il passé ? s'enquit Niall, tandis qu'ils remontaient la rue, les gardes sur leurs talons. Tu as l'air plus en forme qu'hier soir.

– Je n'en sais rien. Aislinn est la fille de Moira.

– Aïe ! s'écria Niall en tressaillant.

– Mais j'ai des moyens pour la convaincre – des choses que je n'ai pas envie de faire.

– Ce à quoi Tavish a fait allusion ? demanda Niall avec une voix dure.

– C'est une affaire politique, répondit Keenan, sans relever la remarque de Niall. Je pourrais faire venir son mortel au loft, le laisser quelques instants aux mains des Filles de l'Été, et laisser Aislinn le voir en pâmoison.

– Ce n'est pas dans nos habitudes. Pas à la Cour de l'Été, fit observer le conseiller, tout en indiquant aux gardes qu'ils devaient changer de direction – ce qu'ils firent.

– Si Beira tue Aislinn, il n'y aura plus de Cour de l'Été.

Que pèse la volonté d'une jeune fille quand le sort des fés de l'été et des mortels est en jeu ? songea-t-il.

– Tu as raison, répondit Niall en tournant dans une ruelle sombre, un raccourci entre deux boutiques. Selon Tavish,

324

mieux vaut être expéditif, quel qu'en soit le prix, mais je suis auprès de toi depuis aussi longtemps. Quelques siècles...

– En effet, dit lentement Keenan, qui savait Niall sensible à la notion de volonté individuelle.

– Ne franchis pas cette limite, reprit le conseiller, le visage assombri, la voix rauque. Surtout s'il y a moyen de l'éviter. Tu n'as jamais toléré ce genre de pratiques. Et si notre roi agit ainsi, plus rien n'empêchera nos fés de l'imiter.

Il s'immobilisa et posa la main sur le bras de Keenan.

Devant eux, dans l'ombre de la ruelle, plusieurs fés-chardons cernaient un esprit des bois. Celle-ci, plaquée contre un mur, les suppliait. Ils ne la touchaient pas, mais elle était prise au piège, des hommes-sorbiers du Roi de l'Été s'étant placés entre elle et ses agresseurs.

Sa peau était déjà couverte d'égratignures ensanglantées, là où les mains épineuses des fés des ténèbres l'avaient touchée. Sa tunique était en lambeaux, dévoilant son ventre couvert de sang.

– Ce spectacle a-t-il été organisé dans mon intérêt ? demanda Keenan en se tournant lentement vers Niall.

– Oui, répondit celui-ci en baissant la voix, et en dévisageant son roi avec effronterie. Je ne peux user de mon influence paternelle comme le fait Tavish, ou de l'amour mélancolique de la Fille de l'Hiver, précisa Niall en redressant ses épaules déjà tendues.

– Aussi, tu as orchestré cette agression ?

Toute la rancœur que Keenan avait toujours éprouvée à l'égard des fés des ténèbres parut le submerger, tandis qu'il regardait son conseiller – son ami – puis la scène qui se déroulait sous leurs yeux.

– J'ai demandé aux gardes de trouver des fés des ténèbres et de les amener ici. Vois comment ils agissent. Ceci n'a jamais été dans nos habitudes.

À son signal, les gardes qui se trouvaient entre l'esprit des bois et ses attaquants s'écartèrent, la laissant à leur merci. Les fés-chardons l'attrapèrent en riant et lui arrachèrent le haut de sa tunique.

– Je vous en prie, les supplia-t-elle d'une voix perçante.

Un des fés lui transperça le bras et la plaqua contre le mur.

– Partageons, dit le fé à ses comparses, tandis qu'il léchait le poignet ensanglanté de sa victime.

– Serais-tu capable de commettre pareil crime ? demanda Niall d'une voix angoissée. De les regarder torturer le mortel de la reine ? Voudrais-tu voir un tel spectacle à la Cour de l'Été ? Regarde... dit-il en désignant l'un des fés, qui passait sa langue sur ses lèvres tandis que sa victime essayait de lui lancer des coups de pied dans les jambes.

Keenan ne parvenait pas à détacher les yeux de l'esprit en larmes, qui se débattait désespérément en dépit du peu de chances qui lui restaient.

– Cela n'a rien à voir.

Avec ses jambes, l'esprit des bois attrapa un des hommes-sorbiers par la taille et l'attira devant elle pour qu'il lui serve de bouclier. Le garde, tandis qu'il se dégageait de son étreinte, parut littéralement malade.

– Rien à voir ? répéta Niall sans rien dissimuler de son dégoût. Tu permettrais ceci ?

Keenan laissa éclater sa colère et frappa Niall, qui s'effondra sur le sol. Du sang coulait de la lèvre du conseiller. Aucun des gardes ne réagit et tous gardèrent les yeux rivés sur l'esprit des bois.

– Ça fait du bien, pas vrai ? lança l'un des fés-chardons, ce qui fit rire ses compagnons.

Keenan regardait Niall, toujours à terre.

– Je ferai ce qu'il faut pour arrêter Beira. Et si je dois... avoir recours à autre chose que des mots avec Seth ou Aislinn, je m'assurerai qu'aucun acte violent ne soit commis.

Aislinn le mépriserait peut-être, mais il ne pouvait la laisser lui échapper. Avec le temps, elle comprendrait. Sinon, il ferait de son mieux pour se racheter.

– Cela ne marchera pas. Pas avec elle. Tu m'as raconté ce qu'elle t'avait dit après la fête foraine, à quel point elle s'inquiétait... reprit Niall, qui, en dépit de sa position soumise, avait un ton de défi. Si tu la forces ou si tu autorises les Filles de l'Été à s'occuper de Seth, tu perdras tout. Autrefois, de telles ruses auraient pu paraître normales, ça n'est plus le cas de nos jours.

– Rendez la liberté à cette fée et chassez les autres, ordonna Keenan à ses gardes, tout en contenant à peine sa fureur. Immédiatement.

Les hommes-sorbiers, soulagés, s'empressèrent de libérer la première et de faire partir les fés des ténèbres, qui affichaient encore un grand sourire. L'esprit des bois, en larmes, s'accrochait à l'un des gardes qui avait ôté sa veste et l'en avait enveloppée.

– Cela n'a rien à voir, s'obstina Keenan, essuyant le sang de Niall resté sur son poing et aidant celui-ci à se relever.

– Avec tout le respect que je te dois, c'est exactement la même chose et tu le sais, répliqua Niall en acceptant la main tendue de son roi. Celle-ci, ajouta-t-il en désignant l'esprit éplorée, ne se lamente pas à cause de ses blessures. Beira les

327

fait souffrir bien davantage, et elles ne protestent pas. Elle a eu peur de ce qui aurait pu lui arriver. Elle s'est défendue pour empêcher les atrocités qu'ils auraient pu lui faire subir.

Keenan savait tout cela, mais si Aislinn le rejetait, il n'aurait pas le choix. Elle ne s'intéressait pas à lui, ne l'aimait pas. Elle n'appréciait pas beaucoup les fés en général et cela était un obstacle de taille. La relation qu'elle avait avec ce mortel en était un autre, et à présent, ce qu'elle avait appris sur sa mère avait certainement éliminé tous les maigres espoirs que Keenan entretenait encore.

Après que des gardes eurent emmené l'esprit des bois, Keenan reprit son chemin.

– Mais l'alternative est simple : soit elle cède, soit elle meurt et nous disparaissons nous aussi. Que voudrais-tu que je fasse ? demanda-t-il tranquillement à Niall.

– Tu peux peut-être le lui demander, lui répondit son conseiller en lui faisant signe de se retourner.

Elle était là. Aislinn. Sa reine si peu enthousiaste de le devenir. Niall la salua et les gardes l'imitèrent. Keenan tendit la main vers elle, plein d'espoir.

Elle l'ignora et enfonça ses mains dans les poches d'un blouson de cuir trop grand pour elle. Et il sut, sans même avoir à le lui demander, qu'il appartenait à son mortel.

Elle le fusilla du regard.

– Je croyais qu'on allait marcher et discuter. Il a fallu que je demande à un de tes gardes de m'aider à te retrouver.

Keenan cligna des yeux, dérouté par la réaction imprévisible de la jeune fille.

– Je n'avais pas compris que tu étais...

– Ma grand-mère n'a pas voulu discuter. Elle m'a donné de

l'argent pour que je puisse m'enfuir, mais j'imagine que je n'irais pas bien loin... N'est-ce pas ? Si je partais loin, est-ce que je pourrais t'échapper ?

Elle s'avança vers lui, si près que le souffle du Roi de l'Été agita quelques mèches de ses cheveux.

– J'en doute, dit-il, tout en regrettant presque de ne pas pouvoir lui donner une réponse satisfaisante.

– Ça n'a pas marché pour ma mère, pas vrai ? chuchota-t-elle en le fixant, une expression insaisissable dans les yeux. Dans ce cas, parle-moi. Tu as suffisamment insisté quand tu m'as menacée.

Pour la première fois, Keenan eut envie de reculer, de s'éloigner d'elle. Plus tôt, dans son appartement, il s'était senti plus sûr de lui. Pourtant, après les réprimandes de Niall et les cris de l'esprit des bois encore tout frais dans son esprit, devant Aislinn qui le dévisageait avec des yeux noirs, il luttait à présent pour retrouver sa sérénité. Elle non plus ne recula pas, mais jeta un coup d'œil aux gardes qui les entouraient.

– Ils peuvent nous laisser tranquilles ?

– Bien sûr, répondit-il en faisant signe à ses fés de s'éloigner, content de pouvoir régler un problème qui lui était familier – car lui-même trouvait souvent leur présence étouffante.

Ils obtempérèrent, élargissant considérablement leur cercle de protection.

– Toi aussi, l'oncle... ajouta Aislinn en penchant la tête sur le côté, en direction de Niall.

Celui-ci la gratifia d'un large sourire, s'avança et la salua bien bas.

– Je suis Niall, ma reine, conseiller à la cour, auprès de notre roi depuis neuf siècles.

– Laisse-nous tous les deux, Niall, répondit-elle avec un brin de nervosité, avec l'air de s'être pourtant déjà accoutumée à donner des ordres.

– Comme il vous plaira, dit Niall, avant d'aller rejoindre les gardes.

– Me menacer moi, ou Seth, ça n'est pas très malin, lança-t-elle alors à Keenan.

– Je...

– Non, le coupa-t-elle sèchement, avant qu'il puisse se justifier – en sachant que rien de ce qu'il pourrait dire ne semblerait acceptable aux yeux d'Aislinn. Ne me prends pas pour une idiote. Et ne t'approche ni de Seth ni de ma grand-mère. C'est la première chose dont il faut nous assurer avant de pouvoir discuter de la situation.

– Ah ?...

Il fit un pas en arrière, cette fois. Hormis Donia et Beira, personne n'adoptait ce genre de ton avec lui. Il avait beau n'avoir que peu de pouvoir, il était roi malgré tout.

– Ouais, répondit-elle en le repoussant des deux mains. Tu as besoin de moi pour prendre le dessus sur la Reine de l'Hiver, pas vrai ?

– Oui, en effet, dit-il lentement.

– Par conséquent, s'il m'arrivait quelque chose, ça serait pas de bol pour toi, hein ? J'ai raison ?

Elle releva le menton.

– Oui.

– Si tu crois que tes menaces vont m'inciter à coopérer, tu n'es qu'un imbécile. Je ne céderai pas, ajouta-t-elle en hochant la tête, comme pour bien le lui faire comprendre. Je refuse que tu te serves de moi pour faire du mal à ceux que j'aime, compris ?

– C'est compris, dit-il après s'être éclairci la voix.

Puis elle partit en marchant à pas rapides et furieux.

Les gardes s'empressèrent de la suivre et de calquer leur pas sur le sien, et Keenan les imita. Au bout de quelques instants tendus, il lui demanda :

– Bon, eh bien, que... euh... proposes-tu ? Tu es la Reine de l'Été, tu le sais.

– Oui, dit-elle d'une voix douce. J'en suis certaine, mais le problème, c'est que... tu as plus besoin de moi que moi de toi.

– Dans ce cas, que veux-tu ? s'enquit-il, méfiant.

Jamais il n'avait rencontré de fée (ou de mortelle, en l'occurrence) correspondant si peu à ses attentes.

Un moment, elle sembla pensive.

– Ma liberté. Ne plus savoir que les fés existent. Redevenir mortelle. Mais rien de tout ça n'est possible.

Keenan avait envie de lui tendre la main. Pourtant, elle lui semblait tout aussi inaccessible que lors de leur première rencontre, non parce qu'elle avait peur, cette fois, mais parce qu'elle était déterminée.

– Que veux-tu que je puisse t'offrir ? J'ai besoin que tu règnes à mes côtés, Aislinn.

Elle se mordit la lèvre puis, dans un murmure, elle répondit :

– Je peux régner avec toi. Je n'en ai pas envie, mais je ne vois pas comment y échapper.

– Tu acceptes ? s'exclama-t-il, stupéfait.

Elle s'immobilisa, ses yeux courroucés croisèrent les siens.

– Mais je ne vivrai pas avec toi. Je ne serai pas *avec* toi.

– Pourtant, tu auras besoin d'une chambre chez moi, dans mon loft. Parfois, certaines réunions finissent tard, et...

Il n'ajouta pas « en cas de troubles », mais il pourrait toujours lui en parler plus tard – en effet, il arrivait que les souverains soient assassinés ; sur ce point, sa mère ne l'aurait pas démenti.

– Je veux ma chambre à moi. Et dormir seule, sans toi.

Il acquiesça – sachant qu'il pouvait se permettre d'être patient.

– Par ailleurs, je refuse d'arrêter le lycée.

– On pourra te trouver des précepteurs...

– Non. Le lycée, et ensuite, j'irai à l'université, ajouta-t-elle, résolue.

– L'université. Bon. Nous en trouverons une qui puisse te convenir.

Il n'appréciait pas vraiment son insistance à vouloir rester indépendante – au début de sa quête, les femmes étaient plus dociles – mais rester proche du monde des mortels n'avait rien de déraisonnable, vu les circonstances. Cela pourrait même bénéficier à sa cour. Elle le gratifia d'un sourire presque amical ; apparemment, elle avait décidé de coopérer.

– Je peux régner, et faire comme si c'était un travail, tu vois.

– Un travail ?

– Oui, un travail, répéta-t-elle d'un ton étrange, comme perdue dans ses pensées.

Incapable de rien dire, il resta bouche bée. Un travail ? Pour sa future reine, leur union était une association professionnelle ?

– On ne se connaît pas, précisa-t-elle en lui lançant un regard intimidant. Je suis avec Seth. Et ça ne risque pas de changer.

– Ainsi, tu demandes à garder ce mortel ? rétorqua-t-il d'une voix égale.

Pourtant, il se sentait blessé. Il savait qu'elle l'avait sous-entendu un peu plus tôt, mais l'entendre le lui dire donnait une certaine réalité à la chose. Sa reine, la partenaire qui lui était destinée, prévoyait de vivre avec un autre, avec un mortel. Et pas avec lui, Keenan.

– Non. *Je* le garde. Pas question de te demander l'autorisation.

Il préféra ne pas la contredire. Ne pas souligner le fait que les mortels ne vivent pas éternellement. Il ne lui répéta pas qu'elle était celle qu'il avait toujours attendue, elle et seulement elle. Il ne lui rappela pas leurs rires et leurs danses à la fête foraine. Rien de tout cela n'importait. Elle acceptait, et rien d'autre ne comptait.

– Est-ce tout ? s'enquit-il gentiment.

– Pour l'instant, oui, répondit-elle d'une petite voix soudain dénuée de toute agressivité, comme si elle se sentait perdue. Et maintenant ? ajouta-t-elle avec hésitation.

Il voulait se réjouir, la prendre vivement dans ses bras jusqu'à ce qu'elle accepte de revenir sur ses conditions, ou pleurer de l'entendre dire non tout en disant oui.

– Maintenant, ma reine, dit-il plutôt, nous allons voir Donia.

Il sortit son portable et composa le numéro de la Fille de l'Hiver. Elle ne répondit pas et il laissa un message, lui demandant de le rappeler, puis envoya des gardes à sa recherche.

– Je sais où elle vit, murmura Aislinn. Je peux t'y retrouver, ou bien tu m'appelles quand...

– Non, nous l'attendrons ensemble.

Maintenant qu'elle était près de lui, Keenan n'avait nullement l'intention de la perdre de vue jusqu'à ce qu'elle passe l'épreuve. D'ailleurs, il n'avait plus envie de la perdre de vue du tout...

– Que tu considères ceci comme un travail ou non, tu es ma reine et je reste à tes côtés.

Elle croisa les bras, comme pour se réchauffer.

– Tu te souviens, tu m'avais proposé de recommencer du début ? dit-elle en lui jetant un regard nerveux. On pourrait essayer pour de bon cette fois... être amis ? Ça sera plus facile si on arrive à bien s'entendre, pas vrai ?

Elle lui tendit la main, lui donnant l'impression de vouloir serrer la sienne. Il la saisit.

– Soyons amis, dit-il.

L'absurdité de la situation le frappa – la reine qui lui était destinée voyait leur règne comme un travail d'équipe. Jamais il n'aurait cru que cette rencontre, à laquelle il avait tant rêvé, aboutirait à une amitié contrainte. Elle retira sa main et ils restèrent interdits et gauches pendant quelques instants, jusqu'à ce que Keenan rompe le silence.

– Où irais-tu si je n'étais pas là, avec toi ?

– Chez Seth, répondit-elle en rougissant légèrement.

Keenan s'y était attendu. Aislinn semblait se tourner de plus en plus vers ce mortel – Seth, rectifia-t-il. Il lui décocha un sourire qu'il voulait encourageant.

– J'aimerais faire sa connaissance, annonça-t-il.

Oui, j'en suis capable, songea-t-il.

– Vraiment ? Pourquoi ?

Elle paraissait plus méfiante que surprise, un pli soucieux barrant son front.

– Il fait partie de nos vies à présent, dit-il d'un ton nonchalant.

– Ouais...

– Voilà pourquoi je dois le rencontrer.

Il s'éloigna afin qu'elle ne puisse voir son visage et se tourna vers elle une fois qu'il eut fait quelques pas.

– On y va ?

29

« Leur campement préféré, l'endroit où ils aiment à se reposer, est une aubépine… un arbre que les fés considèrent comme sacré et qui se trouve généralement au centre d'un cercle féerique. »
(*Légendes anciennes, sortilèges et superstitions en Irlande* de Lady Francesca Speranza Wilde, 1887)

Aislinn resta où elle était tandis que Keenan s'éloignait. Certains gardes attendaient derrière elle et d'autres se déplacèrent devant Keenan, formant une barrière en mouvement autour d'eux.

– Te présenter à Seth… dit-elle, comme pour voir l'effet que provoquaient ces mots.

Après tout, cette rencontre était dans l'ordre des choses. Du moins, elle tâcha de s'en persuader, en espérant que cette idée allait lui ôter le poids qu'elle avait sur le cœur.

Elle rejoignit Keenan et tous deux avancèrent dans un silence tendu. Alors qu'ils approchaient des voies de garage des trains, il lui demanda :

– C'est quelqu'un de bien, ton Seth ?

– Oui, répondit-elle sans pouvoir s'empêcher de sourire.

Alors qu'ils arrivaient tout près du train de Seth, plusieurs gardes s'arrêtèrent et reculèrent, une expression douloureuse sur le visage.

– Je n'ai jamais connu beaucoup de garçons mortels. Et ceux que j'ai fréquentés ne m'ont pas semblé très amicaux quand je courtisais des filles, avoua alors Keenan, un sourire étrange et un peu hébété aux lèvres.

Aislinn s'étouffa de rire.

– Ça n'a rien de surprenant !

– Comment ça ? s'étonna-t-il d'une voix soupçonneuse.

– Keenan, tu es un garçon magnifique, répondit-elle en désignant son pantalon treillis et son pull vert foncé, quelconques sur n'importe qui d'autre, mais splendides sur lui. Tu as ce charme stupéfiant, à tomber par terre... la plupart des filles se bousculent rien que pour pouvoir te parler, j'en suis certaine.

– La plupart, oui, mais pas toutes... fit-il observer en souriant d'un air désabusé.

Elle jeta un coup d'œil à la porte fermée de Seth, avant de lui dire :

– Pourtant, j'ai quand même remarqué que tu étais vraiment très beau.

– Évidemment, puisque tu étais mortelle, rétorqua-t-il, comme s'il s'attendait à cet aveu.

Et elle se doutait que c'était le cas. Sa seule vue évoquait un lever de soleil idéal au-dessus de l'océan, une pluie de météorites en plein désert, et donnait l'impression d'entendre quelqu'un vous demander si vous vouliez garder cette splendeur rien que pour vous.

Elle imagina Keenan essayant de sympathiser avec Jimmy ou Mitchell ou d'autres de leurs amis, et se mordit la lèvre afin de ne pas rire. Ils ne se sentiraient jamais assez sûrs d'eux-mêmes pour accepter de sortir en public avec le Roi de l'Été, même si ce dernier revêtait un charme humain afin d'atténuer sa beauté. Elle ravala un petit rire étouffé et son compagnon la regarda en fronçant les sourcils.

– Qu'y a-t-il ?

– Rien, répondit-elle, avant qu'une question traverse son esprit. Est-ce que les fés te traitent de la même manière ?

– Je suis le Roi de l'Été, répliqua-t-il sans comprendre où elle voulait en venir.

Aislinn se mit à rire de bon cœur.

– Quoi ?

Alors qu'elle essayait de réprimer son fou rire, elle fit signe à Niall d'approcher.

– Ma reine ? s'enquit-il, non sans hésitation.

– Mettons que tu fasses des avances à une fée, est-ce qu'elle... euh... son intérêt est-il toujours réciproque ?

Niall parut aussi perplexe que Keenan.

– Je suis le conseiller du roi. Et les Filles de l'Été ont des désirs... précisa-t-il, tout en guettant l'approbation de son souverain, qui se contenta de hausser les épaules. Notre roi n'a pas toujours le temps de se détendre. Aussi, les gardes, Tavish et moi-même faisons de notre mieux pour contenter les fées.

Aislinn éclata de rire puis, regardant tour à tour Keenan et Niall, elle demanda :

– Combien de Filles de l'Été y a-t-il *en tout* ?

Keenan leva une main pour lui dire d'attendre, puis se tourna vers son conseiller.

– Dans les quatre-vingts, n'est-ce pas ?

Niall acquiesça.

339

– Elles sont beaucoup trop nombreuses pour que je puisse m'en occuper seul, ajouta Keenan.

– Aucune ne refuse jamais ? voulut savoir Aislinn, incrédule.

– Si, bien sûr, répondit le conseiller en lui jetant un regard déconcerté. Mais jamais quand il s'agit de Keenan. Et quand l'une ne veut pas, il y en a toujours une autre qui est d'accord. Ce sont des Filles de l'Été, ma reine. Et l'été est une saison réservée à la frivolité, au plaisir, au...

– J'ai compris. Ainsi, votre cour...

– *Notre* cour, la corrigea Keenan.

– Oui, notre cour. Les gens y sont donc plutôt... affectueux ?

Ce fut au tour de Keenan de rire.

– En effet... mais ils adorent aussi danser, jouer de la musique, s'amuser... ajouta-t-il en la prenant dans ses bras pour la faire tournoyer et, abandonnant un instant son charme humain, il laissa la chaleur du soleil se déverser sur elle. Nous ne sommes pas froids comme à la Cour de l'Hiver ou cruels comme à la Cour des Ténèbres. Nous avons moins de retenue que les fés de la Haute Cour, qui préfèrent vivre cachés.

Aislinn s'aperçut que les gardes les regardaient en souriant, heureux d'entendre le rire de leur roi. Elle aussi se sentait plus heureuse, plus langoureuse. *Est-ce parce que je fais partie de la Cour de l'Été maintenant ?*

Elle se ressaisit.

– Par conséquent, les fés qui harcèlent les humains ne sont pas des nôtres ?

Le sourire de Keenan s'évanouit aussi vite qu'il était apparu.

– La plupart ne sont pas nos sujets, mais certains agissent encore ainsi. Une fois que nous serons plus forts, dit-il en lui prenant la main et en la dévisageant avec tant d'intensité qu'elle dut se retenir pour ne pas fuir de nouveau, nous ferons tout pour les en empêcher. La Cour de l'Été est la plus versatile, la plus passionnée de toutes. Sans mon père pour leur servir de guide, certains en ont profité sans se restreindre. Un gros travail nous attend.

– Oh, je vois...

Elle prit soudain conscience de l'énormité de la tâche qu'elle avait accepté d'assumer, et tout lui parut fort décourageant. Keenan s'en rendit compte.

– Mais nous pourrons aussi nous reposer, ajouta-t-il précipitamment. Notre cour est un lieu de plaisirs. Passer notre temps à travailler irait à l'encontre de notre nature. De même, nous ne pourrions laisser commettre des crimes en toute impunité.

– Cet engagement que tu me demandes, il est vraiment conséquent, n'est-ce pas ? fit-elle observer en serrant les poings pour empêcher ses mains de trembler.

– En effet, répondit-il d'un ton prudent.

– En quoi ça... consiste, exactement ?

– Tu réveilles la terre quand il est temps pour l'hiver de lâcher prise, tu rêves du printemps avec moi... Ferme les yeux, lui ordonna-t-il en s'emparant de ses mains et en les posant, paumes ouvertes vers le haut, sur les siennes.

Elle tremblait, mais obéit. Elle sentit son souffle sur son visage tandis qu'il lui murmurait doucement :

– Et ils rêvèrent des fines racines qui s'enfonçaient dans le sol et des créatures à fourrure qui s'étiraient dans leurs tanières, ils rêvèrent des poissons qui nageaient vivement dans le courant, des souris des champs qui se faufilaient entre les herbes, des serpents qui se réchauffaient sur des rochers. Et le Roi et la Reine de l'Été sourirent à la vue de ce renouveau.

Elle parvint à l'imaginer – le monde en éveil, semblable à une bête géante qui s'agitait pour se débarrasser de la neige qui l'avait tenue trop longtemps en sommeil. Elle sentit son corps scintiller, savait qu'il s'illuminait, et n'avait aucune envie d'interrompre cette sensation. Elle voyait le saule qu'elle avait entendu bruire dans la brise quand elle avait rencontré Keenan ; elle respirait l'odeur fragile des fleurs printanières. Ensemble, ils ranimeraient la terre et ses créatures. Ils contempleraient ce monde en éveil et s'en réjouiraient.

Elle rouvrit les yeux et se rendit compte qu'elle pleurait.

– C'est tellement... colossal. Toutes ces choses qui doivent recommencer à vivre... Comment vais-je y arriver ? Et si j'échoue ?

– Non, ce sera une réussite, répondit Keenan en posant brièvement la main sur le visage de la jeune fille.

– Et le reste ? Toutes ces choses à régler à la cour ? Je ne sais pas régner sur qui que ce soit...

Elle s'essuya les joues, et tâcha de ne pas tressaillir en voyant que ses larmes étaient dorées. Elle enfonça précipitamment les mains dans ses poches et se remit à marcher.

– Eh bien, tu apprendras, répondit-il d'un air désinvolte. Je serai là, et moi, je sais régner. Mais aujourd'hui, n'y pensons plus. L'été, c'est aussi le temps des bals et de la danse. Si nous nous réjouissons, nos sujets seront heureux. C'est un autre de nos devoirs.

– D'accord, ce travail-là me semble facile. Réveiller la terre, gouverner les récalcitrants, réparer les pots cassés et faire la bringue, ajouta-t-elle, la gorge nouée car ils venaient d'entrer sur le terrain de Seth.

À l'idée de devoir parler au jeune homme, un sentiment d'étrangeté s'était emparé d'Aislinn.

– J'imagine que ce n'est pas à la portée de n'importe qui, poursuivit-elle.

– En effet, mais la Reine de l'Été s'en sortira, l'assura Keenan, avant de la gratifier d'un autre sourire aveuglant. Aujourd'hui, cependant, nous en sommes à la première étape, dit-il en posant les yeux sur la porte de Seth. Je fais la connaissance du bien-aimé de ma reine et j'essaie de sympathiser avec un mortel, d'accord ?

– Ouais, ça au moins, c'est faisable.

Elle leva les yeux. Seth était là, attendant patiemment, comme à son habitude. Toutes ses autres préoccupations, tous les changements qu'elle avait subis, le monde entier... tout s'évanouit. *Comment va-t-il prendre la chose ?*

L'espace d'un instant, elle s'inquiéta, se demandant si la revoir ne paraîtrait pas étrange au jeune homme, s'il voudrait encore d'elle après la nuit précédente, s'il n'allait pas se fâcher de la voir amener des fés chez lui. Pourtant, il ne sembla pas troublé à leur vue. Les fés étaient restés invisibles, hormis elle et Keenan, mais elle savait que Seth pouvait les voir et qu'il avait parfaitement compris qui se tenait à côté d'elle.

L'expression du jeune homme était indéchiffrable. Pourtant, il lui tendit la main.

– Hé.

Aussitôt, elle se glissa entre ses bras et elle en oublia les autres – Keenan, Niall et les gardes.

Voyant les regards qu'Aislinn et son mortel échangeaient, Keenan trouva plus facile de croire que sa reine faisait le seul

343

choix possible. Il connaissait cette expression, l'avait déjà surprise dans les yeux de plusieurs filles ainsi que dans ceux de Donia.

– Allez, viens, lui dit Seth en lui faisant signe de les suivre. S'il peut... ?

– Tu es capable d'entrer là ? demanda Aislinn à Keenan.

– Oui, bien sûr, répondit celui-ci après avoir lancé un bref coup d'œil à Niall.

Apparemment, le mortel savait qui il était et n'ignorait rien de l'aversion des fés pour le métal. *Que lui a-t-elle dit d'autre ?* Cela piqua sa curiosité et il ajouta :

– Un monarque ne craint pas le fer.

Seth, qui semblait vif d'esprit, fronça un sourcil.

– Dans ce cas, je suppose que tu es Keenan.

Aislinn tressaillit. Niall et les gardes se figèrent d'étonnement. Keenan se contenta de rire. *Il n'a pas froid aux yeux, celui-là*, songea-t-il.

– Oui, c'est bien moi.

– Eh bien entre, puisque tu ne risques rien chez moi...

Keenan suivit Aislinn et le jeune homme dans le wagon mal éclairé. L'endroit était exigu mais bien tenu. Sa première pensée fut pour Donia, qui aurait trouvé les lieux à son goût – si elle avait été capable de supporter la présence de l'acier.

– Tu as envie de quelque chose ? Ash, elle, a besoin de manger.

– Je vais bien, dit-elle en rougissant.

– Tu as mangé aujourd'hui ? demanda Seth.

Elle resta muette ; aussi, le jeune homme se tourna vers ses placards et en sortit de la vaisselle. L'opinion favorable de Keenan s'en trouva renforcée.

– Je vais... euh... le faire. Tu sais, ce truc pour devenir reine, annonça alors Aislinn d'une voix timide.

Elle s'assit sur le canapé.

– C'est ce que j'ai pensé quand je t'ai vue arriver avec lui, répliqua Seth en lui lançant une bouteille d'eau, puis une autre à Keenan tout en le dévisageant avec l'air d'attendre quelque chose.

Keenan rattrapa la bouteille.

Le four à micro-ondes sonna. Aucun d'eux ne parla pendant que Seth terminait de préparer le repas.

– Et quelles sont les conséquences pour nous ? finit par demander celui-ci.

– Rien de particulier, je crois, répondit Aislinn en jetant un coup d'œil à Keenan. J'ai accepté ce travail à cette condition, entre autres.

Keenan prit place sur l'une des chaises bariolées.

– Et le lycée ? voulut savoir Seth en lui tendant un bol, avant de s'asseoir près d'elle.

La légère tension qu'il éprouvait disparut quand Aislinn releva les jambes et s'appuya contre lui.

– Oui, ça marche aussi.

Seth gérait la situation avec un bel aplomb, mais Keenan ne manqua pas de percevoir le comportement possessif du mortel – les petits gestes innocents qui témoignaient d'un lien physique avec Aislinn. Le jeune homme se tourna vers Keenan.

– Qu'avez-vous prévu, à présent ?

– Aislinn m'accompagne chez Donia pour devenir reine, répondit Keenan, qui dissimulait son irritation à se voir ainsi interrogé. Après tout, ne désiraient-ils pas la même chose : le bien-être d'Aislinn ?

– Est-ce que cela va lui faire du mal ? s'enquit Seth, l'air soudain très peu à son aise.

La jeune fille sursauta, la fourchette suspendue entre le bol et sa bouche.

– Non, répliqua Keenan. Et ensuite, il n'y aura plus grand-chose qui pourra lui faire de mal, que ce soit dans ton monde ou le mien.

– Et l'autre ? La Reine de l'Hiver ? Elle peut lui faire du mal ? demanda Seth, qui avait mêlé ses doigts aux cheveux d'Aislinn, qu'il caressait d'un air absent.

– Oui, c'est possible. Les monarques peuvent se blesser ou s'entre-tuer.

– Toi aussi tu es un monarque, rétorqua Seth. Tu peux lui faire du mal.

– Je n'en ai pas l'intention. Je lui en ai fait le serment.

Keenan observait Aislinn, blottie contre le mortel. Elle semblait heureuse. C'était ce qu'il avait souhaité, son bonheur. Elle pouvait tout lui demander, il n'était pas en mesure de lui refuser grand-chose – quitte à la voir dans les bras d'un autre pour l'instant.

Ils se turent. Aislinn finit par rompre le silence.

– Seth peut venir avec nous ?

– Non. Les mortels ne sont pas autorisés à assister à l'épreuve. Il ne serait pas en sécurité, précisa Keenan d'un ton prudent, tout en évitant de s'appesantir sur les dangers auxquels un mortel pourrait être exposé, même s'il ne possédait pas la Vue – l'éclat du Roi de l'Été serait aveuglant une fois que ses pouvoirs lui seraient rendus.

La jeune fille écarta son bol et s'assit sur les genoux de Seth. Keenan avait perçu à quel point elle était tendue. Il prit une inspiration.

– Cependant, il pourra t'accompagner au *Rath*, où nous nous réunirons pour fêter l'événement.

– Est-ce qu'il pourrait aussi vous... euh... *nous* voir ? On peut lui donner la Vue afin que ce soit plus facile pour lui ?

– Un roi peut l'autoriser, répondit Keenan, amusé par l'attention qu'Aislinn portait à ces petits détails, tout en songeant qu'elle ferait une reine merveilleuse.

– Donc, si tu...

– Toi aussi, tu pourras le faire, Aislinn.

– C'est vrai. Si l'un de nous le souhaite, on pourrait trouver un moyen de lui donner la Vue ? poursuivit-elle sur un ton curieusement craintif.

– J'approuve ta suggestion. Il faut simplement qu'on rassemble les ingrédients nécessaires. J'ai un livre chez moi...

Aislinn et Seth échangèrent un regard.

– À moins que vous n'ayez déjà trouvé une recette ? reprit Keenan.

Aucun d'eux ne répondit et le Roi de l'Été jura tout bas – il savait exactement où ils avaient obtenu ces informations. Qui d'autre aurait pu les leur donner ?

– Il va falloir que vous appreniez à dissimuler un peu mieux vos réactions, tous les deux, leur conseilla-t-il. Maintenant qu'Aislinn est une fée de l'été, ses émotions vont être plus changeantes. Ainsi est notre nature.

À la vue de la mine interrogative de Seth, Keenan ajouta :

– Tu seras souvent là et ces conseils te sont utiles à toi aussi. Il y a des choses que tu ferais mieux de savoir si tu dois être *avec* ma reine.

Aislinn resta silencieuse mais Seth parut se crisper. Il soutint le regard de Keenan pendant quelques secondes, et le Roi de l'Été sut que le mortel avait lui aussi pris conscience de l'inévitable rivalité qui les opposait, chacun réclamant l'attention d'Aislinn. Keenan en éprouva encore davantage de respect pour Seth. Celui-ci aimait suffisamment Aislinn pour accepter de rester près d'elle malgré tout ce qui jouait en sa défaveur. C'était une qualité admirable. Et plus ils discutaient – ni de la cour ni de l'avenir, mais seulement de choses et d'autres afin d'apprendre à mieux se connaître – plus le monarque, à sa grande surprise, s'apercevait qu'il supportait très bien d'être assis là, en compagnie de sa reine et de l'amant de celle-ci.

Cependant, il se sentit soulagé quand Donia l'appela et lui fit savoir qu'elle était chez elle, qu'elle les attendait et qu'il leur fallait faire vite. Les harpies de Beira s'étaient déchaînées à travers la ville, causant de nombreux ravages. Des fés de la Haute Cour avaient déjà commencé à quitter Huntsdale, peu désireux de se retrouver mêlés à ces perturbations.

Évidemment, ils préfèrent partir, comme toujours.

Keenan soupira. Pour une fois, il aurait aimé qu'une autre cour tente de mettre fin aux troubles plutôt que d'en être l'instigatrice ou de les fuir. Dès qu'il eut raccroché, il informa Seth et Aislinn de l'évolution de la situation et la jeune fille se prépara à quitter Seth. Elle paraissait angoissée à cette idée, malgré les murmures du jeune homme, qui l'assurait qu'ils se reverraient très vite.

– Les harpies ne peuvent entrer ici, lui expliqua Keenan d'une voix douce, mais ce n'est pas le cas de Beira. Ne sors pas avant notre retour. Je ne voudrais pas que tu te retrouves à sa merci.

– Ma grand-mère... elle est toute seule, chuchota soudain Aislinn, les yeux écarquillés.

Aussitôt, elle quitta le wagon en courant. Keenan se tourna une dernière fois vers Seth.

– Reste ici. Nous revenons aussi vite que possible.

Le jeune homme acquiesça et le poussa vers la porte ouverte.

– Veille bien sur elle, recommanda-t-il au Roi de l'Été.

Dehors, Niall avait déjà ordonné à des gardes de suivre Aislinn.

– Que l'un d'entre vous reste ici pour le protéger, lança Keenan aux hommes-sorbiers avant de partir à toute allure afin de rattraper la jeune fille.

Il espérait qu'elle s'inquiétait pour rien et qu'il n'était rien arrivé à Elena.

Quand Aislinn arriva chez elle, la porte de l'appartement était entrebâillée. Elle s'arrêta sur le seuil du salon. La télévision était allumée, mais elle ne vit pas sa grand-mère. Elle entra et l'appela. Derrière elle, des gardes envahirent la pièce.

Sa grand-mère était étendue sur le sol, les yeux fermés.

La jeune fille se précipita vers elle, vérifia son pouls et sa respiration. Elle était vivante.

– Est-ce qu'elle...? demanda Keenan en s'agenouillant près d'Aislinn.

– Elle est blessée, répondit-elle. Vous nous accompagnez à l'hôpital, ordonna-t-elle aux gardes. Si quiconque tente de s'approcher d'elle, vous l'en empêcherez.

Keenan hocha la tête d'un air sombre.

– Votre reine vous a donné un ordre, ajouta-t-il.

Les gardes les saluèrent et l'un d'eux s'avança.

– Nous ferons de notre mieux, mais si la Reine de l'Hiver elle-même...

– Elle est donc si puissante ? s'enquit Aislinn sans pouvoir dissimuler sa peur.

– Seul le Roi de l'Été, ou un autre monarque, pourrait l'affronter, expliqua Keenan. Si j'avais mes pleins pouvoirs, si j'avais ta force, nous pourrions nous opposer à elle. Si nous allons à l'hôpital, nous ne serons pas d'un grand secours à Elena. Mais après la cérémonie, nous serons en mesure de la protéger.

L'un des gardes souleva délicatement la vieille femme et la prit dans ses bras. Les autres sortirent de l'appartement.

Aislinn avait la gorge nouée ; elle s'en voulait de devoir laisser sa grand-mère.

– Si c'est la Reine de l'Hiver qui lui a déjà fait du mal...

– Même si ça n'est pas elle, cela s'est passé sur ses ordres, lui expliqua Keenan. Elle t'a menacée, elle a menacé Donia...

– Allons-y, dans ce cas, dit Aislinn en contemplant la vieille dame, inerte dans les bras de l'homme-sorbier. On en a pour longtemps ?

– Non, assura le Roi de l'Été, avant de s'adresser au garde. Faites comme nous l'avons demandé. Nous vous rejoindrons dès que possible. Partez maintenant.

Tandis que les soldats filaient vers l'hôpital, Aislinn et Keenan partirent précipitamment, courant plus vite qu'elle ne l'aurait cru possible en direction de la maison de Donia, où l'attendait une épreuve qui changerait tout.

30

« Jamais il n'y eut de fé plus beau que lui... Les loups cessèrent tout ravage, le vent glacial se tut, et le Peuple Caché sortit des Collines des Fés pour jouer de la musique et répandre la joie de toutes parts. »
(*Contes celtiques enchantés* d'Ella Young, 1910)

Donia savait qu'ils arrivaient mais elle réprima un cri quand elle les vit s'avancer devant elle en se tenant par la main, à la vitesse fulgurante que seuls les plus puissants des fés sont capables d'atteindre.

– Donia ?

Il paraissait fiévreux tant il était enthousiaste, le visage radieux, ses cheveux cuivrés brillant déjà de l'étrange lumière solaire qu'il portait en lui.

Donia eut un sourire contraint et vint à leur rencontre. La dernière fois que la cérémonie avait eu lieu, c'était elle qui le tenait par la main, pleine d'espoir à l'idée de devenir sa partenaire. Sa reine.

À la lisière de la clairière où se trouvait sa maison, des fés s'étaient réunis ; la plupart appartenaient à la Cour de l'Été, mais il y avait aussi quelques représentants des autres cours – leur présence témoignant de la singularité de cette épreuve.

Keenan voulut s'approcher de Donia.

– Es-tu... commença-t-il.

Aislinn mit alors doucement la main sur son bras. Le Roi de l'Été parut perplexe, mais il se tut et resta près de la jeune fille, sans pouvoir poser à Donia des questions auxquelles elle n'aurait pas eu envie de répondre. Celle-ci croisa le regard d'Aislinn et lui fit un petit signe de tête. Elle n'aurait pu supporter la gentillesse de Keenan, alors qu'elle s'apprêtait à renoncer à lui. *Ash fera une bonne reine. C'est bien pour lui*, tâcha-t-elle de se dire.

Donia se rendit au milieu du jardin, où se trouvait le buisson d'aubépine qui n'avait pas encore fleuri et sous lequel elle déposa le bâton de la Reine de l'Hiver. Sasha vint la rejoindre et elle plaça une main sur la tête du loup afin qu'il la soutienne.

– Aislinn, appela-t-elle.

La jeune fille s'avança. Déjà étincelante, elle perdrait bientôt le peu de mortalité qui lui restait.

– Si tu n'es pas l'Élue, tu porteras en toi le froid de l'hiver. Tu expliqueras à la prochaine mortelle qu'il aimera combien tout cela est risqué. Tu lui diras, à elle et à celles qui suivront, que lui faire confiance est pure folie. Si tu acceptes ces conditions, je serai libérée du froid, quelles qu'en soient les conséquences.

Elle marqua un temps afin de laisser Aislinn réfléchir à ce qu'elle venait de lui annoncer.

– Acceptes-tu ? lui demanda-t-elle.

– Oui.

La jeune fille s'approcha d'un pas lent. Derrière elle, Keenan attendait, la peau rayonnante de soleil, et quand Donia le regardait, la tête lui tournait. Cela faisait si longtemps qu'elle ne l'avait vu étinceler à ce point qu'elle avait oublié combien il était beau, fidèle au souvenir qu'elle avait de lui. Elle s'obligea à détourner son regard.

Pourvu que ce soit Aislinn... pourvu que ce soit elle, songea-t-elle.

Aislinn perçut l'attirance que le bâton exerçait sur elle. Elle se rapprocha encore.

– Si tu n'es pas la reine que je cherche, tu porteras le froid de Beira, lui dit Keenan, dont la voix l'enveloppait, pareille à un orage d'été se déchaînant entre les arbres. Acceptes-tu de prendre ce risque ?

– Oui, répondit-elle, d'une voix si faible qu'elle dut répéter sa réponse.

Keenan, tandis qu'il se rapprochait d'elle, lui parut soudain sauvage, si lumineux qu'elle se força à ne pas le dévisager. Ses pieds s'enfonçaient dans le sol comme en ébullition.

– Vois ce que je suis. Ce que je serai vraiment si tu es la Reine de l'Été, précisa-t-il avant de s'arrêter à quelques pas d'elle. À moins que le froid ne s'empare de toi.

Aislinn sentit tous ses muscles se crisper, mais elle ne recula pas. C'est alors que Keenan, dans toute sa luminosité, vint s'agenouiller devant elle.

– Est-ce vraiment ce que tu désires ? lui demanda-t-il une dernière fois.

Les Filles de l'Été les observaient, tout en déambulant dans la clairière. Les harpies de Beira et un grand nombre d'autres fés se tenaient là aussi.

353

– Depuis que Donia a passé l'épreuve, déclara Keenan tout en dévisageant brièvement la Fille de l'Hiver avec, dans les yeux, une lueur de nostalgie, aucune mortelle n'a voulu prendre le risque de devenir ce qu'elle est, et toutes ont choisi de rester dans la lumière du soleil.

Les doigts de Donia, d'un blanc cadavérique, serrèrent plus fort la fourrure de Sasha.

– Si tu n'es pas l'Élue, tu porteras le froid de la Reine de l'Hiver jusqu'à ce qu'une autre mortelle accepte de passer cette épreuve, tu l'as compris ? ajouta-t-il.

Le bruissement des feuilles s'intensifia, donnant l'impression qu'une tempête sans pluie ni nuages faisait rage autour d'eux, un vacarme semblable à des voix hurlant dans un langage dont elle n'avait nul souvenir. Donia saisit la main d'Aislinn.

– Oui, j'ai compris, dit celle-ci d'une voix plus forte.

Elle était convaincue de ne pas se tromper. Quelque part en elle, cette certitude attendait ; et même si elle n'avait eu aucune autre preuve, à cet instant, elle aurait malgré tout su qu'elle avait raison. Elle lâcha la main de Donia et s'approcha du buisson d'aubépine.

– Si la prochaine mortelle refuse de passer l'épreuve, poursuivit Keenan en la suivant, tu ne seras libre que lorsque l'une d'elles ou la suivante acceptera de prendre le bâton.

– Il n'y aura pas d'autre fille après moi, déclara Aislinn en s'emparant du bâton.

Elle le serra et attendit.

Elle les dévisagea tous deux – elle, la dernière fille à avoir passé cette épreuve et lui, le roi qui l'aimait encore. Elle regrettait, pour elle et pour eux, que Donia n'ait pas pu se trouver à sa place.

Non, ce n'est pas elle. C'est moi.

Elle serrait le bâton, mais aucune sensation glaciale ne vint la soumettre. En lieu et en place, l'éclat aveuglant qui irradiait Keenan n'émanait plus seulement de lui, mais de sa peau à elle.

Les Filles de l'Été se mirent à rire et à tournoyer, tourbillon indistinct de plantes, de chevelures et de robes. Les cheveux blancs de Donia étaient maintenant d'un blond soyeux et ses joues rosies resplendissaient de santé.

– Tu es vraiment la reine, dit-elle d'une voix si musicale qu'Aislinn n'en revint pas.

– Oui, c'est moi, répéta celle-ci en examinant ses mains et ses bras, nimbés d'un léger éclat doré.

Jamais elle n'aurait pu imaginer éprouver un jour les sensations qui l'envahissaient à présent : tout faisait sens. Elle *sentait* les fés qui, autour d'elle, s'abreuvaient de son bonheur et se réjouissaient du sentiment de sécurité que Keenan et elle leur transmettaient. Elle se mit à rire tout haut.

Soudain, il la prit dans ses bras et la souleva en riant.

– Ma reine, ma ravissante, si ravissante Aislinn !

De toutes parts, des fleurs jaillissaient de terre, l'air se réchauffait et une douce pluie tombait du ciel d'un bleu éclatant. Sous les pieds de Keenan, l'herbe reverdissait et prenait la même couleur que ses yeux. Elle s'abandonna à Keenan, qui la faisait virevolter dans les airs.

Quand, soudain, elle aperçut un homme-sorbier qui tentait d'arriver jusqu'à eux en rampant.

– Ma reine, croassa-t-il tout en cherchant à la rejoindre tandis que du sang coulait de sa bouche.

Elle s'immobilisa et ses fés – car ils étaient ses sujets

désormais – le portèrent jusqu'à elle. Keenan se tenait à ses côtés, une main posée au creux de son dos.

– Nous avons essayé, dit l'homme, qui perdait du sang à chaque mot qu'il prononçait. Nous avons tout essayé, comme si c'était à vous qu'elle s'était attaquée. Le mortel...

Si Keenan ne l'avait pas soutenue, Aislinn se serait effondrée.

– Seth... est-ce qu'il est... commença-t-elle, sans pouvoir terminer.

Le garde ferma les yeux. Sa respiration était saccadée et quand il se mit à tousser, des éclats de glace jaillirent de sa bouche. Il les cracha dans l'herbe.

– Elle l'a enlevé. Beira l'a enlevé.

Donia s'était éclipsée, incapable de supporter la vision de Keenan avec Aislinn. Savoir qu'il avait enfin trouvé sa reine était une chose ; mais c'en était une autre de supporter les émotions que l'événement provoquait en elle. Il fallait bien que cela arrive. C'était mieux ainsi, pour tout le monde. Pourtant, la blessure qui venait de se rouvrir lui semblait toute récente.

Je n'étais pas faite pour lui. Je ne l'ai jamais été.

C'est Aislinn.

Et Donia n'avait pu rester près d'eux, les voir se réjouir.

Elle était tout près de sa maison quand les gardes de Beira s'emparèrent d'elle. *Ça n'aura pas été bien long,* songea-t-elle. Elle avait su que Beira tiendrait parole, que sa mort surviendrait peu de temps après le triomphe d'Aislinn. Désormais dépourvue du froid de l'hiver, elle était vulnérable entre leurs mains, tout autant que l'aurait été un mortel.

Les gardes ne furent pas aussi brutaux que les fées des ténèbres, mais ce ne fut pas faute d'essayer. Quand ils la jetèrent aux pieds de Beira, celle-ci ne lui dit pas un mot, mais lui décocha un coup de pied au visage d'une telle force que Donia fut projetée en arrière.

– Beira, ravie de te voir, répliqua-t-elle d'une voix plus faible qu'elle n'aurait voulu.

Beira éclata de rire.

– J'aurais presque pu t'apprécier, ma chérie. Quel dommage qu'on ne puisse se fier à toi, ajouta-t-elle en soulevant les mains couvertes de sang de sa victime.

Des menottes de glace se formaient autour des poignets de Donia. Celle-ci croyait avoir déjà connu la souffrance que le froid de Beira pouvait infliger, mais tandis qu'elle luttait pour se débarrasser des menottes glaciales, elle prit conscience qu'elle n'avait jamais enduré une telle douleur. Alors qu'elle s'apprêtait à répondre à la Reine de l'Hiver, une toux étouffée attira son attention.

Elle se retourna et elle aperçut Seth, recroquevillé dans un coin. Il tentait de se relever, les jambes enterrées sous plusieurs centimètres de neige. Son torse était à moitié nu et il semblait que sa chemise en lambeaux avait été déchirée par des griffes.

Beira se pencha vers elle. Son souffle glacial effleura le visage de Donia et du givre se déposa sur ses cheveux.

– Tu étais censée m'aider. En réalité, tu complotais avec l'ennemi.

– J'ai agi comme il le fallait. Keenan est...

Beira plaqua brutalement sa main sur la bouche de Donia.

– TU M'AS TRAHIE.

– N'attise pas sa colère, lui conseilla Seth d'une voix affaiblie, tout en essayant de se dégager de la congère dans laquelle il était coincé.

Son jean était dans le même état que sa chemise et du sang gouttait dans la neige. Un de ses piercings au sourcil avait été arraché et un mince filet de sang s'écoulait le long de son visage.

– Mignon, pas vrai ? Il ne pousse pas de cris perçants comme les esprits des bois, mais il est malgré tout divertissant. J'avais presque oublié à quel point il est facile de briser un mortel.

Beira se lécha les lèvres, tout en regardant Seth qui s'efforçait de se relever. Son corps était parcouru de violents frissons, mais il s'obstinait.

– Mais toi, poursuivit la reine, je sais que tu es capable d'en supporter davantage. Vais-je te livrer aux fés-loups quand j'en aurai terminé avec toi ? Cela ne les dérange pas de recevoir des jouets usagés.

Elle prit le visage de Donia entre ses mains et enfonça ses ongles déjà ensanglantés dans son cou et ses joues.

– Non ! s'écria Seth d'une voix étranglée, signe qu'il avait dû avoir affaire à ces créatures.

Beira dirigea son souffle vers le jeune homme. Des pics de glace aussi aiguisés que des lames de rasoir jaillirent à ses pieds et lui blessèrent les jambes.

– Tenace, ce garçon, fit observer la reine en riant.

Donia ne parlait pas, ne bougeait plus, mais elle leva les yeux au ciel d'un air indifférent. L'espace d'un battement de cœur, Beira la dévisagea, puis elle eut un sourire, aussi cruel et froid que les pires des fés des ténèbres.

– Bon. Ce serait vraiment plus amusant si tu jouais le jeu.

C'est ce que tu veux, non ? Fais comme si tu pouvais user de ruses et t'enfuir, ordonna-t-elle en giflant Donia, dont le crâne heurta le sol, si brutalement qu'elle en eut la nausée. Mais n'espère pas m'échapper !

Les menottes se mirent à fondre et laissèrent des marques sur la peau mordue par le gel. Donia rejoignit Seth tant bien que mal, sans se soucier des pics de glace qui lui meurtrissaient les pieds, et l'aida à se redresser. Elle ne pouvait l'emporter sur Beira, mais elle était encore une fée, suffisamment forte pour soulever un mortel et mieux supporter la douleur que lui.

– La porte est de ce côté, marmonna-t-il tandis qu'elle le portait à moitié.

– Comme c'est chou ! Les amants tragiques de la Cour de l'Été sont des alliés ! Décidément, c'est *trop* charmant.

Durant un moment, la reine les observa qui essayaient de franchir les obstacles de glace qu'elle ne cessait d'ajouter devant eux, tout en les félicitant dès qu'ils parvenaient à avancer de quelques pas. Donia restait silencieuse, économisant ses forces pour essayer d'atteindre la porte avec Seth. Pour finir, Beira fit signe à ses harpies d'approcher.

– L'homme-sorbier a-t-il réussi à rejoindre mon imbécile de fils ?

Les créatures acquiescèrent et Beira applaudit.

– Excellent. Ils ne vont donc pas tarder. Qu'est-ce qu'on va s'amuser ! s'exclama-t-elle, avant de dévisager Donia d'un air interrogatif. D'après toi, qu'est-ce qui les bouleverserait le plus ? De vous voir morts ou encore en train de souffrir ? Ah, toutes ces décisions à prendre... murmura Beira en se dirigeant vers eux.

Elle se déplaçait d'un pas lent et gracieux sur les pics de glace, donnant l'impression d'entrer sur la scène d'un théâtre.

– Pour plus de sûreté, optons pour l'une et l'autre solution... dit-elle en soulevant Donia par les cheveux et en l'embrassant sur les deux joues. Je crois t'avoir déjà dit ce qui allait t'arriver, ma douce.

Seth se laissa tomber à terre. Il essaya de rattraper Donia, mais une paroi de glace se forma entre eux.

Puis Beira posa ses lèvres sur celles de sa victime.

Donia se débattit, mais la glace qui glissait le long de sa gorge l'étouffait et remplissait ses poumons. Soudain, elle vit Seth se précipiter sur Beira, une croix de fer rouillé à la main. Déployant une force étonnante pour un mortel, de surcroît blessé, il planta son arme de fortune dans le cou de Beira.

Celle-ci lâcha Donia en laissant échapper un cri strident et se retourna, déchaînée, vers Seth, qu'elle plaqua brutalement contre un mur.

– Croyais-tu pouvoir me tuer avec cette babiole ? lui demanda la reine.

Elle enfonça ses doigts dans le ventre du jeune homme et, se servant de ses côtes comme d'une poignée, elle le souleva. Il poussa des hurlements sans fin, des cris atroces qui firent trembler Donia. Mais elle ne pouvait lui venir en aide, incapable de relever la tête du sol.

Aislinn entendit les cris de Seth dès qu'elle arriva sur le seuil. À la vue de Beira qui le soulevait par le ventre, elle s'agrippa au bras de Keenan.

Au milieu de la pièce, Donia était allongée sur le sol, immobile. Entre ses lèvres, scintillaient des éclats de glace, pareils à ceux qui avaient étouffé l'homme-sorbier. Keenan entraîna Aislinn derrière lui, et se dirigea aussitôt vers Beira et Seth, sans prendre le temps de s'arrêter près de Donia.

Dès qu'ils les eurent rejoints, le Roi de l'Été s'empara du morceau de métal qui sortait du cou de sa mère et le planta de nouveau dans sa chair.

Beira lâcha Seth, qui retomba sur le sol. Les yeux chavirés, il perdit connaissance. Sa poitrine se soulevait et s'abaissait irrégulièrement, signe qu'il respirait encore.

Malgré le sang qui coulait de sa blessure, Beira semblait inébranlable. Elle porta la main à son cou et en arracha la barre de métal. Après un coup d'œil à l'objet, elle le jeta par terre d'un air de dégoût. Du sang se mêlait aux flaques de neige fondue.

– Nous pouvons éviter de résoudre les choses ainsi, dit alors Keenan d'une voix grave et peinée. Trouvons un compromis, comme cela aurait dû être le cas depuis longtemps. Si tu étais d'accord pour...

Beira éclata de rire et des tourbillons d'air glacial s'échappèrent de sa bouche.

– Sais-tu que ton père m'a dit *exactement* la même chose avant que je le tue ?

Elle leva la main, l'agita et un épais mur de glace se dressa subitement entre Aislinn et Keenan, qui se retrouva seul avec sa mère.

– Aislinn ! appela-t-il en posant les mains sur la glace.

Elle l'imita et plaqua les siennes de son côté du mur. La paroi se mit à siffler tandis qu'ils conjuguaient leurs efforts pour la faire fondre lentement. Un instant, Beira les observa. Son visage ressemblait à un masque déformé, encore plus horrible vu à travers la glace. Cependant, ce fut d'une voix parfaitement limpide qu'elle s'adressa à Keenan.

– Crois-tu qu'il faudra du temps avant que règne un nouveau Roi de l'Été ?

– Il n'y aura pas d'autre Roi de l'Été que moi, rugit-il en essayant de l'attraper par le bras.

– Ha ha ! Mon petit chéri... se moqua-t-elle, plaçant une main sur son torse, et le poussant de manière à l'éloigner du mur de glace qui le séparait d'Aislinn.

Le givre qui s'était formé sur la poitrine de Keenan se dissipa aussitôt, le laissant trempé et fumant. Malgré tout, il trébucha, glissant sur le sol qui se couvrait peu à peu de gel.

Seth gémit et ouvrit les yeux.

Plusieurs harpies entrèrent dans la pièce et, sans même les regarder, Beira leur ordonna :

– Tuez la Fille de l'Hiver et le mortel.

Les créatures se dirigèrent vers Donia.

Keenan se tourna vers elles.

Profitant de cet instant d'inattention, Beira lui attrapa le visage et souffla sur ses yeux. D'épais flocons blancs se collèrent entre ses cils, mais fondirent aussi vite qu'ils s'étaient formés ; cependant, Keenan était en partie aveuglé.

Beira jeta un bref regard à Aislinn, elle leva le bras et une longue et fine lame de glace jaillit dans sa main tendue. Elle fit un clin d'œil à la Reine de l'Été, avant d'enfoncer son arme dans la poitrine de son fils.

Celui-ci s'affaissa vers l'avant.

Furieuse, Aislinn cogna des deux poings sur la paroi de glace, qui fondit aussitôt, et elle attrapa les deux bras de la Reine de l'Hiver pour l'empêcher de poignarder Keenan une seconde fois. Puis, formant le mot « chaleur » dans son esprit, elle souffla sur le visage de Keenan ; la peau d'Aislinn atteignit alors une telle température que les bras de Beira se mirent à dégager une vapeur qui bientôt envahit l'air. Keenan cligna plusieurs fois des yeux, reprit conscience, puis attrapa le visage de la Reine de l'Hiver entre ses mains.

– Tu as raison, *mère*. Tant que nous serons tous les deux en vie, ça ne pourra pas marcher.

Tandis qu'Aislinn tenait Beira par les bras, Keenan se pencha vers elle jusqu'à ce que ses lèvres touchent presque celles de sa mère. Puis il se contenta de souffler. La lumière du soleil, pareille à un liquide épais, se déversa en elle. Elle tenta de détourner la tête, en pure perte : les mains rayonnantes du Roi de l'Été, qui enserraient son visage, l'en empêchèrent. Le soleil liquide l'étouffait et lui brûlait la gorge, de la vapeur jaillissait de sa blessure au cou.

Beira finit par s'affaisser dans leurs bras, Keenan s'écarta et Aislinn déposa le corps de la reine sur le sol.

D'un doigt, il caressa la joue de la jeune fille.

– Tu es encore plus précieuse que je ne l'imaginais, murmura-t-il.

Keenan enjamba l'enveloppe vide de sa mère. Il avait eu autrefois l'espoir qu'ils n'en arriveraient jamais là, qu'ils trouveraient un moyen de s'entendre. En vain...

Pourtant, il ne regrettait rien de ce qui venait d'arriver.

Les harpies, immobiles, chuchotaient entre elles. Elles avaient désobéi à Beira, mais celle-ci n'était plus là pour les châtier.

De son côté, Aislinn, pâle d'inquiétude et encore sous le

choc, s'accroupit près du corps de Seth sur le sol détrempé, et tenta de le ranimer. L'une des harpies lui tendit un morceau d'étoffe et la jeune fille banda son torse ensanglanté. Il était dans un état critique, mais les hommes-sorbiers, arrivés entre-temps, étaient repartis aussitôt en quête de guérisseurs – fés et humains.

Keenan se dirigea vers le corps inerte de Donia. Les guérisseurs ne pourraient plus rien pour elle.

Il la prit dans ses bras et se mit à pleurer.

Donia ouvrit les yeux et s'aperçut qu'elle se trouvait tout contre Keenan. Pour la première fois depuis tant d'années, elle était près de lui. Elle toussa puis demanda :

– Beira... morte ?

Il lui sourit, et elle eut la sensation de voir prendre forme tous les rêves qu'elle avait condamnés à l'oubli.

– Oui.

– Et Seth ?

Chaque parole lui était douloureuse, sa gorge à vif après la glace qu'elle avait été forcée d'avaler puis de recracher.

– Il n'est que blessé.

Il lui caressa gentiment le visage, comme il l'aurait fait d'une chose délicate et précieuse. Des larmes coulaient le long de ses joues et gouttaient sur les joues de Donia, faisant fondre les derniers morceaux de glace encore accrochés à sa peau.

– J'ai cru que je t'avais perdue. Qu'on était arrivés trop tard.

– Aucune importance. Tu as ta reine à présent.

Elle pressa alors sa joue tout contre la main de Keenan, enfin apaisée.

– Ce n'est pas ce que tu crois, lui répondit Keenan.

Il souffla sur son visage et fit disparaître les dernières traces de glace qui restaient dans ses cheveux.

– Elle reste avec Seth et me dit qu'être reine n'est qu'un travail, précisa-t-il avec un rire ténu, qu'elle veut bien régner à mes côtés mais qu'elle n'est pas mienne. Quand tu iras mieux...

L'une des harpies s'agenouilla près d'eux et interrompit Keenan.

– Ma reine, dit-elle d'une voix râpeuse, votre bâton.

La harpie tendait le bâton de Beira, dépositaire de l'Hiver.

– Non... souffla Keenan, les yeux agrandis par la stupeur.

La harpie sourit, dévoilant une bouche en grande partie édentée.

– Je m'adresse à *ma* reine, dit-elle alors, pas à vous, Roi de l'Été. Ce bâton porte en lui le froid de l'hiver.

– Vous saviez ! lui lança Keenan de cette voix rageuse qui lui faisait perdre tout semblant d'humanité.

– Beira a fait son temps, mais il est accompli, dit la harpie en échangeant des regards avisés avec ses compagnes. Elle connaissait les conditions fixées par Irial, le Roi des Ténèbres. Elle aurait dû s'en souvenir quand elle a choisi de modifier les règles du jeu, et savoir qu'elle échouerait. Donia sera une reine puissante. Nous attendions qu'une autre survive au baiser de l'hiver, ajouta-t-elle en dévisageant Donia avec un respect teinté de crainte. Désormais, elle nous appartient.

Toutes la saluèrent d'un geste gracieux en dépit de leurs corps décharnés et dirent en chœur :

– Nous servons la Reine de l'Hiver. C'est dans l'ordre des choses.

Donia fit de son mieux pour se redresser. Elle leva une main et ses doigts effleurèrent le visage de Keenan. Passer l'éternité avec lui... un fantasme qu'elle avait tu durant des décennies.

Keenan soutint son regard.

– Donia... il y a un autre moyen... les guérisseurs seront là d'un instant à l'autre et...

– Je n'ai pas besoin d'eux. La Cour de l'Hiver est à moi. Je le *sens*. Je *sens* les fées de l'hiver en moi.

– Les harpies peuvent faire quelque chose... n'importe quoi pour empêcher cela. Reste avec moi, Donia, je t'en prie.

Il la serra plus fort dans ses bras, tout en fusillant du regard les harpies et les fées-louves qui étaient entrées dans la pièce. Derrière celles-ci, plusieurs des hommes-aubépines attendaient.

Des guérisseurs de la Cour de l'Été et de celle de l'Hiver arrivèrent enfin. Certains allèrent examiner Seth, sous la supervision attentive d'Aislinn.

Donia lança un bref coup d'œil à la jeune fille et celle-ci se releva. Elle au moins comprenait le caractère inéluctable de ce qui allait se produire.

– Keenan, dit Donia en prenant son visage entre ses mains et en l'approchant du sien. Le froid est déjà en moi. Si je le combats, il s'installera plus lentement, mais cela n'y changera rien.

Hormis l'envie irrésistible de voir le regard horrifié de Keenan s'apaiser, Donia éprouvait une certaine paix intérieure. Elle s'était attendue à mourir. Le trône qu'on lui offrait à présent était loin de lui déplaire. Avant qu'il ne soit trop tard, elle passa les bras autour de Keenan et se laissa emporter par le baiser qu'ils n'avaient pu partager depuis bien longtemps. Quand elle s'écarta, elle vit que Keenan pleurait – des larmes

366

pareilles à des gouttes de pluie chaudes qui retombaient en crépitant sur le visage de la nouvelle reine.

Puis Aislinn l'obligea à s'éloigner et s'appuya sur lui, tandis que les harpies aidaient Donia à se placer au-dessus du corps de Beira. Les émotions du Roi de l'Été se faisant soudain plus changeantes, des nuages noirs s'amoncelèrent au-dessus de l'assistance puis éclatèrent, et la pluie se mit à tomber sur eux.

Donia s'empara du bâton, pressa ses lèvres contre le corps inanimé de Beira et inspira profondément. Ce qui restait du froid de la précédente Reine de l'Hiver s'écoula en elle et la traversa, pareil à une vague glaciale et bouillonnante, avant de s'arrêter subitement et de s'apaiser – un étang gelé, impénétrable, entouré d'arbres couverts de givre et de champs enneigés d'un blanc immaculé.

Les mots qu'elle prononça alors lui venaient de ce monde, jaillissant de sa bouche comme l'aurait fait un vent hivernal.

– Je suis la Reine de l'Hiver. Comme celles qui m'ont précédée, je porterai en moi le vent et la glace.

Dès qu'elle se tut, elle fut guérie, plus forte qu'elle ne l'avait jamais été. Elle s'avança vers Keenan et, contrairement à Beira, ne laissa aucun éclat de glace dans son sillage.

Les larmes scintillantes du Roi de l'Été, auréolées de soleil, tombaient dans les flaques d'eau dont le sol était couvert. Elle tendit les mains vers lui et l'attira à elle, prenant soin de maîtriser le froid qui l'habitait, une sensation électrisante.

– Je t'aime, murmura-t-elle. Je t'ai toujours aimé. Et cela n'y change rien.

Les yeux écarquillés, il la regarda fixement mais garda le silence. Et ne répéta pas ce qu'elle venait de lui avouer.

Puis Donia souleva le corps de Beira et se dirigea vers la porte, les harpies sur ses talons. Elle s'arrêta sur le seuil, croisa le regard d'Aislinn.

– Nous discuterons bientôt.

Après un bref coup d'œil à Keenan, toujours muet, Aislinn acquiesça.

Enfin, Donia, impatiente de s'éloigner de leur luminosité, serra fort son bâton et prit congé du Roi et de la Reine de l'Été.

Épilogue

Première neige

La main serrée autour du bâton de bois poli de la Reine de l'Hiver – *mon bâton* – Donia sortit de chez elle et gagna l'ombre des arbres dénudés.

Ses fés l'attendaient. Les gardes de Keenan avaient quitté les lieux depuis longtemps, à l'exception d'Evan qui, sur les ordres de Donia, avait pris la tête de ses soldats. Certains s'étaient plaints, n'ayant jamais imaginé qu'un fé de l'été puisse diriger la garde d'une Reine de l'Hiver, mais personne n'était en droit de contester ses choix.

Plus personne, songea-t-elle.

Elle se fraya un passage jusqu'à la rivière, suivie par six gardes, les plus loyaux qu'Evan avait pu trouver parmi les fés de Donia. Ils ne disaient mot. Contrairement aux Filles de l'Été, si frivoles, ses sujets n'étaient pas du genre bavard.

Comme si elle en avait toujours eu l'habitude, Donia, tout en marchant, frappait le sol de son bâton afin de propager des tentacules glacials dans la terre, prémices de

369

l'hiver qui n'allait pas tarder à s'installer. Sasha bondissait à ses côtés.

En silence, Donia s'avança sur la surface à présent gelée de la rivière. Elle leva les yeux vers le pont d'acier qui enjambait le cours d'eau, tourna son visage vers le ciel gris et ouvrit la bouche. Un vent hurlant jaillit entre ses lèvres et des glaçons se formèrent sur la structure métallique du pont – qu'elle pouvait désormais approcher sans craindre de souffrir.

Sur la rive, Aislinn l'attendait, enveloppée dans un long manteau, et la salua d'un signe de la main. Donia la trouvait chaque fois un peu plus changée.

– Keenan serait venu s'il avait pu se libérer... Il s'inquiétait, se demandait comment tu te sentais par rapport à tout ceci, dit-elle en indiquant le sol gelé.

– Tout va bien. C'est à la fois étrange et logique, répondit Donia en glissant sur la glace, avec une grâce qu'elle n'avait pas quand elle était la Fille de l'Hiver.

Elle n'ajouta pas qu'elle se sentait encore très seule – elle ne souhaitait pas se confier à la reine de Keenan.

Elles restèrent là quelques instants, tandis que des flocons de neige tombaient en sifflant sur le visage d'Aislinn. Celle-ci releva son capuchon bordé de fourrure sur ses cheveux parsemés de mèches dorées, qui lui étaient venues depuis peu.

– Ce n'est pas quelqu'un de méchant, tu sais...

– Oui, je sais, répliqua Donia en tendant la main pour attraper une poignée de flocons, pareils à des étoiles blanches. Mais même si je pensais le contraire, ce n'est pas à *toi* que je pourrais le dire...

Aislinn frissonna. Le froid l'épuisait facilement.

– Nous apprenons à travailler ensemble. La plupart du

temps, ajouta-t-elle en se frottant les bras. Désolée. Je peux encore sortir, mais je ne crois pas que je puisse rester trop longtemps près de toi ni à proximité de la glace.

– Une autre fois, peut-être, dit Donia en lui tournant le dos.

Mais Aislinn lui dit alors la dernière chose que Donia aurait pu imaginer de la part de la Reine de l'Été – ou de qui que ce soit, au demeurant.

– Il t'aime, tu sais.

Donia dévisagea en silence la fée qui partageait le trône de l'Été avec Keenan.

– Je ne...

Donia s'interrompit, s'efforçant d'apaiser le trouble qu'elle éprouvait au fond d'elle. Peut-être était-ce vrai, mais dans ce cas, pourquoi ne lui avait-il pas répondu quand elle lui avait avoué qu'elle l'aimait encore ? Et puis elle n'était pas préparée à avoir une telle conversation avec Aislinn.

Donia ne pouvait savoir à quel point Keenan avait changé depuis qu'Aislinn l'avait délivré ; elle n'avait aucune idée de ce qui les reliait, se demandait si Aislinn le connaissait vraiment. La plupart du temps, elle préférait ne pas le savoir. Ce qui se passait à la Cour de l'Été ne la concernait plus.

Elle avait déjà suffisamment de difficulté à gérer sa cour. Ses sujets se montraient peu loquaces, mais ils continuaient de se plaindre – parce qu'elle avait été mortelle, parce qu'elle insistait pour restaurer l'ordre, et parce qu'elle avait limité leurs accointances avec la Cour des Ténèbres.

Un souci que je ne me sens pas prête à affronter. Irial, le Roi des Ténèbres, mettait déjà ses limites à l'épreuve en essayant d'attirer à lui les fés de Donia. Irial avait été l'allié de Beira trop longtemps pour faire marche arrière avec élégance.

Donia secoua la tête et des flocons dégringolèrent le long de son visage ; au contact de sa peau, ils provoquaient une légère décharge électrique. *Concentre-toi sur des choses positives.* Elle aurait bien le temps de s'occuper d'Irial, de Keenan ou de ses fés.

Cette soirée m'appartient.

Aussi silencieusement que la neige qui tombait autour d'elle, elle profita de la nuit froide et se mit à patiner sur la surface gelée de la rivière, lâchant sa poignée de neige scintillante sur la glace.

Solstice

Aislinn et Seth se trouvaient dans le premier wagon du train de Seth, tandis que Keenan tâchait de se remettre de sa brève excursion dans le froid.

– Vas-y, occupe-toi de lui, lui dit Seth en la poussant vers le Roi de l'Été, j'ai besoin d'aller chercher des bricoles.

Aislinn, étrangement à l'aise, s'assit près de lui.

– Keenan ?

Il ouvrit les yeux.

– Tout va bien. Attends un instant.

Elle prit sa main dans la sienne et se concentra afin de se laisser envahir par la chaleur de l'été et la lui transmettre. Cela lui était devenu si facile qu'elle s'en étonnait encore. Comme si elle avait toujours possédé ce pouvoir. Elle le percevait, comme un minuscule soleil qui s'embrasait en elle. Elle se pencha et souffla doucement sur le visage de Keenan. Une brise chaude se déversa sur lui.

Puis elle l'embrassa sur les deux joues. Elle ne savait pas pourquoi elle agissait ainsi, pas plus qu'elle ne comprenait pour quelle raison elle l'avait fait le soir où elle avait rencontré Beira à l'extérieur de la Forteresse. Cela lui paraissait simplement *normal*. Elle écoutait désormais son instinct, une des premières choses qu'elle avait saisies quand elle s'était mise à se métamorphoser.

– Je ne t'ai pas demandé de...

– Chut, lui intima-t-elle en repoussant une mèche de cheveux cuivrés qui retombait sur son front. Les amis sont là pour s'entraider.

Quand Seth revint dans la pièce, Keenan se sentait déjà mieux. Le jeune homme déposa un briquet et un tire-bouchon sur la table.

– Il y a des bougies sur l'étagère. De quoi manger, grâce à Niall. Du vin d'été et une bouteille de vin d'hiver.

– Du vin d'hiver ? Pourquoi ?

Seth se mit à rire.

– Niall était outré, il dit qu'il te revaudra ça... lança-t-il avec un clin d'œil, en dépit du regard réprobateur d'Aislinn.

Celle-ci se leva et passa un bras autour de la taille de Seth.

– Je laisse mon portable allumé, dit-elle à Keenan. Tavish sait que je suis joignable en cas de problème.

– Vous partez tous les deux ? Je vais devoir rester ici ?

Keenan faisait confiance à sa reine, mais la situation lui semblait de plus en plus bizarre.

Aislinn et Seth échangèrent un autre regard qui le laissa perplexe. Puis Seth enfila son blouson.

– J'y vais, dit-il en gratifiant le Roi de l'Été d'un grand sourire – non plus tendu comme le mortel en avait l'habitude depuis l'accession au trône d'Aislinn, mais sincèrement amusé. À bientôt, on se reverra dans quelques jours.

Aislinn referma la porte derrière lui et sourit gentiment.

– Joyeux Solstice. Tu es en sécurité ici. On a même demandé à Tavish de tout vérifier.

Elle le serra brièvement dans ses bras puis s'éclipsa à son tour, le laissant seul et décontenancé.

Piégé. Elle m'a piégé.

Il se dirigea vers la fenêtre et aperçut sa reine qui s'éloignait avec son amant mortel.

Que faire, à présent ?

Donia entra avec la clé que Seth lui avait donnée. Elle entendait Keenan aller et venir d'un pas lourd et furieux dans la pièce d'à côté, comme un animal en cage. Pourtant, elle n'avait peur ni de son tempérament ni de cette dangereuse énergie. Pour la première fois, ils allaient se voir d'égal à égal, tous deux détenant la même force, la même passion, la même puissance.

Du moins, je l'espère.

Elle quitta ses bottes, plia son manteau et déboucha les deux bouteilles de vin. Elle venait de remplir un verre quand il entra dans la pièce.

– Donia ?

– Oui ? dit-elle en lui tendant le verre.

Il ne le prit pas et elle le posa sur le plan de travail.

– Qu'est-ce que tu... commença-t-il d'une voix anormalement nerveuse, en la regardant d'un air méfiant. Tu cherches Aislinn ?

– Non.

Elle prit sa bouteille à elle et remplit un autre verre de vin
– ne pas oublier d'envoyer à Niall une marque de sympathie
pour avoir pensé à s'en procurer.

– J'ai déjà vu Aislinn, ajouta-t-elle en agitant le petit porte-
clés en forme de tête de mort.

Comme c'est bon d'avoir le contrôle de la situation, de se sentir puis-
sante. Je crois que je vais m'y habituer...

Régner sur la Cour de l'Hiver était facile. Elle parvenait à se
montrer équitable envers ses fés. Mais détenir Keenan en son
pouvoir pouvait s'avérer dangereux. Elle voulait le voir se plier
à ses désirs, comme cela avait été son cas des années durant.
Elle passa sa langue sur ses lèvres et, en réponse, il lui décocha
un regard soudain habité d'une sombre lueur.

Il s'approcha d'elle avec hésitation, mais il semblait plein
d'espoir.

– Que viens-tu faire ici ?

– Je suis venue pour toi.

Elle sirotait sa boisson, calme et nonchalante, comme
jamais elle n'avait pu l'être en sa présence.

Il fit un pas de plus vers elle.

– Pour moi ?

Elle posa son verre et passa sa main dans son dos, où se trouvait la ceinture qui refermait sa robe.

Le souffle coupé, Keenan l'observait. Un merveilleux éclat
lumineux embrasa sa peau.

– Pour moi, répéta-t-il.

Des flocons tourbillonnaient autour de Donia. Elle tendit la
main vers lui.

– Oui.

Et il sourit – ce sourire dévastateur qui avait hanté son imagination depuis si longtemps, secret qu'elle avait toujours gardé.

L'Été et l'Hiver peuvent-ils s'entendre ? Jamais nous ne serons capables de... Il suffit d'essayer.

Elle l'attrapa par le poignet et l'attira plus près.

Chaque parcelle de son corps semblait se consumer, comme une sculpture de glace prête à fondre au soleil. Le froid qui l'habitait s'intensifia pour rencontrer son soleil à lui, et les enveloppa dans une bourrasque de neige.

Je t'aime.

Pourtant, elle ne le lui dit pas. Pas cette fois. Elle était son égale à présent. Elle n'avait pas l'intention de menacer cet équilibre dans l'espoir qu'il dise les mots qui auraient pu apaiser le murmure troublé qui l'agitait sans cesse.

Je t'aime encore, je t'ai toujours aimé. Elle choisit de ne pas le lui dire, mais elle n'arrêta pas de se le répéter, tandis que des fleurs s'épanouissaient dans ses yeux et que l'embrasement de son soleil la faisait trembler.

– Tu es enfin mienne, chuchota-t-il, avant de poser ses lèvres sur les siennes.

Ils se laissèrent tomber dans la neige qui s'était amassée à leurs pieds. Donia avait envie d'éclater de rire et de pleurer tout à la fois, à cause du crépitement produit par la rencontre du froid et du chaud.

C'est beaucoup mieux que d'être en train de négocier les termes de notre entente politique, songea-t-elle.

Elle savait aussi que cela influencerait ses choix quand il s'agirait de vraiment négocier. *Mais ce n'est pas la raison de ma présence ici.* Cependant, au fond d'elle, une voix lui chuchotait qu'elle serait stupide de ne pas en profiter.

– Je croyais que je ne t'aurais jamais, susurrait Keenan, comme égaré. Ma Donia... tu es toute à moi.

La neige fondait puis s'élevait en vapeur.

– Chut, dit-elle avant de l'embrasser, même si sa dernière déclaration lui paraissait insensée.

Aislinn s'engagea prudemment sur le sol verglacé. Seth et les gardes qui les avaient accompagnés jusqu'ici l'attendaient. Il y avait encore des visages qu'elle ne connaissait pas bien, des soldats que Donia leur avait prêtés pour les mois d'hiver, étant donné que les sujets de Keenan et d'Aislinn ne pouvaient sortir.

– Que personne ne vienne les déranger, ordonna-t-elle, avant de passer en revue les soldats, examinant chacun d'eux.

Ils attendaient, aussi silencieux qu'une nuit hivernale.

– Quelle qu'en soit la raison, ajouta-t-elle en souriant. Au moindre souci, appelez-moi. Allons-y, Seth, il est temps que je te présente ma grand-mère. Si elle peut accepter tout ceci, précisa-t-elle en désignant les fés qui les entouraient, alors elle est capable de t'accepter aussi.

– Tu es sûre ? Niall m'a dit que je pouvais coucher au loft.

– Oui, fais-moi confiance, répliqua-t-elle en s'emparant de sa main.

Il baissa les yeux vers son jean déchiré.

– On pourrait peut-être s'y arrêter, histoire que je me change...

– Non, l'interrompit-elle en mêlant ses doigts aux siens. Je lui ai montré les dossiers d'inscription à la fac que tu as trouvés. Elle a pensé qu'on pourrait les regarder ensemble.

377

Les yeux du jeune homme se mirent à briller et il serra Aislinn contre lui.

– Le programme de philo que je préfère, c'est celui de l'université de l'État. Et ils proposent aussi un bon programme de sciences politiques pour toi.

– On pourra déménager, si on veut. Keenan et ma grand-mère sont d'accord.

Les gardes se déployèrent devant et derrière eux. Aucun fé de l'été ne pouvait sortir par ce temps ; seuls les fés de l'hiver et ceux des ténèbres se divertissaient dans la nuit paisible mais ils se montraient solennels quand la Reine de l'Été passait devant eux – malgré tout, nombre de boules de neige se transformaient en vapeur d'eau au-dessus d'elle quand les moins intimidés de ces fés l'apercevaient.

Au bout de trois mois, ces créatures lui semblaient toujours aussi terrifiantes, mais Aislinn se sentait en sécurité pour la première fois de sa vie. *Rien n'est jamais parfait, mais rien n'est impossible non plus.*

Elle s'appuya sur la main de Seth pour l'attirer à elle.

– Allons à la maison.

Ils marchèrent dans les rues enneigées, la peau d'Aislinn scintillant suffisamment pour les réchauffer tous les deux. Le reste – ses craintes, les exigences de la cour, les inquiétudes de Keenan... – pouvait attendre.

Et quand la Reine de l'Été se réjouissait, ses fés faisaient de même.

Aussi, elle se réjouit et laissa cette émotion se répandre jusqu'à ses fés, la sentit revenir en écho dans le cœur de Keenan et la vit se refléter dans les yeux de Seth.

Rien n'est parfait, mais tout le sera un jour.

Remerciements

J'ai eu la chance immense d'avoir à mes côtés, le long de ce chemin parfois difficile, des gens vraiment merveilleux : Rachel Vater, mon adorable, mon indomptable agent ; mes éditeurs aussi passionnés que compréhensifs, Anne Hoppe et Nick Lake (et je n'oublie pas le reste de la magnifique équipe de chez Harper, et spécialement Camilla, Alison et Tasha) ; mes lecteurs, Anne Gill et Randy Simpson ; Kelly Kincy, mon amie très chère, ainsi que Michael Grimwood et Tony Harrison, mes amis et mentors. La foi et l'enthousiasme que vous avez bien voulu partager avec moi tout au long de ce voyage me rendent très humble.

Et puis il y a ceux qui m'ont toujours encouragée, toujours inspirée. John et Vanessa Marr, qui m'ont appris ce que je sais de la foi, du courage et de ce qui est au-delà de notre faible vue. Dylan et Asia, qui me rappellent tous les jours que l'impossible parfois peut se produire. Et Loch, qui me prouve qu'on peut trouver le vrai bonheur de ce côté-ci du voile. Sans vous, il n'y aurait rien.

D'autres livres

wiz
Albin Michel

Jodi Lynn ANDERSON, *Peau de pêche*
Jodi Lynn ANDERSON, *Secrets de pêches*
Meg CABOT, *Une (irrésistible) envie de sucré*
Meg CABOT, *Une (irrésistible) envie d'aimer*
Meg CABOT, *Une (irrésistible) envie de dire oui*
Elizabeth CRAFT et Sarah FAIN, *Comme des sœurs*
Elizabeth CRAFT et Sarah FAIN, *Amies pour la vie*
Melissa DE LA CRUZ, *Un été pour tout changer*
Melissa DE LA CRUZ, *Fabuleux bains de minuit*
Melissa DE LA CRUZ, *Une saison en bikini*
Melissa DE LA CRUZ, *Glamour toujours*
Melissa DE LA CRUZ, *Les Vampires de Manhattan*
Melissa DE LA CRUZ, *Les Sang-Bleu*
Melissa DE LA CRUZ, *Les Sang-d'Argent*
Melissa DE LA CRUZ, *Le Baiser du Vampire*
Norma FOX MAZER, *Le Courage du papillon*
Sarah MLYNOWSKI, *Sortilèges et sacs à main*
Sarah MLYNOWSKI, *Crapauds et Roméos*
Sarah MLYNOWSKI, *Tout sur Rachel !*
Sarah MLYNOWSKI, *Deux sorcières pour un garçon*
Nicola MORGAN, *Un monde sans rêves*
Chloë RAYBAN, *Les Futures Vies de Justine*
Chloë RAYBAN, *Dans la peau d'un garçon*
Chloë RAYBAN, *Justine sérieusement amoureuse*
Meg ROSOFF, *Maintenant, c'est ma vie*
Laurie Faria STOLARZ, *Bleu cauchemar*
Laurie Faria STOLARZ, *Blanc fantôme*
Gabrielle ZEVIN, *Une vie ailleurs*
Gabrielle ZEVIN, *Je ne sais plus pourquoi je t'aime*

Anna GODBERSEN, *Rebelles*, Albin Michel
Anna GODBERSEN, *Rumeurs*, Albin Michel
Alice KUIPERS, *Ne t'inquiète pas pour moi*, Albin Michel

www.wiz.fr
Logo Wiz : Cédric Gatillon

Composition Nord Compo
Impression CPI Bussière en décembre 2009
à Saint-Amand-Montrond (Cher)
Éditions Albin Michel
22, rue Huyghens, 75014 Paris
ISBN : 978-2-226-19336-0
ISSN : 1637-0236
N° d'édition : 18445/01. – N° d'impression : 093388/4.
Dépôt légal : janvier 2010.
Loi n° 49-956 du 16 juillet 1949 sur les publications destinées à la jeunesse.
Imprimé en France.